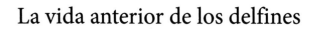

La vida anterior de los delfines

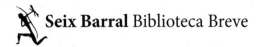
Seix Barral Biblioteca Breve

Kirmen Uribe
La vida anterior de los delfines

Traducción del euskera por
Kirmen Uribe y J. M. Isasi

Título original: *Izurdeen aurreko bizitza*

© Kirmen Uribe, 2022
  Publicado de acuerdo con Pontas Literary & Film Agency
© por la traducción, Kirmen Uribe y J. M. Isasi, 2022
© Editorial Planeta, S. A., 2022
  Seix Barral, un sello editorial de Editorial Planeta, S. A.
  Avda. Diagonal, 662-664, 08034 Barcelona (España)
  www.seix-barral.es
  www.planetadelibros.com

© Imágenes del interior: archivo personal del autor; pág. 351, Ney Mevlevi /
  Shutterstock

Primera edición: marzo de 2022
ISBN: 978-84-322-3981-6
Depósito legal: B. 2.919-2022
Composición: Realización Planeta
Impresión y encuadernación: CPI Black Print
Printed in Spain - Impreso en España

A Nerea, Unai, Arane y Aitzol

La historia nos ha fallado.
Pero no importa.

LIBRO PRIMERO

(2018-2019)

No hay nada que puedas hacer
—me dijeron—. Eres solo una chica.
Las mujeres no pueden hacer nada.

Rosika Schwimmer

1

Según las creencias de los primeros vascos, quienes se enamoraban de las lamias, seres mitológicos de aspecto similar al de las sirenas, se convertían en delfines. Ese era el precio que debían pagar los amantes de las lamias por su atrevimiento: su transformación en una criatura marina de una apariencia opuesta a la humana, tan diferente como cabe imaginar e inmersa en un hábitat desconocido y alejado de la superficie terrestre. Un cambio radical que acontecía de la noche a la mañana, como el inicio de un viaje, quizá una odisea adversa, quizá una aventura favorable, en todo caso un viaje ajeno a cualquier rutina, como una expedición a un destino incierto. Lo que aguardaba a las personas reencarnadas en delfines nadie lo sabía, pero, fuera felicidad o melancolía, lo importante es que no había marcha atrás. El cambio era definitivo e irremediable.

Según me contó Nora, las lamias sabían comunicarse en su propio idioma. Naturalmente conocían el euskera, pero les gustaba inventarse palabras, convertir la lengua en un juego, como hacen los niños y niñas demasiado inteligentes cuando no encuentran en los diccionarios las palabras que reflejan lo que imaginan o lo que les sucede y crean su propio vocabulario. Así, llamaban *izurdau* («adelfinar») a enamorar a alguien; la definición de una metamorfosis —castigo o bendición— que convertía a hombres y mujeres en sus amantes marinos.

Si me he acordado de esta leyenda sobre los delfines es porque a los migrantes también nos cambia la vida cuando cruzamos la frontera. Una vez emprendido el viaje, el camino se vuelve otro, muy diferente al imaginado, y los sueños que alimentaron nuestra partida quizá resulten tan fantasiosos como las propias lamias. A cada paso te encuentras con algo inesperado, ni mejor ni peor, pero distinto. Hasta tu tierra natal se vuelve extraña o, mejor dicho, la percepción que como migrante tienes de ella. No solo te alejas en la distancia, sino que te sales del tiempo que conocías, de su transcurso cotidiano, y la apariencia pierde su presencia física y se transforma en evocación, en imagen, en memoria..., a la postre, en ficción.

Los migrantes desconocemos lo que nos deparará el futuro, pero sabemos bien que el pasado ya nunca será el mismo que fue.

No hay palabra que describa esa certidumbre. Acaso en el idioma de las lamias.

En enero de 1920, al alba, cuando un pequeño vapor con una mujer escondida en cubierta partió de Budapest en dirección a Viena, río arriba, flotaban en la superficie extensas placas de hielo, el Danubio las movía en grandes bloques que se resquebrajaban a los pies del Puente de las Cadenas, abriendo estrechos canales por los que el barco avanzó con cautela, evitando los muros congelados.

La mujer que emigró oculta entre las velas de aquel barco era Rosika Schwimmer, una de las intelectuales más importantes de su época, la primera mujer designada embajadora de un país, reputada conferenciante y conocida activista en favor de los derechos sociales. La misma mujer que tiempo atrás había defendido el sufragio femenino en el majestuoso Parlamento levantado a orillas del Danubio, cuando era una jovencísima militante que epató a toda la clase política con su discurso y se hizo célebre por sus gafas sin patillas, una estampa que reprodujeron todos los periódicos del Imperio austrohúngaro. La misma mujer que en Londres había dirigido la Alianza Internacional de las Mujeres y que había impulsado el movimiento que intentó evitar la Primera Guerra Mundial. Una mujer brillante y decidida a la que, sin embargo, en

1920 no le quedó otro remedio que partir como una polizona hacia el exilio.

La República de Hungría se había malogrado demasiado pronto. Su cargo como embajadora en Suiza solo le había durado cinco meses. Del terror rojo abanderado por el comunista Béla Kun se había pasado rápidamente al terror blanco encarnado por la ultraderecha del almirante Horthy, y para ambos extremos Schwimmer era sospechosa: para los comunistas dogmáticos, por burguesa; para los fascistas húngaros, por judía; así que la huida fue su única salida.

Viena no supuso más que una breve estación de paso en su evasión hacia Estados Unidos, donde anhelaba recibir el caluroso y merecido reconocimiento que la inestable Europa le negó. Un anhelo, cierta esperanza de un futuro mejor, compartido por todos los migrantes desde el principio de los tiempos.

Nueve años más tarde, en concreto, el 24 de mayo de 1929, Rosika Schwimmer reivindicaba su derecho a la ciudadanía americana y comparecía ante la Corte Suprema de Estados Unidos, la instancia judicial más importante del país, en cuyo tribunal había acabado su pleito, el caso «Schwimmer versus United States», tras sucesivas apelaciones y después de trece sentencias previas en las que siete jueces fallaron en su contra y seis, a favor.

—Estoy convencido —prosiguió uno de los magistrados— de que este país jamás enviará a sus mujeres a la guerra y de que no existe siquiera un regimiento de amazonas.

—Ojalá sea como usted dice —asintió Rosika Schwimmer.

—Pero quizá tendríamos que enviarlas al frente como enfermeras, para que cuiden de nuestros soldados. ¿Aceptaría usted que el gobierno de Estados Unidos le encomendara esta misión?

—Estoy dispuesta a cumplir con cualquiera de los cometidos que puedan encomendársele a una mujer estadounidense, pero no a combatir.

—Bueno, nuestras mujeres no combaten, así que no esperamos de usted que cargue con un mosquetón al hombro.

—Por mi parte, reitero mi entera disposición a cumplir con las leyes que conciernen a los ciudadanos de este país.

—¿Seguro que está preparada para cumplir con todo lo que se le pida a una mujer americana? Me refiero a una ciudadana estadounidense ejemplar.

—Sí, así es. No creo que haya nada en mis convicciones que contravenga el cumplimiento de la ley. Simplemente, no estoy dispuesta a combatir y admito que, si la ley obligara a combatir a las mujeres estadounidenses, yo incumpliría esa ley.

—Entonces es usted una pacifista recalcitrante.

—Sí.

—¿Y hasta dónde alcanza su convicción? ¿Solo le atañe a usted?

—Así es.

—Renuncia a utilizar la violencia.

—Eso mismo.

—¿Pero también condena el uso de la violencia legítima por parte del gobierno?

—Lo que yo sostengo es que un gobierno no puede obligarme a luchar.

—¿Se refiere usted a luchar físicamente?

—Sí, físicamente.

—¿Y considera que tampoco puede obligarle a llevar un arma?

—Tampoco.

—¿No se refiere a nada más?

—A nada más.

—Bueno, a decir verdad, ninguno de nosotros desea una guerra.

—Por supuesto que no.

—Pero la mayoría de nosotros, si se desencadenara una guerra que pusiera en peligro a nuestro país, daríamos un paso al frente.

—Estoy segura de ello.

—Y lucharíamos por defender los pilares de esta nación.

—Sí.

—¿Y estaría usted dispuesta a hacer lo mismo?

—Lo siento mucho, señor. Me temo que no he entendido el sentido de su pregunta.

—Lo que quiero decir es que usted ha dicho

que jamás empuñaría un arma para defender a este país.

—Es cierto.

—Pero claro, se siente usted amparada por la ley porque todo indica que nunca llegará el día en el que las mujeres estadounidenses deban alistarse en el ejército.

—Mire, lo único que he afirmado es que no estoy dispuesta a empuñar un arma. Pero en lo que se refiere a mis obligaciones como ciudadana americana, estoy del todo preparada para cumplir con la ley. Sin ninguna duda. Por eso mantengo que puedo jurar lealtad a este país, y en mi opinión, y en opinión de mi abogada, no hay nada a lo que esté obligada por ley que yo no pueda cumplir. Las mujeres estadounidenses no van a la guerra, así que nadie debería exigirme que yo estuviera dispuesta a ir.

—Usted es la única que debe responder ante este tribunal. Seguro que a su abogada le da igual lo que pueda usted ocultar dentro de su corazón.

—Mi corazón está abierto de par en par porque no tengo nada que ocultar. Como ya le he respondido anteriormente, ninguna ley me obliga a empuñar un arma, así que no hay impedimento alguno para que me concedan la ciudadanía americana.

—Quiere usted decir, entonces, que su convicción es una decisión personal.

—Exactamente.

—¿Y que le incumbe solo a usted?

—Solo respondo por mí.

—¿Así que no tendría ningún inconveniente en que otras mujeres lucharan?

—No es algo que me concierna. Creo que es una decisión personal que debe tomarse en conciencia. Si hay mujeres que quieren ir a la guerra, es asunto de ellas.

—Pero usted hace propaganda de sus convicciones entre otras mujeres.

—No sé a qué propaganda se refiere.

—A cuál me voy a referir, a propagar que es usted pacifista y que jamás combatiría por su país.

—No es algo que quiera ocultar.

—¿Cuál es su modo de vida?

—Soy escritora y conferenciante.

—¿Y habla usted de la guerra y de pacifismo en sus escritos y conferencias?

—Si así me lo solicitan...

—Usted sabe que América tiene mucho que ofrecerle.

—Sí, lo sé.

—Cuando concedemos la ciudadanía a personas procedentes de otros países, les estamos dando mucho más que un documento.

—Estoy de acuerdo.

—A cambio confiamos en que esos nuevos ciudadanos se adapten a nuestras costumbres, es una cuestión de respeto. No estoy insinuando que no se pueda escribir sobre lo que uno quiera. En este país hay muchos ciudadanos que piensan que se acerca una nueva guerra, y así lo denuncian. Se declaran en contra de la guerra. Hay muchos americanos pacifistas, pero si llegara el momento, si tuvieran que alistarse, dejarían a un lado sus opiniones y sus escritos, y lucharían por esta nación. No se puede ser estadounidense solo en parte, para lo que a uno le convenga. Se es estadounidense con todas las consecuencias, no solo para poder vivir aquí, no solo para disfrutar de sus derechos, sino también para cumplir con sus obligaciones, como todo aquel que vive bajo el amparo de esta bandera.

—Le entiendo perfectamente, señor. Solo puedo insistir en lo ya señalado: no hay ninguna ley ni ninguna obligación que yo no esté dispuesta a cumplir.

El juez tomó la palabra.

—Confiemos en que nunca ocurra, pero dígame, señora Schwimmer, si la reclutaran para alguna de las labores que en una guerra las mujeres desempeñan mejor que los hombres, por ejemplo, como enfermera, y en un momento dado de la contienda sorprendiera usted a un soldado enemigo con la intención de matar a uno de nuestros hombres y usted tuviera un arma a su alcance para defenderlo, ¿dispararía al soldado?

—No, no dispararía.

—En ese caso, queda denegada la solicitud.

Abrí de nuevo la caja número 68, metí en ella el artículo sobre el caso de Rosika Schwimmer, así como unos guantes blancos y un lápiz que me habían facilitado porque en la sección de «Manuscritos y archivos (y libros raros)» está prohibido el uso de bolígrafos, y devolví la caja al responsable de los archivos.

Salí por la puerta y entré en la Rose Main Reading Room, una enorme estancia sin columnas con un gran pasillo central y mesas a ambos lados. Las paredes están cubiertas de estanterías coronadas por grandes ventanales con vistas al relieve de los rascacielos de Nueva York recortando el cielo abierto y por cuyos cristales entra a raudales una luz que baña toda la nave como si fuera la de una catedral. Sin embargo, lo más asombroso de la sala no está a la vista, sino debajo, seis pisos de estanterías de acero de Carnegie que soportan a modo de pilares la estructura de todo este palacio de cultura con suelos de mármol y techos de estuco. Al no haber columnas, son las estanterías de libros las que soportan el peso de tanta solemnidad.

Después bajé por las escaleras de mármol blanco y me dirigí a Bryant Park, situado en la parte trasera de la biblioteca, donde había quedado con Nora en una de las mesas cercanas a la estatua de Gertrude Stein. A finales de octubre, la brisa aún agradable mecía las hojas de los árboles que se columpiaban como las llamas de las velas que se resisten a apagarse, mientras alrededor las parejas jugaban al ajedrez y los ancianos, a la petanca.

Atravesé el parque pensativo, con la mirada perdida en el suelo, con cierta sensación de irrealidad, como si parte de mi mente habitara en un mundo paralelo, aún conectada a los papeles del archivo Schwimmer, y, tal y como me ocurría cada vez que cruzaba el jardín, sin poder evitar acordarme de algo que quizá mucha gente desconocía: que bajo los árboles y la hierba del Bryant Park reposaban tres millones de volúmenes, la mayor parte de los fondos de la biblioteca, y que en primavera las flores brotaban como nutridas por los libros.

La abogada defensora de Schwimmer, Olive H. Rabe, solicitó su turno de intervención.

—Permítanme, por favor, que añada una aclaración a la respuesta de mi defendida. Resulta crucial matizar que con sus palabras la señora Schwimmer en ningún caso pretendía restar importancia a la posible muerte de un soldado de Estados Unidos, y que ella solamente deseaba manifestar su oposición a cualquier muerte.

—Es cierto —asintió Rosika.

—El escenario que he planteado a la señora Schwimmer podría ocurrir en cualquier guerra, y mi pregunta ha sido muy concreta: qué habría hecho ella, si disparar al soldado enemigo o no, para salvar la vida de un combatiente de Estados Unidos, sin importar que fuera general o soldado raso, y su respuesta ha sido que no.

—¿Me permite interrogar a la señora Schwimmer? —solicitó la abogada.

—Adelante.

—Situada en el mismo escenario que le ha planteado su señoría, ¿avisaría usted al soldado?

—Por supuesto.

—Y lo haría para que así él pudiera defenderse.

—Y no solo lo avisaría; también intentaría quitarle el arma al enemigo.

—¿De qué manera? ¿Incluso abalanzándose sobre él?

—Sí, lo haría.

—¿Incluso poniendo en riesgo su propia vida?

—Sí, incluso arriesgando mi vida.

—Pero en mi pregunta le cuestionaba sobre eso mismo. Le preguntaba si defendería usted a un soldado americano en peligro —intervino el juez.

—Sí lo haría.

—¿Y si tuviera un arma a su alcance?

—Entonces, ¿qué?

—Que si dispararía...

—No lo haría.

—En ese caso, mi veredicto no ha cambiado.

La abogada miró a su defendida y la interpeló de nuevo.

—Pero si el enemigo estuviera apuntándole a usted y no al soldado, entonces, ¿dispararía el arma para defenderse?

—No. No dispararía. De ninguna de las maneras.

—Señora —replicó el juez—, no importa que discrepemos sobre el concepto de nación, lo que importa es que nuestro deber es interpretar la ley tal y como está formulada. No hay nada personal en nuestra postura.

—Pero la cuestión, permítame su señoría —insistió la abogada Rabe—, es que nos cuesta entender bajo qué precepto se le obliga a mi clienta a utilizar un arma, cuando ella se considera incapaz de tal cosa, tanto por su edad como por su condición de mujer. Y más si consideramos que a los cuáqueros, por ejemplo, que proceden de Irlanda se les concede la ciudadanía estadounidense sin ningún reparo a pesar de que ellos también se oponen por motivos religiosos al uso de armas. Entonces, ¿cuál es el problema? ¿Que mi defendida es pacifista? Dicho de otra manera, lo que aquí hay que determinar es el motivo por el que se deniega la ciudadanía americana a una mujer que ha cumplido los cincuenta años y que se declara pacifista. Y si, en verdad, no es precisamente el hecho de ser pacifista lo que motiva la denegación.

De manera inesperada, y sin mediar respuesta alguna, el juez dio por terminada la sesión.

—¿Al final no consiguió la ciudadanía? —me preguntó Nora, que siempre se interesaba por las averiguaciones que iba haciendo cada día sobre Rosika Schwimmer.

—Qué va. No se la dieron. Aquel periodo de entreguerras resultó muy retrógrado en Estados Unidos, muy nacionalista y obsesivo, hasta paranoico. Un perfil como el de Schwimmer resultaba intrigante e incómodo, y todo lo sospechoso se cataloga de comunista.

—Vaya, y pensar que los comunistas querían acabar con ella en Hungría... Para unos su postura era tibia y para los otros, amenazante.

—Tú lo has dicho: una locura. Así y todo, el voto particular de uno de los miembros de la Corte Suprema, el del juez Holmes, fue contrario al veredicto. Según su criterio, no existía motivo alguno para rechazar la solicitud de Schwimmer, y le dedicó unas palabras magníficas dignas de ser recordadas siempre. Holmes afirmó que «se le negaba la ciudadanía a una mujer que se la merecía porque en verdad encarnaba los valores de Estados Unidos, una persona más inteligente de lo habitual, una intelectual libre y optimista», según quedó escrito.

—Quizá por eso se la denegaron. Una mujer feminista, pacifista y judía, y, además, sin marido o novio conocido... Malo.

—Bueno, por lo menos le dejaron vivir en Estados Unidos; sin papeles, eso sí. Aunque el hecho de no contar con la ciudadanía resultara determinante al cabo de poco tiempo.

—Bien.

—¿Cómo que bien? —le pregunté sorprendido. Nora prestaba atención a otra cosa.

—¿No te has dado cuenta? —replicó.

—¿Que si no me he dado cuenta de qué?

—En la mesa de al lado había una chica escribiendo en un ordenador portátil. Ha terminado su café, se ha levantado y se ha marchado, e, inmediatamente, un chico se ha sentado en su lugar. Nada más sentarse se ha dado cuenta de que la chica se había dejado una carta sobre la mesa y ha salido corriendo tras ella para dársela. He visto cómo hablaban un rato, él alargando la mano y ofreciendo la carta, y ella rechazándola, como si no fuera suya. Al final, el chico se ha vuelto a su mesa con la carta en la mano, ruborizado pero sonriente. Se ha quedado pensativo, dándole vueltas a la carta, con la mirada perdida. Ha cerrado un instante los ojos mientras movía la cabeza con un gesto de complicidad, ha cogido la mochila y ha guardado el sobre sin abrir en un bolsillo.

—No sé si he entendido bien.

—¿En serio? Parece mentira que seas escritor. ¡La carta era para el chico!

En ese instante, mientras Nora sonreía y se burlaba un poco de mi torpeza, me deslumbró de repente su belleza única, y con el destello me vino a la memoria el primer mensaje que me mandó al móvil y el nombre con el que lo firmó: Lamia.

Nora, la lamia.

Lo dejaría todo por ella.

2

El golfo de Vizcaya es como una vasija inmensa a la que van a parar las aguas de los dos hemisferios, un cruce de caminos entre el norte y el sur donde se entremezclan corrientes gélidas con otras cálidas, y, cerca de la costa, apenas a mil millas, se esconde una sima abrupta, profunda y tenebrosa en la que habitan cetáceos, calamares gigantes, monstruos marinos y criaturas abisales.

En tierra, como si fuera una lagartija asustada de día o un pez ahogándose en la arena de noche, la carretera que lleva del alto de Itziar a Deba se revuelve contra sí misma en cada curva, desciende hacia la costa por un sendero boscoso que bien parece un laberinto construido por la propia naturaleza, un pasadizo retorcido hasta que, de repente, justo después del último recodo, el litoral irrumpe en toda su inmensidad abriendo el plano con tanta amplitud que la vista se ciega abrumada por el panorama, y enfrente se expande el mar, y allí mismo también, como un minúsculo punto que formara parte del paisaje, se encuentra el mirador.

Quizá ese diminuto lugar constituya la punta de lanza del golfo hincada en la costa, el vértice desde el cual la tierra extiende sus brazos hacia el océano infinito: a la derecha, alargándose hasta la Bretaña francesa; a la izquierda, dibujando el cardiograma cantábrico que culmina en el cabo Finisterre, así bautizado por los romanos, el cabo donde acaba la tierra.

En febrero de 2018, en pleno invierno, regresaba en coche desde San Sebastián a Ondarroa por esa misma serpenteada carretera cuando percibí el temblor del móvil en el compartimento junto al reposabrazos. Sin desviar la atención del volante, alcancé a distinguir en la pantalla un número extenso y el letrero de su procedencia, Nueva York, Estados Unidos, pero no me atreví a cogerlo y continué conduciendo hasta el mirador, donde me detuve y salí del coche con el teléfono ya mudo en la mano. Pensativo, perdí la mirada en la costa y enseguida reparé en el telón de nubes que se proyectaba en el horizonte, espectaculares cortinones de agua que caían sobre la superficie del mar como sobre un escenario.

Sabía bien a qué obedecía aquella llamada telefónica desde otro continente; a fin de cuentas, me hallaba a la espera de una respuesta a la solicitud de una beca presentada a la Biblioteca Pública de Nueva York con el fin de estudiar el legado de Rosika Schwimmer y escribir una novela al respecto, y aquella llamada no podía sino anunciar la resolución de la convocatoria. Algunas gotas transportadas por el viento del norte me mojaron el rostro mientras advertía el acercamiento progresivo de los telones de lluvia, y regresé al coche sin siquiera determinar el verdadero origen de la inquietud que sentía; en definitiva, el mismo temor a ser admitido que a ser rechazado. Ya en el habitáculo, los latidos del chaparrón percutían cada vez con más fuerza sobre el techo del coche cuando de nuevo sonó el teléfono móvil y una voz amable me comunicó que el fallo del tribunal había sido publicado.

Me habían concedido la beca.

A pesar de que la subvención establecía un periodo para la investigación y escritura que no comenzaba hasta septiembre, el mismo mes del inicio del curso escolar para los niños, no nos quedó otro remedio que buscar alojamiento en Nueva York ya desde el mes de mayo, porque nos advirtieron que era entonces cuando se movía el mercado inmobiliario, ya que los pisos se vaciaban en apenas unas semanas y se realquilaban casi de inmediato para la nueva temporada, así que desde la distancia, a través de la red, emprendimos la búsqueda de nuestro futuro hogar, de alguna manera a ciegas y antes de que llegara el verano.

Desde el primer momento nos dimos cuenta de que la tarea iba a resultar una completa locura, no solo por la dificultad de encontrar el alojamiento idóneo en una ciudad gigantesca y desconocida para nosotros, sino porque la búsqueda exigía encontrar a la vez, y en una misma área, casa y escuela. Tal y como estipulaban las normas de matriculación académica, cada centro demandaba que sus alumnos residieran en las calles adyacentes al colegio, diez o quince manzanas a lo sumo, y esa era el área en que debíamos hallar nuestro piso, porque de lo contrario nos correspondía otra escuela. Así que no nos bastaba con acertar con la residencia, sino que también debíamos asegurarnos de que quedaran plazas libres en el colegio asignado a nuestra calle, todo lo cual nos generó una cierta parálisis, ya que, la verdad, no sabíamos ni por dónde empezar.

Finalmente supimos de la existencia de una web, llamada Sabbatical Homes, en la que profesores universitarios que se tomaban un año sabático ponían en alquiler sus viviendas, y pensamos que nosotros podíamos ser los candidatos ideales para una oferta así; primero, porque el propósito de nuestro viaje era en cierto modo académico, y, segundo, porque nuestro plan inicial era que nuestra estancia en Nueva York durara un año, así que nos registramos y publicamos un anuncio postulándonos como inquilinos.

Pocos días después llegó la primera propuesta, una familia residente en Montclair cuya casa en alquiler, a tenor de las fotografías, nos resultaba muy agradable, un edificio construido a principios del siglo xx rodeado de un jardín en el que, en uno de los árboles, había una cabaña. Sin embargo, a pesar de que nos enteramos de que era un lugar de residencia de escritores y periodistas que habían huido de la metrópoli en busca de paz, a nosotros la ubicación nos despertaba ciertas reticencias, ya que se trataba de un municipio tan alejado de Nueva York que me obligaría a coger un tren a diario para llegar a la biblioteca, una hora por trayecto, y, además, de alguna manera, suponía, sobre todo para Nora, la renuncia a uno de los alicientes mayores del viaje, que era el de sumergirnos en el corazón de la Gran Manzana, lo más cerca posible del distrito de Manhattan, y disfrutar plenamente de la oportunidad que se nos había brindado.

La segunda vivienda que se nos propuso era propiedad de un filósofo y todavía más antigua y espectacular que la primera, una casa adosada del siglo xix, en Brooklyn, a la vera del Prospect Park y repleta de libros en todas las estancias excepto una, la colorista habitación de los niños. Con la sensación de haber topado con el alojamiento perfecto, nos apresuramos a escribir a los colegios de la zona en busca de plazas para nuestros hijos, y contábamos los días a la espera de respuesta sin poder dejar de entrar una y otra vez en la web para ilusionarnos con las fotografías de la vivienda, e incluso investigamos los alrededores, donde descubrimos librerías y otros lugares de interés, cada vez más complacidos por nuestra fortuna, hasta que recibimos la contestación del propietario, afirmativa pero solo en el caso de que accediéramos a pagar el alquiler de manera inmediata, es decir, desde mayo en vez de septiembre, algo inasumible para nosotros.

El mismo portal inmobiliario nos presentó una tercera propuesta, en esta ocasión, un piso en la calle 14 habitado por un científico. La zona era idónea y nos congratulamos al encontrar también cerca un colegio de nuestro agrado, el East Village Community School, o al menos así nos pareció en las fotos, una escuela acogedora, progresista, con un director que en la web tocaba la guitarra y con un alumnado que mostraba pancartas con mensajes bienintencionados, y que, tras un periodo de incertidumbre en el que creímos habernos quedado sin plazas, aceptó nuestras solicitudes, lo cual nos condujo al que parecía ya el último y definitivo paso, la firma del contrato de alquiler; y cuando así lo requerimos, de repente, el científico se descolgó con un «prefiero a inquilinos estadounidenses para evitar problemas con los vecinos», un argumento sesudo e irrefutable propio de una eminencia.

Fue un mazazo no solo por las formas, sino porque ya estábamos a mitad de junio y, agotadas las opciones del portal Sabbatical Homes, debíamos empezar otra vez de cero y sin otro remedio que el de recurrir a la vorágine de las inmobiliarias tradicionales, algo que hicimos agarrándonos a un dicho que habíamos oído varias veces, «En Nueva York, con el tiempo sale todo», pero también con miedo a que ese tiempo fuera ya demasiado tarde para nosotros.

Descartamos Brooklyn y el Village y centramos el tiro en el Upper West Side, un barrio al que no queríamos renunciar aún a pesar de que las posibilidades de encontrar un alojamiento allí también fueran reducidas, y, una vez más, alternamos la búsqueda de piso y escuela. Pronto dimos con un colegio que admitía a nuestros hijos y que cubría nuestras expectativas, el PS 87 William Sherman, que además ofrecía educación bilingüe en inglés y español, un idioma que nuestros hijos hablaban a pesar de que no fuera su lengua materna y cuyo conocimiento seguro les serviría para el periodo de adaptación, hasta que se hicieran con el inglés. El reto entonces era hallar un piso en alquiler en el área asignada a la escuela, entre las calles 72 y 86, y a ello nos pusimos con renovado empeño, enviando correos y solicitudes a diestro y siniestro, pero transcurrieron semanas sin que la mayoría de las inmobiliarias siquiera contestara.

Cerca ya del desaliento, una mañana Nora encontró en su bandeja de entrada el mensaje de un hombre llamado Rocco que, de manera asombrosa e inesperada, nos ofrecía un piso, de tan solo dos habitaciones, pero en la calle 79, a un solo paso del colegio, un feliz ofrecimiento que, como no podía ser de otra manera, también contaba con su reverso, ya que Rocco exigía que nos decidiéramos en veinticuatro horas, ni una más ni una menos. Ese era el plazo que nos daba para tomar una decisión que nos suscitaba dos dudas: la primera, el precio, demasiado caro, aunque compensábamos el gasto con el ahorro en la escuela, que era pública y con desayuno y comida también gratuitos para los niños; así que la segunda duda era la que en verdad nos atormentaba: ¿y si fuera una estafa, un fraude, una inmobiliaria fantasma? Una pregunta sin respuesta, una moneda al aire que demandaba un acto de fe al que, como la mayoría de los viajeros, y más si son migrantes, nos encomendamos.

De todos los quehaceres vinculados a la beca, ninguno me causaba mayor satisfacción que la apertura de las cajas con los archivos de Rosika Schwimmer, un acto que simbolizaba el trabajo al que me dedicaba y al que también le daba un sentido, porque cada vez que rescataba un documento importante no solo descubría un episodio significativo de su vida, sino también de mi propia vida, en la medida en que cada descubrimiento provocaba un indeterminado número de alicientes tanto para mi imaginación como para mi memoria; al fin y al cabo, qué otra cosa es nuestro cerebro sino una red de cajas que se abren y se cierran alentadas por estímulos.

Una caja vacía es una caja sin vida, como les sucede a los enfermos de alzhéimer, que son incapaces de retener las vivencias recientes y se les difuminan enseguida; no encuentran la manera de salvaguardarlas; antes de que se den cuenta, el recuerdo ya se ha evaporado de los recipientes de la memoria, sin una mísera tapa con la que protegerlo. Les queda, eso sí, el amparo del pasado más remoto, las cajas de otro tiempo, incluso de la infancia, pero son incapaces de acordarse de lo acontecido el día anterior.

Una vez me habitué a desempolvar los archivos de Rosika Schwimmer como parte esencial de la investigación, no tardé demasiado en advertir que aquellas cajas, además del pasado, contenían secretos del porvenir, y no precisamente del de ella, sino del mío, la vida pendiente, el tiempo por vivir.

Con cada caja que abría regresaba a mi cabeza una misma reflexión. Costaba determinar qué era más significativo: el hecho de que, en enero de 1949, el diario *The New York Times* citara a Rosika Schwimmer entre las personalidades más importantes fallecidas el año anterior, junto a ilustres de la talla de Mahatma Gandhi, o que su nombre en la actualidad, y desde hacía ya décadas, hubiera caído en el olvido.

Si hubo alguien que se rebeló ante la desmemoria e hizo cuanto pudo para combatirla, esa persona fue Edith Wynner, quien primero fue secretaria personal de Rosika Schwimmer durante veinte largos años, y, una vez muerta esta, entró a trabajar en la Biblioteca Pública de Nueva York y se convirtió en su documentalista, recopiló todas las publicaciones y materiales relacionados con su jefa, y también amiga, y los archivó para la posteridad, una misión añadida a la que, en verdad, fue su mayor obra: la biografía de Rosika Schwimmer, o, mejor dicho, el intento de biografía, porque a pesar de que Wynner dedicó cincuenta años de su vida a su escritura, no la terminó, la dejó inconclusa porque rivalizaba en pretensiones con el célebre mapa de Jorge Luis Borges, tan ambicioso que debía ser del mismo tamaño que el territorio, así era Edith Wynner, cuyo proyecto de biografía abarcaba miles de páginas, fotografías, cartas, noticias, apuntes, anécdotas..., espejo imposible de toda una vida, irrealizable por más que la apremiaran los editores, por más que firmara contratos para su publicación, por más que dedicara a la empresa dieciséis horas al día, siete días a la semana, desde primera hora de la mañana hasta el anochecer, porque nadie puede contar una vida entera.

Al final, las cajas del archivo no suponían sino la prueba de su fracaso como biógrafa, la entrega póstuma de un original malogrado: versiones distintas de un mismo capítulo; borradores pertenecientes a los años cuarenta, cincuenta, sesenta, setenta; bocetos y más bocetos escritos una y otra vez; anexos pegados con celo a las propias páginas en los que anotaba detalles que recordaba, toda suerte de glosas adjuntas que denominaba «inserts», como si, al igual que los cocineros sazonaban los platos con aderezos, se pudieran añadir al texto insertos a gusto de cada cual, y Wynner categorizaba estos apaños, y así, la primera que fotografié, perteneciente a la caja 35, se correspondía al «Insert 17 A», que decía así :

Durante las estancias en Subotica, cuando Rosika aún era una niña, los Schwimmer acudían todos los domingos a la estación. Pasaban la tarde observando a los viajeros del Orient Express bajar del tren, el más lujoso de la época. Sentados en un banco, los Schwimmer, como si fueran espectadores de una película —y el andén, la pantalla por la que desfilan estrellas de cine—, apreciaban los recién estrenados trajes de aquellos viajeros, su peculiar manera de hablar y de actuar, tan distintos de sus costumbres.

Poco antes de que aterrizáramos en Nueva York, Rocco, el de la inmobiliaria, nos había escrito: «Cuando lleguéis al portal, tocadle el timbre al portero y presentaos, os abrirá, y subid hasta el apartamento. Encontraréis la puerta abierta, con las llaves dentro», un mensaje que nos intranquilizó porque avivó la sombra de la estafa, ¿cómo nos iba a dejar la puerta abierta en el centro de Nueva York?, pero todo sucedió según lo indicado, y entramos en nuestro nuevo hogar simplemente accionando la manilla, y en el acto me vino a la memoria la casa de una costurera de mi infancia, tan ocupada con su máquina de coser que no se levantaba a abrirte la puerta, sino que accedías tirando de un cordón que sobresalía junto a la jamba.

De igual manera, con la misma soltura con la que se tira de un lazo, en los días siguientes inspeccionamos los alrededores de nuestra nueva casa, atentos en cada excursión a lo que deparaba el barrio. El Upper West Side ocupa un área de la ciudad que queda al oeste de Central Park, entre Riverside Park y el río Hudson, y en donde se encuentran, entre otros, el Museo de Historia Natural, el teatro Beacon y el edificio Dakota. Desde las aceras, y a través de las ventanas sin cortinas, se podía escudriñar el interior de las viviendas; más que una intromisión, un acto contemplativo en el que admirar la querencia por la cultura de los residentes, la cantidad de libros que se distinguían en todas las estancias, incluso en las cocinas, donde se decía que hacían sitio a los libros hasta en los hornos, y que ese era el motivo por el que encargaban la comida ya cocinada. Y luego, las banderas; levantabas la vista y distinguías banderas por todas partes, banderas reivindicativas, símbolos de derechos y libertades, lo mismo la del arcoíris que la de Black Lives Matter.

Como estábamos a finales de agosto, todavía hacía mucho calor, ese sofoco que se mueve entre el bochorno y la tormenta, y las lluvias vespertinas saturaban algunos olores y provocaban que las calles olieran a fruta triturada. Durante las siguientes semanas, poco a poco fuimos identificando los aromas propios de algunos de los locales que visitábamos; por ejemplo, el olor a queso y café de la tienda de ultramarinos Zabar's, mientras los clientes recorríamos los pasillos con nuestros carritos y de fondo se oía música clásica, o el inconfundible rastro del pescado seco que rodeaba al restaurante Barney Greengrass, o el lúpulo aromático de la antigua cervecería Dublin, y también la fragancia de jengibre de casa Mamoya.

Al volver a la calle 79, de regreso a nuestro nuevo hogar, Nora reconoció uno de los célebres grafitis de Banksy dibujado junto a una boca de incendio y en el que se distinguía la silueta de un niño dispuesto a golpear con un enorme martillo la toma de agua.

—Se ve que Banksy también pasó calor cuando estuvo por aquí —dijo Nora.

Casualidades de la vida, en uno de mis primeros días en la biblioteca, los papeles del archivo me dieron la bienvenida desvelándome una grata coincidencia del destino: ¡Rosika Schwimmer y Edith Wynner habían vivido en la misma calle 79 en la que habíamos terminado nosotros!, en una casa alquilada en la acera de enfrente y desde la que, si hubieran mirado hacia nuestra ventana sin cortinas, nos habrían visto durmiendo por primera vez en Nueva York, juntos los cuatro en una habitación vacía, arremolinados, Nora, los niños y yo, en una colchoneta hinchable.

3

Trece años antes, cuando desperté por primera vez al lado de Nora, lo primero que vi fueron sus ojos negros que me contemplaban y me habían observado dormir; acto seguido, la silueta de su cuerpo desnudo orientado hacia mí, con la cabeza sujeta por la mano de su brazo doblado y su hermosa cabellera rubia echada hacia atrás; y, por último, los labios perfectamente perfilados en su boca, el dibujo de una puntiaguda carpa de circo recortado por la media luz de un amanecer.

Nos mirábamos en silencio, sin que nos importara demasiado haber mal dormido en la cama inferior de una litera, los dos unidos en un colchón individual, porque nos sentíamos felices, fortalecidos, como si flotáramos en una extraña paz. Cuando uno persigue un deseo durante largo tiempo, cuando la meta se aleja a cada paso, entonces, el anhelo se vuelve más intenso, más querido, y el día que el sueño se vuelve realidad es inevitable recordar el camino. El de Nora y el mío no había sido un camino fácil ni corto, porque la amistad y la atracción se habían abierto paso casi de manera simultánea, sin que ninguno supiéramos si el destino nos iba a conducir en una dirección o en otra.

Aquel viaje a Londres, en principio, Nora tenía previsto hacerlo únicamente con su inseparable amiga Maider, y para mí fue una auténtica sorpresa cuando recibí un mensaje en el que me invitaba a sumarme.

—Pero ¿de verdad estás segura de que quieres que vaya? —le respondí sin creerme del todo su proposición.

Aquella propuesta de Nora era mucho más que una mera invitación de cortesía: era una puerta a un porvenir que ponía patas arriba nuestras vidas, porque yo había terminado recientemente una relación y ella llevaba un tiempo a punto de romper con su pareja, y aunque no tuviera ninguna certidumbre de que Londres pudiera suponer el punto de partida de un proyecto en común, la posibilidad resplandecía y condicionaba cualquiera de mis pensamientos.

No importaba que Maider, Nora y yo lleváramos largo tiempo saliendo juntos como amigos, yo conocía a Maider desde años atrás y me habían adoptado sin problema, y lo mismo nos íbamos de juerga los sábados hasta altas horas de la madrugada que madrugábamos los domingos para ir de excursión al monte, acaso para pasar juntos la resaca también.

En verdad, había sido Maider quien nos había juntado a Nora y a mí, ella había sido el puente que había permitido que nos conociéramos algo más que de vista. Ignoro si Maider sospechó en algún momento que Nora y yo nos gustábamos, me imagino que sí, pero lo cierto es que lo disimuló a la perfección mientras salíamos los tres juntos, siempre comportándose con total naturalidad, con la gracia y el don de gentes que el destino le había regalado, una personalidad arrebatadora que contagiaba alegría y buen rollo allá por donde pasara y que hacía que cayera bien a todo el mundo.

Poco después de que Maider me presentara a Nora, intercambiamos direcciones de correo electrónico y a lo tonto empezamos a cruzarnos mensajes, al principio con la excusa de compartir la pasión por la literatura, recomendarnos lecturas, hablar de nuestros autores preferidos, pero enseguida en nuestras conversaciones escritas comenzaron a deslizarse otros temas más personales, más profundos, no solo ideas, también emociones, inquietudes, esperanzas. Hasta el día de mi cumpleaños, Nora no me dio su teléfono móvil. Fue el mejor regalo. Hasta entonces había preferido llamarme o mandarme algún mensaje desde el móvil de Maider antes que revelarme su número.

Ahora sé que los dos éramos plenamente conscientes de que nuestra atracción era algo serio y especial desde los primeros chispazos, como cuando uno contempla una tenue llama en la esquina de una enorme hoguera y sabe que es cuestión de tiempo que el fuego prenda.

En el mismo instante en el que envié el mensaje a Nora preguntándole si de verdad quería que las acompañara a Londres, me arrepentí y me invadió el temor de estar dejando pasar un tren decisivo. Su respuesta tardó en llegar, y me temí que estuviera reconsiderando su propuesta y lamenté no haber contestado que sí a la primera.

—Claro. ¿Por qué no? Somos amigos.

Una respuesta que me desasosegó y confundió a partes iguales porque no sabía cómo interpretar la frase «somos amigos», y lo cierto es que cayó como un jarro de agua fría sobre mis ilusiones, un nuevo alejamiento de la meta que no hizo sino aumentar mi deseo de alcanzarla, así que compré mi billete a Londres y reservé habitación en el mismo hotel en el que lo habían hecho Nora y Maider.

Una vez en Inglaterra, los días transcurrieron sin novedad aparente, entre visitas a museos, librerías y mercados de día, y pintas de cerveza y conciertos de noche.

Para el último viernes por la noche habíamos acordado visitar a una amiga mexicana de Nora llamada Alma que estudiaba en el Queen's College, y quedamos en su piso, donde nos invitó a beber mezcal mientras charlábamos agradablemente. A medida que el alcohol empapaba mi cerebro, todo alrededor empezó a cobrar un cariz surrealista, como de película, y recuerdo como una escena el momento en que Nora se quitó el jersey y se quedó con una camiseta negra de tirantes. Tenía un torso de nadadora, la piel morena y, en primer plano, un dulce lunar en su brazo derecho.

Estaba radiante, feliz entre amigos, dicharachera, y nos contó una historia interesante acerca de las lamias y de su lengua secreta.

—¿Sabéis? No conocemos muchas palabras del idioma especial de las lamias. Sabemos que había que hablarles con claridad y sin formalismos, directamente.

—Sin formalismos: entonces como a mí —dijo Maider.

Nora siguió hablando.

—Las pocas palabras que han perdurado, curiosamente, son adverbios.

—Sí que parece curioso —se interesó Alma.

—Y lo más curioso es que todos significaban lo mismo: «suavemente».

En ese momento, sentí un escalofrío al percibir que una de las manos de Nora se introducía por debajo de mi camiseta y me acariciaba con dulzura la espalda. Estábamos uno pegado al otro de tal manera que podía hacerlo con disimulo, sin que ni Maider ni Alma se dieran cuenta, pero a mí el corazón se me puso a mil y me invadió una excitación extrema, mezclada con el temor a que nuestras amigas nos descubrieran.

—¿Pero de qué adverbios estás hablando? —Y en la pregunta de Maider había cierta incredulidad.

—Uno es firin firin. Otro, firrin firrin. Firufiru, piririn piririn...

Nora, a la vez que pronunciaba las palabras, a escondidas escribía las letras sobre mi piel.

—¿Por qué repites la palabra dos veces? —preguntó Alma.

—Se repite la palabra porque las lamias las utilizaban para enseñar a acariciar, y la caricia nunca es una sola, se repite.

—Depende. Si no te gusta, no se repite —repuso Maider.

—¿Y sabes alguna otra palabra? —preguntó Alma.

—Alguna más se ha conservado. Y también algún dicho. Niri miri mau.

—¿Niri miri mau? ¿Pero eso qué significa?

—Algo así como «Tú, para mí».

Nos despedimos de Alma y regresamos en metro al hotel Europa, y ya durante el viaje, Maider empezó a sentirse mal.

—El mezcal ese me ha matado.

—En cuanto lleguemos al hotel, te consigo una manzanilla —le dije a Maider, y nada más dejarla en su habitación, Nora y yo bajamos a la cafetería a pedirla.

No tardaron en atendernos y antes de que nos diéramos cuenta avanzábamos juntos por el pasillo, en silencio, a un paso de la habitación donde se encontraba Maider, yo con una taza caliente en la mano y sin poder quitarme de la cabeza sus caricias sobre mi espalda. Me detuve en seco. Llevaba rumiando demasiado tiempo algo parecido a una declaración, una llamada de auxilio..., ni sabía bien qué.

—Nora...

—¿Qué? —Y se me quedó mirando fijamente a los ojos.

—Oye, ¿cómo era lo de las lamias? La frase esa... ¿marramau?

—No. —Y sonrió—. Niri miri mau.

—Pues eso: tú, para mí, niri miri mau.

Nora me rodeó con los brazos, despacio, sin apartar sus ojos de los míos, y me besó con infinita delicadeza. Cuando apartó sus labios de los míos, pronunció una frase que no olvidaré nunca:

—Ya era hora, ¿no?

La taza con la manzanilla me temblaba en las manos.

La biblioteca nos convocó a todos los investigadores un mismo día, el 4 de septiembre, a modo de presentación y de inauguración del curso, y en esa primera jornada aprovechamos también para hacer el sorteo de los despachos. Cada cual debía elegir un papelito con un número y a mí, que fui el último en escoger, me tocó el trece, y no puede decirse que tuviera mala suerte porque mi despacho era uno de los más grandes y contaba, además, con un ventanal que daba a la Quinta Avenida. En la puerta de cada despacho aún se leía el nombre del ocupante anterior, y en el mío figuraba el de la escritora Lorrie Moore.

Mientras me enseñaban la biblioteca de arriba abajo, subiendo escaleras de un lado a otro y recorriendo interminables galerías, me sentí como uno de los personajes de la novela *Si una noche de invierno un viajero*; el episodio en el que el protagonista atraviesa innumerables pasillos en busca del despacho de un misterioso profesor que enseña lenguas muertas, e inmediatamente también recordé la alegría que me supuso encontrarme con la palabra *euskera* cuando leí el libro, nada más y nada menos que en una novela del gran Italo Calvino, y para mí fue una forma de reconocimiento, y más cuando aquel profesor llamado Uzzi-Tuzii, en un alarde de optimismo, aventuraba que el euskera, al igual que el bretón o el romaní, perviviría en el futuro sin dificultad, al contrario de lo que le sucedería al idioma en el que era experto, la lengua cimeria.

—Es importante que no pierdas el tiempo —me aconsejó Thomas, responsable del archivo de Rosika Schwimmer, en cuanto me conoció—. Ten en cuenta que un año se pasa volando y hay demasiadas cajas esperándote.

—Sí, sí, lo tengo claro.

—Al principio debes hacer el helicóptero.

—No te entiendo.

—Tienes que mirar el material desde arriba, con perspectiva, y dirigirte solo a aquello que te haya llamado la atención. No puedes leerlo todo. Es imposible. Y es un error que cometéis muchos. Intentar abarcarlo todo y cuanto antes, y así no se puede. Acabáis desbordados y os rendís. Es preferible que sigáis vuestra intuición, leyendo solo lo que capte vuestro interés.

—De acuerdo, pero no va a ser fácil. Es increíble el trabajo que hizo Wynner para recopilar tanta información.

—Sí, era muy buena documentalista, como la mayoría de los documentalistas de esta biblioteca. Ha pasado gente muy buena por aquí, ya sabes.

—Cuéntame. ¿A qué te refieres?

—Me refiero a que la biblioteca sirvió de refugio para personas muy competentes y cualificadas durante cierto periodo.

—¿Cómo que de refugio?

—Exactamente. Refugio de personas mal vistas. Después de la Segunda Guerra Mundial y durante la Guerra Fría, muchos anarquistas y comunistas consiguieron trabajo aquí, por ejemplo.

—La caza de brujas, ¿verdad?

—Tú lo has dicho. El único lugar en el que encontraron trabajo fue aquí, en la Biblioteca Pública de Nueva York.

Thomas se levantó de la silla, dejando claro que la reunión había terminado.

—Una última cosa antes de despedirnos. No todo está en los papeles. En esta biblioteca todavía trabaja alguien que conoció en persona a Edith Wynner.

—¿En serio? ¡Qué me dices!

—En serio. Se llama Melanie. Te paso el correo y puedes escribirle de mi parte y decirle que quieres saber de Edith. Le vas a dar una alegría.

Casi sin darnos cuenta llegó también el día en que los niños empezaban la escuela, apenas recién aterrizados y sin tiempo para que se aclimataran a tantos cambios, y allí nos presentamos toda la familia dispuestos a seguir las instrucciones que nos habían mandado antes del fin de las vacaciones, «Encontraréis dibujadas en el suelo del patio principal tantas letras como aulas hay en la escuela. Deberéis dejar a vuestros hijos en la letra correspondiente a sus aulas. A la niña, Ane, en la letra K, la del tercer curso. Y al niño, Unai, en la U, la de primero», y aunque las clases no comenzaban hasta las ocho y media, seguimos la recomendación de estar en la escuela diez minutos antes, a las ocho y veinte, nerviosos y expectantes.

El edificio de la escuela PS 87 William Sherman es de estilo racionalista, con una fachada de tres plantas de ladrillo rojo y amplias vidrieras, y dos grandes patios de juego, uno para los niños pequeños, con columpios, anillas y balancines de hierro, y otro para los mayores, con pistas de baloncesto y fútbol, aunque en ambos patios se puede jugar con balones y pelotas. El lema de la escuela es «Una familia bajo el sol», y puede decirse que aquel día de septiembre representábamos literalmente la leyenda, nuestra hija de la mano de Nora y nuestro hijo de la mía, avanzando por el patio en busca de cada letra, novatos en medio de la algarabía general. Por la efusividad con que se saludaban después de todo un verano sin verse, enseguida nos dimos cuenta de que los niños y niñas de tercero se conocían del curso anterior, así que cuando les tocó entrar en el edificio por parejas, tal y como les ordenaba el profesor, nuestra hija dio un paso atrás, un desasosiego que apenas duró un instante, el tiempo que tardó una niña en coger a nuestra hija de la mano y conducirla a su nueva clase. Sin embargo, cuando poco después le llegó el turno a Unai, nadie le cogió de la mano; desde la distancia observamos cómo se quedaba solo, con el resto de las parejas formándose hasta que se quedó aislado, y tuvo que ser el maestro quien lo guiara hacia dentro. Y así desaparecieron de nuestra vista ambos hijos sin saber inglés y como engullidos por la marea de alumnos que entraban a clase, hasta que se vació el patio, y nuestros corazones también.

Qué diferentes habían sido la infancia de Nora y la mía en la década de los setenta y ochenta del siglo pasado, con las calles plagadas de niños y muchachos por todas partes fruto del *baby boom* de los últimos años del franquismo; rara la familia que no fuera numerosa, hermanos que cuidaban de hermanos sin la supervisión de padres o niñeras; el pueblo entero y más allá como un ilimitado patio de juegos, lo mismo podíamos ir a la playa, que al monte, que al río, incluso solos; todas las familias como parte de una gran familia, de tal suerte que cualquier madre te daba un bocadillo para la merienda o te curaba una herida sin necesidad de pedir permiso. Después, la natalidad descendió mucho, los niños se hicieron jóvenes y la mayoría abandonó el pueblo; las calles se vaciaron de juegos, cada vez menos bullicio, menos acción.

Hay una imagen de mi niñez que nunca olvidaré, de cuando no existían las circunvalaciones y los vehículos pasaban por el centro del pueblo, los peatones pegados a las fachadas para que pudieran pasar los camiones que transportaban el pescado, por lo general, bonitos cubiertos con helechos que dejaban un reguero de sangre sobre los adoquines y un olor inolvidable que impregnaba las calles del casco antiguo. En ese tiempo el tráfico era ingobernable, todo se improvisaba a base de bocinazos y audacia, y la estampa que yo recuerdo es precisamente la de un hombre dirigiendo el tráfico en el cruce principal del pueblo, donde se juntan la carretera que viene de Bilbao con la que viene de

San Sebastián, junto al puente y las casas de los pescadores con sus coloridos miradores, y es una imagen imborrable para mí porque aquel guardia improvisado no era el alguacil, que como siempre se hallaba bebiendo en alguna de las tascas cercanas y se limitaba a comprobar con el rabillo del ojo que nada fatal sucedía, sino un discapacitado, un hombre querido y respetado por todo el pueblo, que en vez de una boina o una gorra, para simular autoridad se había colocado un racimo de cerezas en cada oreja, cerezas rojas con sus rabos, bien visibles, mientras daba paso a unos coches y ordenaba detenerse a otros, todo en orden, todo bien.

Lo pienso y creo que ese tono surrealista se hallaba presente en todas las secuencias de la vida, y aún más, estoy convencido de que ese particular sentido del humor fue lo que nos salvó.

A finales de septiembre, Nora me acompañó a conocer a Melanie, quien desde el primer momento nos transmitió un afecto especial hacia Edith Wynner no exento de serena admiración, «Los libros eran su familia, la familia que nunca tuvo», y no dudó en enseñarnos recuerdos que conservaba de ella y que guardaba en una carpeta que abrió y revisó ante nuestra atenta mirada, pasando hojas, deteniéndose en algún documento concreto, dando explicaciones sobre aspectos diversos, mostrándonos fotografías antiguas de Wynner: de joven junto a Rosika en su casa o ya en la madurez, junto a otros compañeros de la biblioteca. De estos últimos conservaba una caricatura que le habían dedicado y en la que Edith aparecía muy seria con un casco y una espada protegiendo el archivo, su gran tesoro.

—El legado de Schwimmer era su vida. Para ella nada había más importante que preservarlo y que las generaciones futuras pudieran así saber quién fue Rosika Schwimmer. Para eso había recopilado toda la información posible y construido el archivo, aunque la verdad es que no se sentía valorada. Creía que la dirección de la biblioteca menospreciaba su trabajo. Ni siquiera establecieron un lugar donde depositar el archivo de forma permanente, sino que durante años anduvo de un lado para otro, hasta que Edith se hartó. Se dirigió al despacho del director y fingió un ataque al corazón causado por el desinterés con el que trataban su archivo, así que al director no le quedó otro remedio que encontrarle una ubicación definitiva en una de las secciones de la sede central en la Quinta Avenida.

—No me extraña que la dibujaran con casco y espada... —apuntó Nora.

—Así es —Melanie sonrió—, pero no te creas que ahí acabó su enfado.

—No me digas...

—Resulta que el director quiso cambiarle el nombre a la sección, que hasta entonces se había llamado «Manuscritos y archivos», pero no le debía de parecer un nombre suficientemente moderno, y decidió que en adelante la sección se llamara «Libros raros y manuscritos», algo que enfureció a Wynner, claro.

—No me cabe ninguna duda.

—Se dirigió de nuevo al director preguntándole a ver qué era eso de libros raros, que los libros raros eran caprichos de coleccionistas y que su archivo era la memoria de todo un país. Total, que el director cedió de nuevo y la sección pasó a denominarse «Manuscritos y archivos (y libros raros)».

—*Ni pa ti ni pa mí* —concluyó Nora.

Al día siguiente a nuestra visita, le envié un correo de agradecimiento por su hospitalidad a Melanie, quien no tardó en contestarme proporcionándome, además, una información de gran valor para mí. «Aprieta a Thomas —me recomendó—, porque además de los cientos de cajas registradas en el catálogo del archivo hay más material oculto. Y él lo sabe. Por ejemplo, una vieja película casera grabada por Edith. No dudes en pedírsela a Thomas.»

4

Al igual que la propia Rosika Schwimmer, Edith Wynner también nació en Budapest, en el seno de una próspera familia judía dedicada, como el resto de la estirpe, al comercio, y hasta que estalló la Primera Guerra Mundial, la joyería que regentaba su padre en la ciudad florecía con una docena de artesanos a su cargo, pero de pronto sobrevino el conflicto y todo se fue al traste, el negocio y también la familia, porque su padre huyó a América, a Chicago, y abandonó a su mujer y sus dos hijos. Años más tarde, en 1923, siendo ya Edith una jovencita, su padre regresó a Hungría, pero no con el propósito de establecerse en Budapest de nuevo, sino para llevarse consigo a su hija de vuelta a Chicago, solo a ella, y así Edith sufrió en la niñez la separación de sus padres y en la adolescencia, la suya propia cuando la apartaron de su madre y de su hermano, «Fue una segunda separación», dejó escrito. Ya en Estados Unidos, su padre decidió americanizarse el apellido, y renunció al otrora reputado Wienner por el prometedor Wynner, y, de alguna manera, puede decirse que así nació Edith Wynner.

Un nuevo golpe del destino, esta vez favorable, propició el encuentro entre Edith y Rosika, y en esta ocasión su padre intervino para bien, ya que fue él quien supo que una conocida escritora de Budapest afincada en la Gran Manzana buscaba secretaria, y habiendo ya Edith terminado con éxito sus estudios secundarios en Illinois, le consiguió una cita. Su hija soñaba con cursar una carrera universitaria en el Hunter College de Nueva York, algo nada sencillo en los tiempos de la Gran Depresión, cuando a veces costaba hasta procurarse el sustento diario, así que Edith no desaprovechó la oportunidad y se presentó un día de verano en casa de Rosika Schwimmer, en la calle 79 del Upper West Side (en la acera de enfrente de donde Nora y yo viviríamos muchos años después), decidida a hacerse con el puesto.

Lo que más le llamó la atención a la joven Edith en cuanto entró en el apartamento fue la cantidad de libros que rebosaban las estanterías y que cubrían las paredes del suelo hasta el techo, y en medio de la sala donde aguardaba Rosika, un gran piano de cola iluminado por el foco de luz natural que entraba por la ventana y que a esas horas de la mañana adquiría tintes anaranjados.

Edith reconoció al instante a Rosika, o mejor dicho, reconoció la imagen popularizada de Rosika Schwimmer tras su sonada intervención en el Parlamento húngaro en favor de los derechos de las mujeres, aquellas famosas gafas sin patillas y sus ojos oscuros, casi negros, aunque en persona le pareció más atractiva de lo imaginado, con su vestido negro y su collar de perlas, su tez blanca y sus sonrosadas mejillas, la figura esbelta que se adivinaba en esa mujer que la doblaba en edad pero que transmitía vigor a pesar de su cabello recogido del que asomaban las primeras canas, su mirada serena mientras le daba la bienvenida sentada en un sofá tapizado con diseños ingleses de William Morris, «El piano lo toca mi hermana. Es concertista y también les da clases a personas discapacitadas», dijo, e invitó a Edith a tomar asiento. Y fue en ese instante en el que Edith escuchó hablar a Rosika por primera vez cuando todas las demás impresiones quedaron eclipsadas por la inflexión de aquella voz penetrante, el manifiesto dominio del tono y de la pausa, «una voz alta y modulada con elegancia», según la describió Edith Wynner.

En aquel primer encuentro, las ganas de caer bien a una reputada erudita como Rosika traicionaron a la joven e inquieta Edith, quien se precipitó a enumerar sus enjundiosas lecturas, en especial las filosóficas, citando a autores como Spinoza, Schopenhauer y Nietzsche, hasta que Rosika interrumpió su verborrea intelectualoide y la puso en su sitio.

—Todas esas lecturas filosóficas están muy bien, siempre y cuando las completes con otras más literarias. ¿Conoces *Las aventuras del buen soldado Švejk*?

Edith se quedó muda un instante, tiempo suficiente para que se le pasara por la cabeza la posibilidad de mentir, algo que finalmente descartó.

—No, lo siento, no he leído ese libro.

—Bueno, no pasa nada, ya habrá tiempo para ello. Lo que debes saber es que no me interesa tanto lo que hayas aprendido hasta ahora como lo que estés dispuesta a aprender a partir de hoy. Tu padre me contó que hablabas húngaro y alemán, además de inglés, y eso es suficiente para mí.

—Disculpe, ¿quiere eso decir que el puesto es mío?

—Sí, mujer, sí. De lo contrario no te habría hecho venir a Nueva York desde Chicago. Bienvenida a la «Universidad Schwimmer»; te garantizo que a mi lado aprenderás tanto o más que en la facultad, donde solo te enseñarían la teoría para ser médica, abogada o ingeniera, pero no la práctica ni lecciones fundamentales de la vida que se adquieren con la experiencia, ahí afuera, en la calle.

Rosika no solo contrató a Edith como secretaria, sino que de inmediato le encargó que diera una charla sobre pacifismo a la Asociación Cristiana de Mujeres Jóvenes, la YWCA, en inglés, primer examen para el que Edith se preparó a conciencia, recogiendo ideas y luego intentando plasmarlas en un discurso, pero cuando Rosika se enteró de sus planes, le arrancó la hoja de la máquina de escribir y la arengó con maestría.

—Ni se te ocurra leer tu discurso. Al contrario, debes confiar en ti misma y en tu capacidad de improvisación acerca de una materia que conoces y en la que crees. Olvídate de los papeles. Cuando llegue el momento, alza la voz bien alto para que se te oiga, y transmite toda la pasión que sientes por la causa del pacifismo.

Parece que Edith se tomó al pie de la letra la recomendación de su mentora, porque en su primera intervención pública habló durante tres largas horas ante una audiencia entregada y sorprendida por el entusiasmo.

Nora decidió que nos hiciéramos socios del Museo de Historia Natural, nos pillaba cerca de casa y nos permitía visitarlo en cualquier momento con los críos, algo que nos venía de maravilla en los días lluviosos y de cara al cada vez más próximo invierno. Entre las iniciativas que promovía el museo, en otoño destacaba el observatorio de mariposas que montaba en una enorme cámara que, a modo de invernadero, simulaba el hábitat ideal para la vida de estos lepidópteros, y en cuanto los niños entraban en la sala quedaban subyugados por la explosión de colores y por el murmullo del vuelo de las mariposas, y era habitual sorprenderlos con la boca abierta, atentos por si alguna se posaba y permitía una contemplación más detallada.

—¿A que no sabéis cuánto tiempo viven? —les preguntó a los niños uno de los guías del museo, avivando su curiosidad.

—Un año —respondió convencida Ane.

—Qué va. Alrededor de dos semanas, no más. ¿Os imagináis que toda una vida solo dure dos semanas? Bueno, esperad: hay una especie, las mariposas monarca, que viven bastante más, entre seis y ocho semanas o más, ¿y sabéis por qué?, porque tienen que volar hasta México.

—Sí —lo interrumpió Ane—. Yo he visto monarcas volando en el patio de clase y descansando en los árboles.

—Vaya, qué suerte, desconocía que andaban por la ciudad también. ¿Pero sabéis qué es lo más curioso de las monarcas? Que las mariposas que regresan en primavera son las nietas de las que parten ahora: es un ciclo migratorio alucinante.

—Entonces —pensó en alto Ane—, las mariposas que están en los árboles del patio son las abuelas de las que veremos el año que viene.

—Sí, algo así —asintió el guía.

—Bueno, pero estas mariposas se quedan aquí y no se van a ninguna parte —concluyó Unai queriendo sumarse a la conversación.

—Sois extranjeros, ¿verdad? —añadió el guía—. Mirad una cosa: estamos apuntando cómo se dice la palabra *mariposa* en cada uno de los idiomas de nuestros visitantes. ¡Llevamos ya más de ochenta lenguas!

—¿A que no sabes la nuestra? —le retó Ane.

—Ni idea. Dímela tú.

—El euskera. Seguro que no sabéis cómo se dice *mariposa* en euskera...

—Pues sí que lo sabemos, señorita. No sois los primeros vascos que pasan por aquí, no te creas. No hace mucho que lo apuntamos. A ver, aquí está, *pinpilinpauxa*. ¿A que sí?

La cara de Ane se encendió de orgullo mientras daba un paso hacia atrás y se refugiaba avergonzada detrás de mis piernas.

Tomé por costumbre acudir todas las mañanas al archivo con el propósito de estudiar la vida de Rosika de manera cronológica, siguiendo las pautas que Edith había dejado en su biografía inacabada. A mi llegada no siempre me atendía Thomas, y yo seguía el procedimiento requerido para la revisión de las diferentes cajas, cuyo contenido investigaba empezando por aquellas en las que figuraba el título «Infancia», como aquella caja, la número 35, que me entregaron la primera vez.

Según escribió Edith Wynner, Rosika Schwimmer nació el once de septiembre de 1877 en Budapest, a las tres y cuarto de la madrugada, después de que el parto se hubiera adelantado de forma imprevista, al parecer, como consecuencia de una carrera de su madre en busca de un refugio donde guarecerse de la lluvia que arreció durante un paseo por el monte, y así Rosika fue un bebé sietemesino, «una criatura tan pequeña que cabía en la palma de la mano». Quizá como secuela de esa prematuridad, su infancia quedó marcada por los constantes problemas de salud, y en cierta ocasión llegó a permanecer en cama ciento seis días de manera consecutiva, y acaso aquella convalecencia moldeara su destino, puesto que su afición a la lectura nació de ese periodo en el que no pudo asistir a la escuela y los libros se convirtieron en sus mejores aliados. Fue Rosika la mayor de tres hermanos, dos chicas y un chico, y con el tiempo ambos hermanos pequeños se convirtieron en músicos: Francisca, la pianista, y Béla, compositor de piezas para el cabaret de Budapest.

La infancia de los Schwimmer transcurrió en Timisoara, una ciudad fronteriza al este de Hungría que a raíz de la Primera Guerra Mundial se integraría en Rumanía, y que, a finales del siglo XIX y comienzos del XX, gozaba de tal bonanza que, tras Nueva York, fue la segunda ciudad del mundo que dispuso de iluminación eléctrica. La familia había abandonado Budapest, más populosa pero menos moderna, después de que el padre de Rosika aceptara ocuparse del cuidado de una ermita a cambio de la explotación de los terrenos contiguos, donde el hombre pudo dedicarse tanto a la agricultura experimental como a su gran pasión, la cría y venta de caballos, y, por descontado, también a su doma y monta, ya que era un magnífico jinete, y tan distinguido era su porte que, según relata Edith Wynner, hasta la propia emperatriz austriaca lo saludó cuando en cierta ocasión se cruzaron ambos a caballo, de igual a igual.

Precisamente la venta de caballos era la actividad a la que más tiempo dedicaba el padre, o, por lo menos, la que le exigía largos desplazamientos, pues vendía caballos en Austria, Serbia y, sobre todo, Turquía, así que viajaba a menudo a Estambul, en su opinión la ciudad más hermosa del mundo, donde uno de sus principales clientes era el sultán Mehmet VI, quien valoraba su trabajo enormemente y, a modo de reconocimiento tras cerrar un trato, decidió regalarle una medalla del ejército otomano que él no aceptó, ya que ni las medallas ni los ejércitos eran de su agrado, pero prefirió ocultar sus reticencias a fin de evitar alguna suerte de agravio que derivara en un conflicto diplomático entre ambos imperios, el otomano y el austrohúngaro. Aunque las transacciones se cerraran en Estambul, previamente los emisarios del sultán visitaban la granja para seleccionar los caballos, y en aquellas estancias que podían durar varios días viajaban con sus perros, algo que entusiasmaba a los niños, quienes se encariñaban con los animales y luego sufrían su marcha, lo que les llevó a pedir su propia mascota, algo que su padre descartó.

—Sabéis los tres cuál es mi animal preferido...

—¡El caballo! —confirmó Rosika.

—¿Y qué os parecería si yo metiera un caballo dentro de casa? Sería un incordio, ¿verdad? Pues si yo, que soy vuestro padre, no puedo tener a mi animal preferido dentro de casa, vosotros tampoco.

En mi familia tampoco hemos tenido nunca mascota. Solo una vez metimos en casa un perro que se cruzó en mi camino un día de verano y del que no pude sino apiadarme por su desamparo y porque me seguía a todas partes como si fuera su dueño, y tras pasar la tarde y llegar la noche, habíamos disfrutado tanto juntos que lo natural me pareció llevármelo a casa, y allí me presenté con un fox terrier precioso, blanco con manchas negras y castañas en el lomo, rogando a mi madre que me permitiera quedarme con él, petición que aceptó en el caso de que nadie lo reclamara, como era obvio. Lleno de emoción, le preparé una cama en la cocina y no tardé en buscarle un nombre, Jai, que en euskera significa «fiesta», porque era un perrito muy vivo y alegre, y me habría quedado a pasar la noche con él si mi madre no me hubiera obligado a dormir en mi cama.

A la mañana siguiente me despertó el deseo de verlo, y lo primero que hice fue presentarme en la cocina y abrazarlo; me recibió haciendo honor a su nombre y le preparé su desayuno a base de leche y galletas, el mismo que el mío, y enseguida, antes de que se levantara el resto de mi familia, salimos a la calle y paseamos por un monte cercano al pueblo, de arriba abajo por las campas, felices. De vuelta a casa, temía que alguien hubiera reclamado a Jai, pero nadie lo había hecho, así que pregunté a mi madre si podía considerarse ya nuestra mascota, y como no me respondió ni que sí ni que no, me hice ilusiones que fueron tomando cuerpo durante los siguientes días en los que Jai y yo nos lo pasamos de cine, días felices que se truncaron de repente cuando a la salida de casa una mujer se me abalanzó hecha una furia y exigiéndome explicaciones, queriendo saber qué hacía yo con su perro, al que cogió entre sus brazos como si recuperara un tesoro, y a pesar de que le aclaré que pensaba que había sido abandonado y que lo había cuidado con cariño, se marchó sin el menor gesto de agradecimiento. Después supe que aquella mujer se hallaba metida en problemas y hubo de abandonar el pueblo y, con ella, quien fuera mi mascota durante un periodo corto e inolvidable, el perro Jai.

Rosika y sus hermanos solían comer con sus padres, a diferencia de otros niños de su edad, que lo hacían aparte y en distinto horario, y como los Schwimmer no tenían por costumbre visitar restaurantes sino quedarse en casa, con frecuencia invitaban a cenar en su pequeña ermita a amigos y conocidos, entre los que se encontraban, según cuenta Edith Wynner, arqueólogos, etnógrafos, escritores y demás convidados que compartían dos grandes temas de conversación, el mundo de los caballos y la cultura otomana, y en aquellas ocasiones en que recibían visita, incluso cuando era de postín, como la del músico Béla Bartók durante el tiempo que recopiló canciones tradicionales de Timisoara, los niños se sentaban a la mesa con los adultos, y no solo se les permitía escuchar aquellas conversaciones, sino también intervenir, algo inusual en la época.

Era la madre quien promovía en la familia hábitos innovadores y nada convencionales, de igual manera para la indumentaria de sus hijos, y así escogía ropa confortable alejada de corsés y trajes incómodos, lo mismo que el cabello, que prefería que fuera lo más corto posible, también el de sus hijas, aunque tanto Rosika como Francisca se enfadaban porque preferían llevar el pelo largo. Claro que ningún hijo protestaba cuando acudían los cinco juntos al teatro o a conciertos, en familia, como suele decirse, una práctica que con los años se tornaría en costumbre en Timisoara, pero de la que los Schwimmer fueron pioneros y recibieron por ello críticas y miradas de desaprobación.

De entre las anécdotas de infancia que rescata Edith Wynner, varias hacen referencia a lo glotona que era Rosika y a la manera en que se favorecía de su condición de primogénita para hacer bueno el trillado refrán «el que parte y reparte se lleva la mejor parte», en particular, cuando se trataba de cortar su fruta preferida, la sandía, y así daba dos rodajas finas a sus hermanos pequeños y ella se quedaba con el resto.

—No es justo —se quejaban los pequeños.

—¿Y por qué no? Vosotros os coméis la sandía, y ahí tenéis vuestras rodajas. Pero a mí me gusta la sopa de sandía. Yo no la como, sino que la sorbo, y para eso necesito mayor cantidad —replicaba Rosika mientras aplastaba la fruta para exprimirle su jugo.

La madre de Rosika había decidido que sus hijos estudiaran en un colegio de monjas, a pesar de que ellos fueran de origen judío y más bien agnósticos, pero prevaleció en su decisión la buena fama de la escuela, la calidad de la educación, y, eso sí, recomendó a Rosika que pasara por alto asuntos delicados desde el punto de vista religioso, «Tú no pongas mala cara ni te enfades cuando te cuenten historias de vírgenes y santos, aunque no creamos en ellos», y su hija no tuvo el menor problema de adaptación al comienzo del curso. Sin embargo, al cabo de unos meses, advirtió que Rosika estaba perdiendo peso de forma manifiesta, algo que además chocaba con todo lo que comía, por lo menos en casa, y preguntó a su hija si en el colegio se comía la merienda que todas las mañanas se llevaba a clase.

—Ya no la como.

—¿Y eso, Rosika? ¿No te gusta o qué?

—No, no es eso, qué va.

Rosika explicó a su madre que las chicas pobres de la escuela no llevaban nunca merienda y debían conformarse con las sobras de las demás, y que a ella le parecía tan triste que fueran mendigando restos de aquí y de allá que, antes de darles las sobras, prefería darles la merienda entera, y que eso era exactamente lo que hacía.

Es curiosa la manera en que se recuerdan anécdotas colegiales y se olvidan otras, algunos episodios quedan vívidos para siempre, en mi caso, por ejemplo, la imagen de una carpa de circo en la que dimos clase durante algún tiempo. A finales de los setenta, una vez muerto Franco, la mía fue una de las primeras generaciones que pudo estudiar íntegramente en euskera, cumpliendo así el anhelo de nuestros padres, un deseo, habría que añadir, reprimido durante cuarenta largos años de dictadura, lo que sin duda provocó que, cuando se hizo posible, fueran numerosas las familias que se volcaran en sacarlo adelante, y así se formó algo parecido a una corriente de compromiso y entusiasmo que abanderó un nuevo sistema educativo y ayudó a superar, casi sobre la marcha, los obstáculos cotidianos e imprevisibles, y lo mismo se daban clases en casas particulares que los propios estudiantes acudíamos a los hogares de nuestros maestros, quedándonos incluso a dormir en ellos. En ese contexto hasta cierto punto utópico e ingenuo, pero lleno de hechos más que de palabras, surgieron un sinfín de ideas innovadoras, la voluntad tanto tiempo coartada entonces hervía estimulada por la esperanza de progreso y libertad reales, los intelectuales se sumaron al cambio y arrimaron también el hombro, y en una de estas a los maestros se les ocurrió romper también con la escenografía clásica y salir a la calle, mezclar el conocimiento con el juego y la fantasía, y qué mejor que hacerlo en un aula que simulara un circo, con su carpa y su arena alrededor de la cual nos sentábamos los alumnos. Y de esta manera, utilizando las velas de los barcos, construyeron una carpa circense, cosida de tal manera que de noche había ventanas por las que se apreciaban las estrellas, pero de día entraba la lluvia, sin que importara demasiado mojarse.

Ahora, en Nueva York, comprobaba cómo mis hijos Ane y Unai trataban de adaptarse cada uno a su ritmo a un modelo de escuela diferente al nuestro, esponjas que absorbían con naturalidad y a su manera lecciones y juegos, también en el recreo, donde Ane comenzó a cogerles gusto a las anillas, y, al igual que sus compañeras de clase, se pasaba horas colgada de ellas, ejercitándose hasta que le salían ampollas en las palmas y en los dedos, cosa que notaba cada vez que le cogía su pequeña mano, y así cada tarde nos mostraba sus progresos, y la verdad es que asombraban su habilidad y su destreza, como las de un mono. Unai, sin embargo, andaba más solo, a su aire, sin la necesidad acuciante de integrarse, ocupado en sus historias; la última de ellas eran las cajas de cartón, las recopilaba y luego las transformaba en objetos: instrumentos musicales, electrodomésticos, máquinas del futuro, y salía al patio con ellas y se sentaba en un rincón, despertando la curiosidad del resto de los alumnos que le preguntaban qué perseguía exactamente con las cajas. Una tarde recogió las cajas de ese día y, de camino a casa, me preguntó:

—Aita, ¿tú hablas solo?

Me sorprendió la pregunta y advertí que podía ser un tema importante.

—Sí, claro. Tú también, ¿verdad?

5

Resulta hermosa la capacidad de los niños para habitar mundos paralelos concebidos por su fantasía innata; adviertes su querencia por la ensoñación ya desde la más temprana edad, quizá porque la realidad que poco a poco van descubriendo no les convence, resulta aburrida y, además, los cohíbe; el caso es que a la menor oportunidad se evaden guiados por la imaginación, lo mismo subidos a los árboles que refugiados en sus escondites, disfrazados o ensimismados, y uno no puede evitar cierta melancolía si se repara en la forma en que, una vez transcurrida la infancia, nos apegamos a la realidad y nos volvemos previsibles, convencionales, y muere una parte de nosotros plena de vida. Durante mi infancia, ese escenario, por llamarlo de alguna manera, donde cada día podíamos representar una obra diferente era la casa azul, la vieja lonja de pescado colgada sobre la ría y que, con la marea baja, nos regalaba bajo su planta todo un teatro de los sueños; un lugar al que se accedía como por una puerta secreta, unas escaleras que en su día sirvieron para que los pescadores bajaran a sus embarcaciones, pero que a nosotros, los chicos y chicas del pueblo, nos transportaban a nuestro escondrijo, y no nos importaba lo más mínimo que el espacio que quedaba en los bajos de la casa azul en bajamar fuera oscuro y maloliente, porque el lugar nos pertenecía y sentíamos que estaba hecho a nuestra medida, en el sentido de que nos alejaba de la rutina y nos acercaba a la improvisación, igual que cada día improvisaba la ría descubriéndonos una renovada tierra arcillosa y repleta de rocas, peñascos y piedras distintas que a nosotros nos parecían preciosas, así como la fauna con la que compartíamos aquella morada de la naturaleza, desde gaviotas y otras aves acuáticas hasta toda suerte de escurridizos cangrejos y escarabajos de río, que subían por las paredes con sus enigmáticas armaduras romanas, y también, cómo no, gatos y ratas, ratas inmundas pero más miedosas que nosotros, que no temíamos a nada y que nos sabíamos en nuestro elemento, como si tuviéramos alma anfibia. Solo de vez en cuando, después de que, como cada día, la marea alta se llevara a su paso todo lo conocido y nos dejara de despedida un mundo nuevo, aparecía algún objeto que alimentaba historias de terror que circulaban por el pueblo, secretos oscuros de contrabandistas o malhechores, y, entonces sí, el pavor que no nos inducían las ratas lo causaba, por ejemplo, un hombre que, en el momento más inesperado, aparecía por nuestro escondrijo con una enorme maleta que, decían las malas lenguas, le servía para secuestrar niños.

Una mañana de octubre que Nora salió de casa para hacer compras y pasó por delante de la escuela distinguió a Unai sentado en un banco, solo y hablando consigo mismo en voz alta. De inmediato, Nora se aproximó cuanto pudo y, desde el otro lado de la verja, llamó a nuestro hijo, quien se acercó a su madre.

—Unai, ¿estás bien? —preguntó Nora sin poder disimular su preocupación.

El niño rompió a llorar.

—Pero ¿qué te pasa, Unai? Cuéntame, por favor.

—Nada. Me duele un poco la cabeza, como siempre. Pero me ha dicho la enfermera que no es nada.

A Nora no le convenció la explicación y miró al patio con cierta inquietud en busca de respuestas.

—¿Por qué no juegas con tus compañeros de clase?

—No quieren.

En ese momento irrumpió el bedel surgido de algún lugar y se dirigió a Nora.

—Disculpe, señora, pero está terminantemente prohibido hablar con los niños de la escuela.

—Soy su madre.

—¿Cómo puedo saber yo que es su madre? —replicó el bedel cargándose de responsabilidad—. No puedo conocer a todos los padres de la escuela. En cualquier caso, está prohibido hablar con los niños.

—¿También para las madres?

—En horario escolar, al menos, es preferible.

Madre e hijo se miraron con complicidad.

—No te preocupes, *amatxu*, ya se me ha pasado el dolor. Vete tranquila y luego nos vemos.

La caja 35, dedicada a la infancia de Rosika Schwimmer, centró mi investigación durante las primeras semanas en la biblioteca, y el relato de Edith Wynner acerca de aquella etapa de la vida de Rosika captó mi interés como lector por el aspecto narrativo del texto, la manera literaria en la que la biografía reflejaba el paso de la niñez a la adolescencia de Rosika, la pérdida de la inocencia ante las primeras punzadas del destino, en especial, la forma abrupta en la que el universo idílico de Timisoara se derrumbó y se llevó por delante algunos de los pilares de un estilo de vida apacible: los caballos, la granja, las visitas de embajadores turcos, el hogar..., en definitiva, el fin de una época. El caso es que su padre se vio obligado a abandonar la ermita y los terrenos de Timisoara y trasladar a la familia entera a Subotica, a unos ciento treinta kilómetros. Pienso en los nombres de estas dos ciudades y me percato, las vueltas que da la vida, de que en aquellos tiempos formaban parte de Hungría, pero que, tras la Primera Guerra Mundial, cambiaron las fronteras y en la actualidad pertenecen a Rumanía una y a Serbia la otra, pero acaso también sea una pertenencia eventual, al menos en tanto en cuanto sus habitantes comparten una lengua, el húngaro, que no conoce fronteras, y así sucedía en tantas otras localidades de la Europa central, donde tres o cuatro distintas comunidades de hablantes convivían de manera pacífica y enriquecedora en una misma ciudad, idiomas libres como nubes o pájaros sobrevolando límites burocráticos.

Una vez instalados en Subotica, Rosika Schwimmer continuó con sus estudios principales en el colegio y también recibió clases de piano e incluso ofreció algún concierto a cuatro manos junto a su hermana Francisca, en concreto, según recoge Edith, interpretando fragmentos del *Rigoletto* de Verdi. Al parecer, Rosika no era buena estudiante, no prestaba atención cuando la materia no le interesaba y se esforzaba lo mínimo, desaprovechaba un talento que solo salía a relucir en asignaturas muy concretas de su agrado, pero su actitud general era deficiente, algo que terminó por desesperar a su tutor, quien mantenía puntualmente informada a su madre de los vaivenes de Rosika, y así le notificó, por ejemplo, que en un examen de historia respondió «No sé» a todas las preguntas porque ella no podía perder el tiempo aprendiéndose de memoria fechas y nombres de reyes. En aquella época, a finales del siglo xix, la única salida universitaria para una mujer era la carrera de Magisterio, el resto estaban reservadas para hombres, y su madre quería para sus hijas lo que ella no tuvo, es decir, la oportunidad de cursar estudios superiores, le preocupaba enormemente la abulia de su primogénita.

Rosika tenía una tía joven, hermana de su madre. Ella restaba importancia al comportamiento de su sobrina y disfrutaba de su compañía sin sermones ni monsergas y, además, como era una mujer emprendedora que regentaba su propio negocio de ropa y muñecas en Timisoara, sorprendía a sus sobrinas con regalos especiales, demasiado infantiles para gusto de su hermana, pero ella no le hacía caso y cada visita suponía todo un acontecimiento para Rosika y Francisca, que amaban a su tía tan divertida y generosa. Fue precisamente a ella, solidaria con los desvelos de su hermana, a quien se le ocurrió una idea que en un primer momento pareció peregrina y disparatada, que Rosika intentara matricularse en la Comercial de Timisoara, una carrera exclusiva de hombres, pero por más que la ocurrencia sonara a insensatez, la tía supo defender su propuesta argumentando un principio elemental: la irrefutable inclinación de Rosika por los números y las cuentas, algo que se le daba muy bien y de manera natural, y animó a su hermana a que no se diera por vencida.

Y como su joven tía nunca se rendía y era una mujer muy conocida en Timisoara, también por el director de la Comercial, no cejó en su empeño hasta que logró una cita personal con él, y se presentó en su despacho dispuesta a desplegar, con la vitalidad y el arrojo que la caracterizaban, el alegato a favor de su sobrina.

—Rosika es una alumna brillante y te aseguro que se merece una plaza en la Comercial. No te arrepentirás.

—Querida. He aceptado reunirme contigo por este asunto porque te estimo de verdad, pero lo que me pides es excesivo.

—Sabes que no lo es. Lo justo nunca es excesivo. Y, además, los tiempos están cambiando. Vamos, puedes hacer una excepción.

El director suspiró y pensó en alguna alternativa.

—Se me ocurre que quizá podría matricularse en el turno de noche.

—Eso sería genial.

—Pero con una condición: no quiero que lo vayas contando por ahí ni que aparezca en las noticias. Discreción, por favor.

De esta manera, Rosika se convirtió en la primera mujer estudiante de la Comercial de Timisoara.

Tal y como había vaticinado su tía, Rosika se sacó la diplomatura comercial con un buen expediente, lo que le permitió encontrar trabajo de contable en un comercio de la ciudad nada más diplomarse, y de esta manera su sueldo se convirtió en el principal sustento de los Schwimmer durante un tiempo, hasta que su hermana Francisca pudo aportar su salario como concertista de piano; también su madre colaboraba aquí y allá cuidando a personas mayores, pero sin nómina fija, y todo ello mientras su padre deambulaba por la ciudad en busca de un trabajo que ya nunca más encontró, lejos de los caballos y del campo, que habían sido su pasión. El hombre murió en Budapest algunos años después, fiel a su costumbre de bañarse a la intemperie todos los días del año; se sumergía en aguas heladas con el propósito de apaciguar su impaciencia y aliviar su insatisfacción, hasta que el crudo invierno, es un decir, lo mató de un resfriado. Aunque los ingresos de la hija mayor sostuvieron la economía familiar al inicio de su juventud, las operaciones matemáticas no colmaban el espíritu juvenil e idealista de Rosika, y una anécdota de aquel tiempo es fiel reflejo de su verdadera vocación y de su sentido del humor. Cuando una mañana su jefe se le acercó y se interesó por los libros contables y por la manera en que quedaban anotados pasivos, activos, depósitos, amortizaciones, etcétera, Rosika abrió uno de los volúmenes, le enseñó una página y le preguntó:

—Como verá, todo está perfectamente registrado. Solo tengo una duda, señor. ¿Cree usted que estos libros me ayudarán a convertirme en novelista?

El jefe soltó una carcajada porque la hoja que Rosika había elegido para mostrarle solo contenía números.

Antes de que pudiera dar por finalizada la infancia de Rosika Schwimmer, reparé en un último «insert» que Edith había anexado a su biografía y que dedicaba a la semblanza de otro familiar importante en la vida de Rosika, su tío. Era un viajero entusiasta con la empedernida costumbre de enviar una postal de cada lugar que visitaba, algo que encantaba a los niños, quienes celebraban cada postal como un regalo. Lo verdaderamente significativo del tío es que fue un hombre progresista que, de joven, traumatizado por la guerra de Crimea, había fundado la Asociación Pacifista Húngara, y aunque debido a sus viajes no pasara demasiado tiempo con Rosika, sí influyó de manera decisiva en ella, siendo una persona muy querida y admirada. Se convirtió de alguna manera en su mentor e incidió en su educación sentimental. Durante un tiempo, el tío residió en Londres, y además de sus celebradas postales, de las que llevaba registro tanto de las mandadas como de las recibidas, también enviaba a casa de los Schwimmer jerséis de pura lana virgen que Rosika agradecía, pero que nunca se ponía por el picor que le causaban. Tenía una amiga íntima, su amor platónico, nada menos que una baronesa, con la que de joven había compartido años de antimilitarismo y que tiempo más tarde se había convertido en la mayor destinataria de postales que llevaban su firma, batiendo todos los récords, más de mil.

Mientras curioseaba entre las postales del tío de Rosika guardadas en el archivo, una mano se posó sobre mi hombro: el bibliotecario Thomas, quien me solicitó que me pasara por su despacho.

—¿Qué tal va la investigación?

—Muy contento. La verdad es que la biografía de Edith me ha enganchado; es muy buena escritora.

—Sí lo es, pero hay algo que no debes olvidar.

—Dime, Thomas, por favor.

—Hay dos versiones de la vida de Rosika Schwimmer. Una, la que dejó escrita Edith; y otra, la real, que no está escrita.

—¿A qué te refieres?

—No digo que Edith se inventara nada, pero cuenta su punto de vista, su verdad. En esta historia hay tres mujeres: la primera es la protagonista, Rosika Schwimmer; la segunda es la escritora, Edith Wynner; y la tercera, la mujer que hizo posible que todo esto sucediera, Lola Maverick Lloyd. Al fin y al cabo, fue la familia Lloyd la que encargó a Edith la biografía, la que le dio alojamiento y sustento. Y lo que es más importante, ten en cuenta que Lola Maverick Lloyd también fue la mayor valedora de la propia Rosika en vida. Jamás podrás tener una visión completa de la historia si no escuchas a la familia Lloyd. Es imprescindible.

En ese momento, Thomas me extendió un papelito que tenía preparado y en el que había escrito el nombre de Lola Maverick Lloyd y una dirección. E, inmediatamente, añadió:

—Otra cosa: que sepas que he solicitado el vídeo del que te habló Melanie. Lo recibiré la semana que viene.

Abandoné el despacho de Thomas con la sensación que te queda al final de uno de esos capítulos de una serie televisiva, cuando las preguntas flotan en el aire sin respuesta. ¿Quién era Lola Maverick Lloyd? ¿Y por qué sabía Thomas que Melanie me había hablado de una vieja película?

Ese mismo sábado decidimos salir a desayunar en familia a uno de esos típicos restaurantes neoyorquinos, llamados *diner* e inmortalizados en cientos de películas y en los cuadros de Hopper, donde los niños pudieran probar tortitas con sirope, y elegimos uno con fachada de aluminio de Broadway Avenue. La camarera adivinó enseguida nuestra procedencia.

—Vascos, ¿verdad? Yo soy del Perú, ¿cómo están? ¿Y los niños? ¿Se acostumbran a la ciudad?

—Bueno, así así —contestó Nora.

—Lo que sucede es que a los niños les cuesta. Necesitan que se les dé un empujón. Sin la ayuda de los padres es difícil que se integren. Les hace falta que ustedes se hagan amigos de otros papás, no más.

—Sí me gustaría, sí —admitió Nora.

—Yo les recomendaría que se apuntaran a las actividades de voluntariado. Si ustedes se hacen amigos de los padres de otros muchachos, los niños se harán amigos entre ellos, seguro. ¿Usted trabaja?

—No —contestó Nora—. Me cogí una excedencia para venir aquí. En cualquier caso, no podría trabajar porque mi visado no me lo permite.

—Entonces no lo dude. Aproveche y apúntese a las actividades que pueda. Se lo digo con conocimiento de causa. Es lo que yo hice para ayudar a mis hijos cuando llegamos del Perú.

—¿Y las tortitas? ¿Cuándo están? —preguntó la pequeña Ane.

Nora hizo caso a la camarera del restaurante y se apuntó a tres actividades en las que pensó que podía colaborar por las mañanas en la escuela: clases de costura para que los niños aprendieran a tricotar, ayudante en la biblioteca para ordenar libros y conversaciones para la mejora del castellano hablado.

Una de aquellas mañanas, de camino a casa bajo una lluvia intensa, detenida junto a un paso de cebra a la espera de que el semáforo se pusiera en verde, un anciano se refugió de pronto bajo su paraguas.

—¿Te importa? Es que me estaba mojando.

Los ojos de aquel hombre eran de un azul intenso, y cuando el peatón del semáforo se iluminó, ambos atravesaron juntos el paso de cebra, despacio, en silencio, escuchando los pasos sobre el asfalto mojado, y cuando el anciano alcanzó la acera se despidió a toda prisa, «Gracias», y a Nora apenas le dio tiempo a contestarle «No hay de qué», porque con la misma imprevisibilidad con que había aparecido, aquel anciano desapareció.

Aquel fue el primer momento en que Nora sintió que había dejado de ser una turista en Nueva York y había comenzado a ser parte de la ciudad.

6

La vida pública de Rosika Schwimmer, por así decirlo, comenzó tras el regreso de la familia a Budapest, donde Rosika encontró de nuevo trabajo como contable de varios comercios y empresas, pero ya a finales del siglo xix y principios del xx, las diferentes inquietudes y querencias de la veinteañera Rosika afloraron cada vez con más ímpetu, y no cabe duda de su importancia, ya que fue entonces cuando dio sus primeros pasos como activista y se dio a conocer en un entorno, el de la lucha por los derechos civiles, por aquel entonces en plena eclosión. Así, Rosika tomó plena conciencia de su doble condición de mujer y trabajadora, lo que la llevó a sumarse a los diversos movimientos surgidos en la época para reivindicar avances sociales, y tal fue su hambre de justicia que, de la noche a la mañana, participó en la creación de la Asociación de Mujeres Trabajadoras de

Hungría, en la constitución del Consejo de Mujeres de Hungría y, cómo no, en la aparición de la Asociación Feminista Húngara.

El fervor con que acometió este inicio de su militancia pública no pasó desapercibido entre sus correligionarias, quienes apreciaron en Rosika madera de líder, y, a pesar de su juventud, ella supo estar a la altura de las expectativas que había levantado y durante la primera década del siglo XX se convirtió en la activista más popular de Hungría, alcanzando también cierto renombre más allá de las fronteras magiares.

El momento decisivo de aquel periodo, que a la postre le brindaría la oportunidad de convertirse en una referente mundial, llegó en 1913, con motivo de la organización en Budapest del Congreso de la Alianza Internacional para el Sufragio Femenino que la propia Rosika auspició. A la conferencia, cuya organización fue todo un éxito, acudieron las más insignes activistas de la época, y la figura de Rosika Schwimmer creció de manera enorme, hasta el punto de que sus propias compañeras la propusieron como nueva secretaria de la organización, cargo que aceptó con gran honor. Las amistades y compromisos que Rosika forjó en aquel periodo resultaron de vital importancia para su proyección como activista, y a principios de 1914 dio el paso definitivo para que su vida quedara consagrada a las causas del feminismo, del pacifismo y de la defensa de los derechos sociales:

se mudó a Londres, donde se hallaba la sede de la Alianza Internacional para el Sufragio Femenino.

Sin embargo, a los pocos meses de aterrizar en la capital inglesa, los sucesos se precipitaron de manera imprevisible con el estallido de la Primera Guerra Mundial, que en pocas semanas involucró a las grandes potencias industriales y militares del momento, incluyendo, por descontado, a la patria de Rosika y a su nación de acogida, ambos países en bandos contrarios, pero lo que más la afligió no fue ni de lejos esa fatalidad, sino las noticias tremendas que cada vez con mayor frecuencia y gravedad llegaban de los diferentes frentes, una contienda que desde el primer momento mostraba una crueldad inusitada hasta la fecha, donde los soldados rasos, a menudo pobres diablos, morían en las trincheras como si fueran míseras cucarachas, sin despertar la menor piedad en los grandes estrategas de la Triple Alianza y la Triple Entente, ajenos al sufrimiento que se extendía como un reguero de pólvora, nunca mejor dicho, tras cada batalla.

La naturaleza de Rosika la empujaba a rebelarse ante un acontecimiento tan absolutamente contrario a sus principios como era una guerra, y no una guerra cualquiera, sino una guerra mundial, así que lejos de cruzarse de brazos y esperar acontecimientos, promovió junto a compañeras de la Alianza una campaña en favor de la paz. Sin embargo, las circunstancias y el paso de los días jugaron en su contra, porque a la vez que la contienda se recrudecía, aumentaba la animadversión hacia el bando enemigo, y ella no dejaba de ser una ciudadana húngara que residía en Londres. Su nacionalidad y su activismo despertaban cada vez mayor recelo en su país de acogida, sobre todo en el propio gobierno británico, que consideraba a Rosika una intrusa intelectual que pregonaba un pacifismo insultante en pleno periodo de guerra, precisamente cuando el combate en defensa propia resultaba más pertinente dado lo pernicioso del conflicto, y semana a semana su situación personal se fue complicando. Fue en esas circunstancias de plena desconfianza e incluso hostilidad hacia su figura cuando Rosika recibió la propuesta de exilio de una de sus compañeras de militancia internacional, la estadounidense Carrie Chapman Catt, a quien había conocido en reuniones y mítines a favor del sufragio femenino durante el congreso de Budapest y quien le ofreció mudarse a Estados Unidos durante una temporada, al menos hasta que se calmaran las aguas. En aquel momento el gobierno norteamericano aún mantenía una posición neutral con respecto a la guerra, y la oferta de su compañera Chapman Catt incluía la invitación a que volcara su militancia más en las reivindicaciones sufragistas que en las del pacifismo, algo que no terminaba de convencer a Rosika, a pesar de que Chapman le insistía en que, por su propio bien, necesitaba desconectar de la locura europea durante un tiempo.

«Iré con la condición de que pueda seguir manifestándome en contra de la guerra», escribió a Catt, quien le contestó: «Como quieras, pero ven».

A principios de agosto de 1914, Rosika Schwimmer llegó a Estados Unidos en un barco que, tras permanecer unas noches en Boston, la llevó a Nueva York, donde se alojó en el célebre hotel McAlpin, y en cuanto se instaló escribió una carta a su hermana Francisca relatando su impresión inicial: «El alojamiento me cuesta dos dólares y medio al día; la verdad es que no recuerdo haberme alojado nunca en una habitación tan pequeña».

Desde el comienzo, su presencia en la Gran Manzana generó expectación, y los periodistas enseguida mostraron su interés por entrevistar a Rosika y conocer las opiniones de una mujer activista que se posicionaba tan abiertamente en contra de la guerra. Ya el 12 de agosto, recién arribada, concedió su primera entrevista al diario *Staats-Zeitung*, con sede en la ciudad de Nueva York pero que publicaba en alemán, un buen botón de muestra del ambiente al que se enfrentaba Rosika debido a sus convicciones y militancia.

—Por tanto, confirma su posicionamiento en contra de la guerra.

—Así es, soy pacifista.

—Pero es usted mujer.

—Sí, claro, ¿y cuál es el problema?

—Pues ese, que no puede hacer nada.

—Piense usted que no estoy sola. Represento a mujeres de treinta países. El plan de paz que yo defiendo lo hemos ideado entre todas.

—Las mujeres no pueden hacer nada para detener una guerra.

—La paz es cosa de todos, de los hombres y de las mujeres. Si yo creyera que es cosa mía, ni siquiera me reuniría con usted, pero la paz es algo que nos compete a todos.

Ni que decir tiene que Rosika salió muy disgustada de aquella primera entrevista, sin poder borrar de la memoria la displicencia con la que fue tratada por el periodista, sus continuos gestos de desdén y, sobre todo, aquella sentencia humillante: «No puede hacer nada, las mujeres no pueden hacer nada».

Un trato denigrante que a la postre conseguía el efecto opuesto al pretendido, porque la lucha a favor del sufragio femenino en Estados Unidos se sostenía sobre unos pilares muy firmes y asentados y, por ejemplo, el año anterior, en 1913, durante la toma de posesión del cargo de presidente de Thomas Woodrow Wilson, ya fueron miles y miles las mujeres que rodearon la Casa Blanca exigiendo el derecho al voto, una corriente convencida de sus legítimas reivindicaciones y que avanzaba con la determinación de las mareas, y quizá si el presidente Wilson no se atrevió a dar el paso al comienzo de su mandato, fue sencillamente porque la oposición al sufragio femenino era igualmente potente y estaba organizada, aunque la vigencia de su protesta estuviera condenada al fracaso por principios fundamentales de justicia. Así y todo, hubieron de transcurrir siete largos años para que finalmente fuera ratificada la decimonovena enmienda a la Constitución de Estados Unidos, ya en 1920.

Fue precisamente Carrie Chapman Catt, que vivía al oeste de la ciudad, en el número tres de la calle 86, junto a Central Park, quien puso al día a Rosika, durante sus conversaciones mientras paseaban por el parque, sobre los pormenores de la lucha a favor del sufragio femenino en Estados Unidos.

—Al final, ten en cuenta que los dos partidos mayoritarios se comportan igual ante el sufragio —le aclaró Catt—. En el Partido Republicano predomina la ascendencia alemana, y los dirigentes se oponen al sufragio porque saben bien lo que las mujeres piensan acerca de la falta de moderación en el consumo de alcohol. Y en el Partido Demócrata, con gran ascendencia irlandesa, sus mandatarios se oponen exactamente por la misma razón. El caso es que ambos partidos se niegan a que votemos porque temen que alentemos y apoyemos una ley restrictiva sobre el consumo de alcohol.

—Se ve que a algunas no nos conocen bien —se rio Rosika.

—Pues sí, la verdad, si te llegan a ver la última noche del congreso de Budapest...

Rosika se detuvo y miró a Catt a los ojos.

—Quiero reunirme con Wilson.

—¿Con Wilson? ¿Para qué? Hemos tenido muchos momentos de tensión con él debido al sufragio. No nos va a recibir.

—Pero no sería para hablar del sufragio femenino, sino de la guerra. Quiero pedirle que intermedie.

—No lo sé. Parece difícil convencerlo. Mide al milímetro cada paso que da.

—Pero esta guerra no es como las demás. Lo estamos comprobando cada día que pasa. ¿Es que no es consciente de la cantidad de gente que está muriendo? ¡Mujeres y niños también! Tenemos que hablar con él cueste lo que cueste.

—Está bien, está bien. Lo intentaremos. Voy a escribir al secretario de Estado.

Rosika cogió a Catt del brazo y continuaron el paseo, hasta que una ardilla se cruzó en su camino con el mayor descaro del mundo.

—¿Pero es que en este país las ardillas no se asustan ante los humanos? En Europa no se nos acercan.

—Será porque las tratamos bien —respondió riéndose Catt, y avanzaron con una sonrisa.

Como era previsible, la respuesta gubernamental a la solicitud de entrevista no se hizo esperar, «El presidente está ocupado», pero quizá no contaban con la perseverancia de Catt, quien insistió una y otra vez a pesar de que una y otra vez recibía la misma respuesta, «El presidente está ocupado», y, finalmente, cuando en una de sus solicitudes Catt aclaró que el propósito de la reunión no era hablar del sufragio femenino, sino de la guerra, el secretario de Estado aceptó reunirse con ellas durante un encuentro que, según reflejan las memorias de Edith Wynner, no duró más que catorce minutos, de las 9.55 a las 10.09, y además durante ese escaso intervalo el secretario fue interrumpido tres veces para atender el teléfono por otras cuestiones, evidenciando, tanto en el fondo como en la forma, que no era partidario de la mediación presidencial para detener el conflicto bélico.

—El Papa lo ha intentado y ha fracasado —argumentaba el secretario.

—El Papa es un referente espiritual en los países católicos, no hay duda de ello, pero hay que tener en cuenta un aspecto muy importante: la influencia del Papa es menor en los países protestantes o con fe ortodoxa, como Rusia o Grecia, por ejemplo —repuso Rosika.

La réplica de la activista húngara desmontó el argumentario previo del secretario y le abrió nuevos horizontes.

—Lo cierto es que no nos habíamos planteado la cuestión desde ese punto de vista —admitió el secretario mientras se acariciaba la barbilla.

Días después, recibieron un mensaje de la Casa Blanca en el que se les comunicaba que el presidente Wilson aceptaba una reunión con las dos mujeres, en concreto, el 18 de septiembre de 1914, a las 14.15, y se les conminaba a asistir con puntualidad.

Fue un momento de gran satisfacción personal para Rosika que quedó malogrado de la manera más imprevista y abrupta posible: Catt descartó asistir a la reunión con el presidente Wilson.

—Siento esta decisión de última hora, Rosika, pero, de verdad, no puedo acompañarte en este viaje.

—Pero ¿por qué? No puedo entenderlo. Estamos juntas en esto. Y precisamente ahora que hemos conseguido la reunión. ¿Cuál es la razón?

—Tengo otro compromiso en Cleveland al que para mí es más importante asistir.

Al instante, Rosika pensó que no podía haber nada más importante que reunirse con el presidente de Estados Unidos para intentar detener una guerra cruel, pero un segundo después se percató de que Catt no lo veía de igual manera y que, con toda seguridad, no habría forma de convencerla.

—¿Y esperas que yo también renuncie y acuda contigo a Cleveland?

—No eres mi criada, Rosika, pero que sepas que conozco bien a Wilson y sé que no moverá un dedo por la intermediación; luego no te arrepientas de haber perdido el tiempo.

Detrás de la decisión de Catt, en el fondo se escondía una diferencia de criterios sobre las prioridades del activismo que ambas mujeres compartían. Para la sufragista norteamericana, su país no estaba en guerra, y no era tanto que viera desde lejos las fatales consecuencias del conflicto, sino que la lucha por el voto femenino le resultaba más acuciante después del camino recorrido, y temía que interpelar al presidente con otra cuestión diferente a la del sufragio podía debilitar esta causa, ya que bastantes eran las discrepancias en este asunto como para añadir nuevos desacuerdos. Rosika, por el contrario, era húngara y había tenido que abandonar Londres por la incidencia de la guerra después de que asistiera en persona al recrudecimiento constante del conflicto, con lo que el pacifismo había pasado a ser la cuestión primordial, relegando a un segundo lugar el sufragio femenino. Sencillamente, Rosika no podía soportar la devastación que estaba causando la guerra, y le costó entender que Catt no compartiera su visión, precisamente ahora que la reunión con el presidente tenía fecha y hora. Cuando Rosika más necesitaba del entusiasmo y optimismo de su compañera, Catt se mostraba más reticente y pesimista, muy diferente a la mujer que había conocido en Budapest y con quien había conectado de manera inmediata.

Rosika dudó bastante antes de tomar una decisión, y no solo por cuestiones ideológicas, sino por otras más bien prácticas, ya que aún no dominaba del todo el inglés y se temía que esa carencia dificultara las posibilidades de convencer al presidente, pero una vez más su determinación fue mayor que sus vacilaciones, y decidió asistir a la reunión concertada con Wilson.

Rosika llegó a Washington el 17 de septiembre, víspera de la audiencia, y se alojó en un modesto hotel llamado Willard en el que se pasó la noche sin poder dormir, mirando al anticuado techo desde su cama e imaginándose toda suerte de escenas, entre ellas, las que en ese momento acontecían en las trincheras al otro lado del océano, donde los soldados rasos morían entre nubes de gas.

Al día siguiente la llamaron a primera hora de la mañana para informarle de que la reunión se adelantaba dos horas, a las 12.15 del mediodía, y ese contratiempo sumió a Rosika en un nerviosismo inesperado, agobiada de repente por cuestiones menores como, por ejemplo, la ropa que ponerse. Delante del espejo, el vestido rojo que había preparado para la ocasión le pareció que le quedaba mal. Cada vez más alterada, se lo quitó de mala manera y revisó su maleta en busca de una alternativa, pero todo lo que encontró fue una falda negra y una blusa blanca, la ropa que había previsto para el día siguiente, y se llevó las manos a la cara porque no sabía si aquella ropa podía resultar inapropiada para una cita de tanta relevancia. El colmo fue cuando se dio cuenta, al montarse en el carruaje que había ido a buscarla al hotel para llevarla a la reunión, de que no tenía ni idea de cómo debía dirigirse al presidente, desconocía el protocolo estadounidense, y se le ocurrió preguntarle al respecto al conductor, quien de manera amable la tranquilizó y le aconsejó llamarle «señor Wilson» o «señor presidente», algo que agradó a Rosika por su sencillez y normalidad, todo lo contrario a lo que conocía de los protocolos del Imperio austro-húngaro y del británico, tan pomposos y pedantes.

—No se preocupe y mantenga la calma, señora Schwimmer. A fin de cuentas, para usted es una reunión de trabajo, no una ceremonia de entrega de premios.

Rosika apenas hubo de esperar en la Casa Blanca para ser atendida por el presidente Wilson, quien salió él mismo del despacho oval para, mediante un gesto con el brazo extendido, indicarle a la mujer que pasara.

—Me alegro de verla —saludó el mandatario.

—Perdone usted mi inglés —se apresuró a disculparse Rosika—. La verdad es que la idea era que me acompañara hoy una compatriota americana, pero no ha podido venir.

—Bueno, no se preocupe. No quiero ni pensar en lo mal que me explicaría yo si tuviera que hacerlo en un idioma diferente al inglés. No hace falta que se disculpe.

En ese instante, Rosika reparó en un detalle que le llamó la atención: el señor presidente llevaba un brazalete, y se le ocurrió pensar que quizá tuviera que ver con la guerra, pero el señor Wilson le aclaró que el motivo era que había enviudado recientemente. Una vez roto el hielo, Rosika fue al grano.

—El propósito de esta reunión es solicitarle que ejerza usted de mediador para detener la guerra. Estamos convencidas de que lo haría extraordinariamente. Sabemos que usted es pacifista y que se negó a intervenir en México. Su administración, además, ya ha tenido algunos gestos apuntando en esa dirección.

—Sí, es cierto que me producen una gran desazón las noticias que llegan de Europa, pero... —y se detuvo unos segundos antes de rematar la frase— quizá sea mejor no hacer nada antes que hacer algo y equivocarse.

—Pero ¿y qué hay de las atrocidades que ocurren cada día? —se lamentó Rosika.

—El problema es que cada bando solo ve las atrocidades que hace el bando contrario, no el propio.

—Por eso nos hemos juntado mujeres de ambas partes, para intentar ser ecuánimes, pero sería fundamental contar con un mediador como usted.

—¿Sabe que intenté mediar al comienzo de la guerra y que nadie me hizo caso? A nadie en Europa le interesa la opinión de Estados Unidos. No nos consideran una potencia de su nivel. Solo consideran el número de soldados de cada ejército y los barcos de guerra, sin atender a las cuestiones morales que Estados Unidos podría representar.

—Pero tenga usted en cuenta que no estarían solos en esta empresa. Habría que sumar a otros países neutrales a la causa. Y estoy convencida de que si Estados Unidos lidera esta labor de mediación, los países del norte también se unirán, señor presidente.

—No lo sé, mujer, no lo sé.

El señor Wilson se incorporó e hizo ademán de acompañar a Rosika hacia la puerta de salida.

—Si pudiera usted, por favor, darme su palabra de que al menos se leerá nuestro plan de paz, daría por bueno este encuentro.

—Bueno, sí. Lo leeré. Le doy mi palabra.

—Señor Wilson, el odio lo destruirá todo. Debemos actuar o podrían estallar revoluciones.

—No, no creo que estallen revoluciones, mujer —contestó el presidente con un gesto de frialdad, sin barruntar lo que sucedería en Rusia tan solo tres años después.

El presidente Wilson abrió la puerta para que Rosika pasara.

—Una última cuestión, señor presidente. ¿Tiene algún inconveniente en que informe a la prensa de nuestro encuentro?

—No, en absoluto. Ningún problema. Además, si no les informa usted misma, escribirán de nuestra reunión inventándose todo, así que mejor que sean informados.

Según recogen las memorias de Edith Wynner, la conversación con el presidente duró dieciséis minutos, dos minutos más que la entrevista con el secretario de Estado, así que en ese aspecto Rosika quedó satisfecha y, según escribió en su diario, consideró que Thomas Woodrow Wilson la había tratado con respeto, sin formularle preguntas que denotaran recelo o desconfianza, del estilo de «quién la ha enviado a usted aquí» o «qué hay detrás de sus intenciones», sino más bien al contrario, el presidente se había mostrado como una persona sensata que la había escuchado con atención.

A la salida de la Casa Blanca, la prensa aguardaba a Rosika con la intención de recabar sus impresiones sobre la reunión y la activista contestó a las preguntas con cortesía y dejando entrever su optimismo de cara al futuro.

—El presidente Wilson ha dado por buenos nuestros consejos —resumió Rosika.

De regreso a su hotel en el carruaje, mientras observaba el paisaje bañado por la luz cálida de septiembre, Rosika concluyó que al final había sido un acierto haber acudido sola, sin Catt, aunque al principio de la reunión se hubiera sentido un tanto desamparada. Lo cierto es que había superado el temor inicial y había conseguido resultar convincente en sus argumentaciones o, al menos, esa era la sensación que le había quedado a ella, la de haber transmitido sus razonamientos con convicción, y en ese momento sintió una gran fortaleza interior y, con ella, la confianza en poder detener la guerra atroz que asolaba Europa.

En cuanto llegó al hotel, escribió el siguiente telegrama a las compañeras en Londres de la Alianza Internacional para el Sufragio Femenino.

El presidente nos ha recibido en una larga audiencia. Stop. Consideradas de utilidad y aceptadas las recomendaciones de nuestro manifiesto. Stop. Nuestra propuesta tendrá un gran peso en sus decisiones futuras.

7

The Washington Post publicó el siguiente titular en su portada, «Las mujeres han enviado a Schwimmer para pedir la intervención del presidente Wilson», y en la noticia incluyeron algunas de las declaraciones que dio tras la reunión presidencial y que yo subrayé con un rotulador amarillo: «La diplomacia masculina ha fallado. Los pacifistas profesionales han fracasado. Las conversaciones entre hombres no han llegado a buen puerto y, como consecuencia del fiasco diplomático, las naciones están en guerra. Quizá haya llegado el momento de que las mujeres intervengan».

Las manifestaciones de Rosika, tan rotundas y explícitas, alentaron en la prensa la idea de una próxima mediación presidencial, una esperanza que la Casa Blanca se encargó de enfriar con un mensaje tibio que destacaba por su cautela: «El presidente Wilson agradece las propuestas presentadas por la Alianza de Mujeres, pero en ningún caso dará pasos en falso. El sentido común es primordial en este conflicto y un gobierno debe atenerse a la realidad y solo acometer aquellas acciones que tengan posibilidades de éxito. No empeoremos nosotros la situación».

Sin embargo, aunque de manera pública el presidente Wilson no reconociera movimiento alguno, lo cierto es que de manera discreta sí que informó a los diferentes bandos de su disponibilidad para liderar un proceso de paz, siempre y cuando la voluntad verdadera de las partes fuera la de lograr un entendimiento, pero tanto Alemania como Austria recelaban de su ecuanimidad, lo que a su vez despertaba en varios de los miembros del gabinete presidencial fundadas reticencias a una posible intermediación, ya que antes de exponerse al riesgo de un fracaso consideraban preferible mantenerse al margen.

Rosika sufrió una gran decepción en cuanto verificó que su primera esperanzadora impresión se había malogrado, pero, lejos de resignarse, se conjuró para intentarlo por la vía opuesta, confiando en conseguir mediante la presión popular lo que no había logrado en el cara a cara, y así escribió en su diario: «Iniciaré una campaña en aquellos estados donde la fuerza sufragista sea notable. Las mujeres unidas impulsaremos al presidente Wilson a que tome una decisión».

Encendí el ordenador portátil e introduje en el buscador el nombre de Lola Maverick Lloyd para leer lo que decía la Wikipedia de esta mujer:

Lola Maverick Lloyd (1875-1944). Fue una pacifista, sufragista, federalista mundial y feminista estadounidense. Nació en Texas en la rica familia Maverick y se casó con William Bross Lloyd, hijo del periodista Henry Demarest Lloyd. Juntos utilizaron la influencia y la riqueza de ambas familias para apoyar las causas de la Era Progresista (1896-1916). Tras un divorcio público y conflictivo, Lola Maverick Lloyd dedicó su vida al pacifismo. En 1915 fundó la Liga Internacional de Mujeres por la Paz y la Libertad. En 1937 inició la campaña para la constitución de la República Federal Mundial junto a su íntima amiga Rosika Schwimmer.

Sonreí al descubrir al final del párrafo el nombre de nuestra Rosika, e inmediatamente escribí en mi cuaderno de notas las palabras *íntima amiga*, que subrayé con un círculo a lápiz, y sonreí de nuevo al anotar y remarcar también la expresión *República Federal Mundial*, esta vez mientras pensaba que se trataba de una idea tan disparatada como adorable.

Lola vio a Rosika por primera vez desde un patio de butacas, sentada en primera fila de una sala de Chicago abarrotada de gente, en otoño de

1914, mientras la activista húngara pronunciaba una de sus célebres conferencias en favor de la paz subida en el escenario. Como tenía por costumbre, Rosika no leía sus discursos, sino que miraba directamente a los ojos de su audiencia y desplegaba todas las virtudes de su magnífica oratoria, una capacidad de convicción enorme rematada con una energía desbordante y un sugerente acento europeo.

—Nos dicen que los soldados están luchando por la patria. Eso es lo que nos aseguran los políticos. Que en esta guerra los hombres defienden a sus mujeres y a sus hijos. Y yo me pregunto cómo es posible que eso sea cierto si los hombres húngaros están en Bélgica, los franceses en Polonia, los alemanes en Bélgica, Francia y Rusia, los rusos en Alemania y Serbia, y los ingleses en Francia. ¿Acaso se defienden las casas propias destruyendo las casas ajenas? ¿Es que se protege a las mujeres y a los hijos de uno matando a las mujeres y a los hijos de los demás?

En ese momento de su discurso agarró con fuerza el atril con ambas manos y se inclinó hacia adelante, como si acentuara su proximidad con los oyentes.

—No puede haber gloria ni patriotismo ni amor ni nobleza si por medio hay también sangre inocente, asesinatos y violaciones. Porque la guerra es eso. No es otra cosa que destrucción. ¿Qué sucede con las mujeres enviadas a los campos de concentración? Hemos conocido la violencia que han sufrido las mujeres belgas, pero lo que no podemos ignorar es que ocurre lo mismo en todos los frentes. Las mujeres de entre cinco y ochenta y cinco años son sistemáticamente violadas en una guerra. Esa es la realidad. ¿Vamos a permitirlo? ¿Vamos a mirar para otro lado o vamos a actuar?

Varias mujeres del público se levantaron y se sumaron a la arenga.

—¡Eso es!

—¡Actuemos!

—No tenemos derecho a votar. No podemos elegir a nuestros gobiernos. Y son estos gobiernos dirigidos por hombres los que nos han llevado a la guerra. Ellos no son capaces de remediar el mal causado. No lo son. ¡Mujeres, unámonos y demostremos que juntas sí podemos poner fin a esta guerra encarnizada que han emprendido los hombres!

La sala se puso en pie y rompió a aplaudir en una atronadora ovación, mientras Rosika les hacía un gesto con la mano indicando que aún no había terminado.

—Hay quien va diciendo por ahí que yo soy partidaria del Imperio austrohúngaro. Nada más lejos de la verdad. En una guerra yo solo estoy a favor de los que sufren y de los que se esfuerzan por detener este sinsentido. Nada más.

Rosika respiró y cerró los ojos antes de pronunciar la última frase.

—Yo soy una mujer sin pueblo, ciudadana del mundo, dispuesta a trabajar en beneficio de todas las naciones.

Durante unos segundos, el silencio se apoderó de la estancia y, después, Rosika oyó en primer lugar los aplausos de personas que hasta entonces habían estado menos efusivas, y enseguida la aclamación del resto de la audiencia, que se prolongó durante varios minutos.

Recién terminada la conferencia, Rosika permaneció alrededor del atril mientras organizadores y oyentes se le aproximaban para felicitarla. Le llegó el turno a una mujer que se colocó frente a ella mirándole directamente a los ojos.

—Soy Lola Maverick Lloyd. Iré contigo hasta el fin del mundo.

Al oír esas palabras, a Rosika se le cayó al suelo un pequeño bolso que sujetaba entre las manos.

Fue el inicio de una hermosa amistad que mantuvieron de por vida, a veces separadas por la distancia, a veces cerca, en la misma ciudad, pero siempre unidas por el afecto y la admiración recíprocos.

Los parientes de Lola recuerdan que Rosika la visitaba con frecuencia en la residencia familiar de Winnetka, donde acostumbraban a dar largos paseos por el jardín mientras charlaban, y después se sentaban juntas en la banqueta del piano, arropadas por los niños de la casa, que atendían desde el suelo mientras comían cerezas.

Aquel mitin de Chicago donde se conocieron Lola y Rosika fue una conferencia más de las numerosas pronunciadas por Rosika Schwimmer durante el otoño e invierno de 1914 a 1915. Solo entre septiembre y diciembre, por ejemplo, recorrió sesenta ciudades diferentes de Estados Unidos, repitiendo en algunas de ellas, como en Chicago, donde habló en público hasta en veintidós ocasiones.

Pronunciaba sus discursos en los talleres, en los teatros, en salones de actos o en cualquier lugar que le propusieran, y entre su audiencia siempre destacaba la presencia de emigrantes europeos, algo de lo que Rosika era consciente, y lo mismo comenzaba su intervención en alemán, hacía guiños en húngaro y proseguía en inglés, para desconcierto de los periodistas que cubrían sus conferencias, quienes antes de que comenzara el acto solicitaban a Rosika una sinopsis del discurso o algún fragmento escrito, a lo que ella siempre respondía lo mismo: «Estáis pidiendo lo imposible, porque ni yo misma sé lo que voy a decir hasta que me subo a la tarima y observo a la gente que me escucha».

Durante aquel primer otoño en América no hubo día en el que Rosika descansara, de un lado a otro sin apenas tiempo para respirar entre mítines; una actividad incesante de la que se hacía eco la prensa de la época allá por donde pasara, por ejemplo, en Ohio:

«Algunos hombres que no se sentían cómodos entre tantas mujeres escucharon el discurso y después colaboraron con la causa dando su apoyo económico», *The Eve Telegraph*, 2 de octubre de 1914.

«La mujer más enérgica que he visto nunca», *The Vindicator*, 5 de octubre.

«Humilde y amable, con una enorme capacidad de transmitir su mensaje y de emocionar a la audiencia a pesar de que su inglés no fuera perfecto», *The Ohio Shield*, 6 de octubre.

«Una oradora que nunca olvidaré. Escucharla ha sido una experiencia profunda y maravillosa. Creo que sus palabras nos convierten en mejores hombres y mujeres», *The Missoulian*, Montana, 28 de febrero de 1915.

Y así llegó el momento en que, tras recorrer sesenta ciudades, Rosika acabó exhausta, un agotamiento físico y mental que quedó reflejado en su diario: «No tengo planes de futuro y me he quedado sin dinero. Tampoco sé cómo se encuentra mi familia en Budapest ni si siguen con vida. No pienso en el mañana. Avanzo, día a día, sin pensar en el porvenir».

A su fatiga y al desasosiego por la ausencia de noticias familiares se añadieron, además, ciertas decepciones personales entre las compañeras sufragistas que consideraban desproporcionado su antimilitarismo, hasta el punto de que en una carta enviada a su hermana Francisca le confesaba que solo tenía fe en una única persona en todo Estados Unidos, Lola Maverick Lloyd.

En aquel invierno de 1915, Rosika tenía treinta y ocho años, pero me cuesta imaginármela en la flor de la vida. Me pregunto si somos conscientes de que las personas mayores que nosotros también fueron jóvenes en su día, tiempo atrás. Recuerdo ahora que, en 2017, tras una presentación en Bilbao, se me acercó una mujer y me pidió que le dedicara el libro: «¿No te acuerdas de mí? Era amiga de tu madre y de tu tía. Eras muy niño entonces, es normal». Y me empezó a hablar de mis padres, de aquella época a comienzos de los setenta en la que la dictadura ya casi claudicaba ante las ansias de libertad. Recordaba aquella mujer las cenas que celebraban en mi casa como una auténtica liberación, cuando se desplazaba de la gris capital a nuestro pueblo costero y sentía que se despojaba de las ataduras morales de un periodo castrante: «En Ondarroa había más libertad que en Bilbao y podíamos mostrarnos tal como éramos. Luego, en los ochenta, la cosa empeoró por otras cuestiones, pero la libertad de aquellos años fue maravillosa».

La verdad es que no recordaba ni a mi padre ni a mi madre de jóvenes, pero no solo eso, sino que ni siquiera me había molestado en imaginármelos con veinte años, como si esa visión contradijera la imagen que tengo de ellos, su autoridad moral, su seriedad, su sentido del deber y de la responsabilidad, y, sin embargo, no hay duda de que ellos también tuvieron veinte años y disfrutaron de su juventud, tanto o más de lo que pude hacerlo yo, a tenor del testimonio de aquella mujer que se me acercó, sin yo reconocerla, y que consideraba aquellos días junto a mi madre y mi tía entre los más felices de su vida.

Lo que yo sí recordaba es que mi madre me había contado que aquel tiempo discurría a dos velocidades diferentes, lenta para los hombres que se pasaban en la mar veinte días al mes, tres en el pueblo y de regreso a la faena, y otro ritmo frenético para las mujeres, alejado de la rutina y repleto de las novedades de la época, de reuniones clandestinas, de conversaciones interminables y de lecturas prohibidas.

El último domingo de octubre, apenas unos meses después de nuestra llegada a Estados Unidos, visitamos Ellis Island, una pequeña ínsula en el puerto de Nueva York que sirvió de puesto de control para los millones de migrantes procedentes de todo el mundo que arribaron a la tierra prometida a través del mar; un islote en la bahía donde los recién llegados aguardaban a que se les concediera el pase final, mientras se les sometía a análisis médicos y se registraba su entrada en el país. En las paredes del edificio central de la isla se conservaban fotografías sacadas un siglo atrás de hombres, mujeres, niños y familias enteras recién desembarcados, y en una de las salas habían habilitado ordenadores donde, a cambio de unos pocos dólares, podías acceder durante una hora a los registros de entrada de viajeros, introducir nombre y apellidos y averiguar en qué fecha exacta llegaron a Estados Unidos, así como imprimir los respectivos documentos y otros datos de interés referidos, por ejemplo, al atraque de los barcos, siempre que supieras sus nombres, claro.

Nora introdujo los nombres de sus bisabuelos, quienes, a pesar de haber emigrado desde el mismo pueblo, se conocieron y se hicieron amigos siendo pastores en Idaho, cuando uno de ellos se encontró al otro herido por un disparo en pleno campo y pudo salvarle la vida tras taponarle la hemorragia y transportarlo al pueblo más cercano para que un médico lo operara. Con el paso del tiempo regresarían juntos a Euskal Herria, donde se casaron y formaron familia, casándose a su vez dos hijos de uno con dos hijas del otro, prolongándose así una cadena de cuyo primer eslabón quedaba registro en aquel ordenador de Ellis Island, y en aquella pantalla donde podíamos leer sus nombres completos, así como el día en que a principios del siglo XX arribaron a puerto con el sueño de hacer las Américas como pastores.

Como aún nos quedaba tiempo para hacer más consultas, Nora me preguntó por algún otro nombre que introducir en el registro, y le sugerí el de Federico García Lorca, pero no aparecía dato alguno.

—Prueba a ver con José Antonio Aguirre.

El nombre del primer lehendakari aparecía tres veces, y su primer registro databa del año 1940, cuando huyó de Europa en plena Segunda Guerra Mundial y encontró asilo en Estados Unidos dando clases en la Universidad de Columbia. Nos llamó la atención cada una de las diferentes respuestas con las que se rellenaba un mismo campo del formulario, el de la ciudadanía, según el año del registro, figurando como «española» la ciudadanía de su primera visita, «en blanco» la de la segunda, y «euskalduna» la de la tercera y última, correspondiente a 1945, año en que abandonó por un tiempo su exilio en París para acudir a las sesiones inaugurales de la ONU a las que fue invitado. Aquel *euskalduna* aceptado por el funcionario de aduanas en el registro y que otorgaba cierto reconocimiento a la ciudadanía vasca, aunque no gozara de estatus legal, debió de ser como un pequeño sueño cumplido para José Antonio Aguirre, una mínima recompensa moral entre un cúmulo de decepciones donde la consolidación de la dictadura franquista ocupaba el lugar más alto.

Cuando se nos agotó el tiempo, salimos del edificio y esperamos en el muelle al barco de vuelta a Nueva York, mientras contemplábamos el paisaje y degustábamos una merluza rica que yo había preparado a primera hora y llevado en un táper para la ocasión.

—Aita, eres muy buen cocinero —me dijo mi hijo Unai, y añadió—: Deberíamos poner un restaurante.

8

Edith Wynner guardó en la caja número 43 toda la información relacionada con el Congreso Internacional de Mujeres que se celebró del 28 de abril al 1 de mayo de 1915 en La Haya. Las feministas neerlandesas convocaron a mujeres de todo el mundo, tanto procedentes de países neutrales como, con particular interés, aquellas otras que pudieran representar a las naciones enfrentadas en las trincheras y que, en consecuencia, tuvieran mayor legitimidad para exigir el fin de la guerra. Jane Addams, una de las feministas estadounidenses más reputadas, fue elegida secretaria general del congreso y Rosika Schwimmer acudió desde el otro lado del océano en nombre de su país natal, Hungría, acompañada en el viaje por su nueva amiga Lola Maverick Lloyd.

La prensa se enteró de que Rosika participaría en el congreso de La Haya mientras la activista se hallaba reunida en el hotel McAlpin de Nueva York, y los periodistas, todos ellos hombres, se arremolinaron a la salida del hotel para abordarla con preguntas tendenciosas no desprovistas de incredulidad y desdén. A esas alturas, Rosika ya había adquirido la experiencia suficiente y, después de escuchar las preguntas que de manera atropellada le plantearon los reporteros, se limitó a hacer una única declaración: «Nos vais a oír, porque no solo hablaremos, también vamos a actuar», y sin añadir una palabra más se escabulló andando por la acera.

En la cabeza de Rosika bullían varias preocupaciones y la más acuciante era la adecuada planificación del viaje a los Países Bajos, todos los preparativos organizados junto a Lola Maverick Lloyd.

—En el trayecto a bordo del Noordam, que es el viaje organizado por Jane Addams, han previsto una serie de talleres y conferencias para agilizar la travesía y preparar el congreso —le comentó Rosika a Lola mientras tomaban un café y planificaban el periplo.

—¿Y?

—Pues que he visto la lista de acompañantes de Jane y no se me ocurre un plan de viaje más aburrido, la verdad.

Lola sonrió con complicidad.

—¿Qué te parece si buscamos una alternativa? Podríamos viajar en un barco diferente. El Frederik VIII también cubre la ruta a La Haya con escala en Escandinavia. Tal vez sería más largo, pero, por otro lado...

—¡No nos aburriríamos! —completó la frase Lola y ambas se rieron.

—¿Y ya te has enterado de lo de Catt? —cambió de tema Rosika.

—¿Qué ha pasado?

—Pues que ha decidido no ir.

—No me lo creo. La segunda vez que te falla, ¿no? Primero, con lo de Wilson, y ahora, esto.

—Al parecer tiene miedo de lo que pueda suceder durante la llegada a Europa con los submarinos alemanes. Y por si acaso...

—Sí, sí. Por si acaso... —repitió Lola sin necesidad de más explicaciones.

El viaje a Europa no resultó ni apacible ni tranquilo para ninguna de las dos expediciones, ya que los dos barcos sufrieron percances provocados por ambos bandos en el tramo final de sus itinerarios; así, al Frederik VIII lo asaltaron los alemanes en el mar del Norte para registrarlo de arriba abajo, mientras que al Noordam lo retuvo el ejército británico durante tantos días que aquello pareció un secuestro, de tal manera que Jane Addams llegó a La Haya con el tiempo justo para inaugurar el congreso.

Rosika y Lola no se aburrieron durante el viaje y pasaron largo tiempo reflexionando acerca de los dictámenes que defender durante la convención, y también escribiéndolos, demasiado tiempo a juicio del esposo de Lola, quien le reprochaba a su mujer que no hiciera un hueco en su apretada agenda ni siquiera para mirarle a los ojos.

—Basta ya de Rosika —le exigió a su esposa cuando esta le informó que tenían reunión después de la cena.

—Querido, esto no es una escapada romántica. Sabías bien cuál era el propósito de este viaje cuando decidiste venir con nosotras. Nos queda mucho trabajo por delante y no tenemos tiempo que perder.

Al marido le sentó tan mal la contestación de Lola que aseguró que lo que restaba de viaje lo haría por su cuenta y, a continuación, abandonó el camarote dando un portazo. Poco después, Rosika se reunió con su compañera, a la que encontró muy afectada.

—¿Qué ha pasado?

—Nada, lo de siempre. Él. Siempre él. Él y su mal humor. Nuestra relación está fatal. ¿Sabes cuántas noches faltó de casa el año pasado? Lo conté. Ochenta noches durmiendo no sé dónde. Aunque no te quiero contar más penas. Prefiero pasar página. ¿Tenemos alguna novedad sobre el congreso?

—Sí, y no son buenas noticias. Me han llegado los telegramas con el dosier de prensa y he de decirte que no dejan títere con cabeza.

Rosika leyó a Lola en voz alta algunas de las lindezas publicadas por distintos periódicos.

«Las mujeres inglesas que meten la pata», *Daily Graphic*

«El disparate en enaguas», *Sunday Pictorial*

«El comité revoltoso e inútil», *Globe*

«Las cotorras del país», *Evening Standard*

«El cargamento de mujeres histéricas», *Globe*

«Estas mujeres entrometidas», *The People*

«Pacifistas proalemanes», *Daily Express*

—En fin, hombres —resumió Lola con resignación.

En medio de ese clima beligerante y reacio, mil trescientas mujeres se reunieron en La Haya para reclamar la paz, representando a doce países, seis de ellos en guerra (Reino Unido, Francia, Alemania, Austria, Hungría y Bélgica) y seis neutrales (Estados Unidos, Canadá, Holanda, Suecia, Noruega e Italia).

El mismo día en que a Rosika le correspondía su turno de intervención en el congreso, y poco antes de tomar la palabra, Lola le dio una noticia que le hizo replantearse el sentido del discurso que había preparado.

—Se ha publicado el número estimado de bajas que hubo en Flandes. Un millón de soldados, Rosika. Se calcula que murieron un millón de soldados.

—¿Qué? —La mujer no daba crédito. Era una cifra demasiado alta.

Rosika se levantó de su asiento y, profundamente conmovida por la gravedad del baño de sangre recién conocido, improvisó su intervención y empezó con un tono profundo e intenso.

—Quienes han muerto en el campo de batalla son hijos de todas nosotras. No son personas anónimas, sino hijos nuestros en la plenitud de sus vidas, repletos de sueños y esperanzas malogrados; hijos nuestros que ya nunca más podrán sentir el calor del sol sobre sus rostros, ni contemplar la belleza de la luna llena; cientos de miles de jóvenes a los que no les queda nada, y por quienes nosotras debemos darlo todo; por ellos y por quienes no se resignan ante la barbarie.

A continuación, solicitó un minuto de silencio en memoria de los fallecidos y, tras el homenaje, levantó la cabeza y tomó de nuevo la palabra.

—A los hombres, cuando se alistan y marchan al frente, se les reclama coraje, valor, una especie de fortaleza superior que nosotras mismas hemos envidiado en muchas ocasiones. Pero yo me pregunto: ¿qué es ese valor físico comparado con el valor moral? ¿De qué sirve, ahora que comprobamos que está devastando el mundo que conocíamos y arrojando a la humanidad al borde del precipicio?

»Por eso, nosotras, las mujeres, que damos más importancia al valor ético, al sentido moral, debemos proclamar nuestra verdad sin miedo a los mandos de los ejércitos, a los fabricantes de municiones, a los venenosos líderes de opinión; no debemos temer ni a los emperadores ni a los reyes ni a los presidentes. Nuestra verdad proviene de los corazones de los hombres y las mujeres que sufren. Es ahí donde debemos mirar: abrir bien los ojos ante ese dolor y gritar al mundo nuestra verdad.

»El militarismo no está en los jóvenes que luchan..., qué va. La guerra podría acabar con todos nuestros jóvenes, pero el militarismo seguiría existiendo. Porque el militarismo está en las leyes y en las instituciones, en los barcos de guerra, en los aviones y en los zepelines. Y debemos gritarlo bien alto por esos hijos nuestros que están derramando su sangre: ¡detened la guerra! Y no podemos aceptar las coartadas de algunos para postergar el fin de esta barbarie. ¡No! ¡La guerra debe terminar ahora! Para una cuestión así el futuro es siempre tarde, solo el presente importa. ¡Detengamos la guerra ya!

En ese momento, la representante de la nación austriaca que se hallaba sentada al lado de Rosika en la sala escribió en un papel el siguiente mensaje y lo extendió de tal manera que su compañera pudiera leerlo:

«El imperio está deteniendo a los antimilitaristas. Si sigues así, jamás regresarás a Hungría».

Rosika, lejos de arredrarse, cogió el papel y lo estrujó con fuerza.

Durante el tiempo que duró el congreso, y debido a las constantes reuniones programadas, Rosika apenas durmió unas pocas horas cada noche, con la mente siempre ocupada en la manera de consensuar criterios para redactar las resoluciones definitivas. Al comienzo del congreso se aprobaron por unanimidad tres declaraciones oficiales en cuya redacción había colaborado, pero que pronto se revelaron como meras buenas intenciones, formalismos escritos mediante los que se reclamaba a las naciones en contienda que cesaran las hostilidades y a los países neutrales, que mediaran para lograrlo. El congreso avanzaba y el malestar de Rosika crecía ante la incapacidad de emitir una resolución que pasara de las palabras a los hechos, convencida de que los papeles serían como el humo, sin ninguna incidencia real, y con esa desazón se plantó ante Lola la víspera del último día del congreso, haciéndola partícipe de su determinación final.

—Hasta ahora solo hemos logrado declaraciones bienintencionadas, Lola. Nada más. Y tenemos que ofrecer algo más: hechos, no intenciones ni palabras. —Y concretó a Lola los pasos precisos que ella daría y que propondría al congreso al día siguiente.

Una vez Lola hubo escuchado el plan de su amiga, concluyó:

—Sacar adelante esta cuarta resolución que propones no va a resultar nada fácil, Rosika.

Durante lo que quedaba de noche, ambas activistas trabajaron conjuntamente en la redacción de la propuesta y, a la mañana siguiente, Rosika abandonó la habitación de Lola con unos papeles escritos a mano y llenos de tachones y subrayados. Con ellos bajo el brazo se presentó en la última jornada de la convención, y cuando la secretaria general, Jane Addams, preguntó a las asistentes si alguien quería intervenir antes de dar por clausurado el congreso, Rosika se levantó y tomó la palabra.

—Me gustaría presentar una última resolución final —aseguró.

—De acuerdo. Pero dispones tan solo de tres minutos para leerla.

Rosika inició la lectura sin demora, convencida de su idoneidad y expectante por la acogida que pudiera tener entre sus compañeras.

—Este Congreso Internacional de Mujeres exige a los gobiernos del mundo que negocien un acuerdo de paz que ponga fin a la guerra. Con el fin de cumplir esta exigencia, el Congreso se compromete a que delegadas en su nombre se reúnan con los representantes de los gobiernos en guerra y neutrales, debiendo concertarse la primera de esas reuniones con el presidente de Estados Unidos. Nuestras emisarias serán mujeres, y únicamente mujeres, elegidas por este Congreso.

Rosika levantó la vista del papel y una sinfonía de murmullos se apoderó de la sala, obligándola a intervenir para aclarar su postura.

—No podemos limitarnos a enviar resoluciones, sino que delegadas nuestras deben velar por su cumplimiento. De lo contrario, nos quedaríamos a mitad de camino.

Los murmullos crecieron en intensidad, hasta que Lola se levantó y solicitó su intervención pública en apoyo de su compañera.

—Mírenlo de este modo, compañeras: por mi parte no tengo ningún problema en dirigirme al zar o al emperador, pero cada vez que Jane Addams me visita me tiemblan las piernas. ¿Quién se atreve a decirle que no a una propuesta con ella delante?

Los murmullos iniciales se convirtieron en carcajadas, incluida la de la propia secretaria general del Congreso, por la oportuna ocurrencia de Lola. A continuación, la enmienda se sometió a votación y las representantes de Suecia e Italia mostraron su inmediata conformidad, sin aguardar al voto emitido por la delegada británica, que era el voto de mayor peso y el que solía inclinar la balanza. Antes de posicionarse, argumentó su postura:

—No puedo sino considerar esta propuesta de resolución como absolutamente inviable. Excepto la propia señora Schwimmer, quienes se han posicionado a favor representan a países neutrales. Porque una cosa es dirigirse a gobiernos para que medien y otra muy diferente, interpelar a gobiernos en guerra. Aquí se ha apelado al corazón para sacar adelante esta resolución, pero mi deber es apelar a la cabeza, a la razón, y enseguida convendréis conmigo en que es imposible dirigirnos con esta exigencia al presidente de un gobierno en guerra. Ni siquiera creo que ayudaría a lograr la paz. No quisiera que este Congreso aprobara una resolución que a la hora de la verdad no puede llevarse a cabo.

La delegada alemana se sumó a la británica en sus consideraciones, y esta, antes de sentarse y ceder el turno de intervención, apuntilló:

—Además, habría sido muy difícil encontrar mujeres preparadas y dispuestas a llevar a cabo una misión así.

Rosika levantó la mano y reclamó un nuevo turno de respuesta que le concedió Jane Addams.

—Apelas a la cabeza, al juicio, pero quiero dejar claro que es precisamente el juicio lo que nos ha conducido a este abismo de millones de muertos. ¡Olvidémonos de la cabeza y miremos a nuestros corazones! ¿Y qué nos dicen nuestros corazones? ¿Es que acaso tenemos algo que perder por intentarlo? Nuestros corazones no tienen miedo de decirles a presidentes, zares y emperadores lo que ven y sienten. Ningún miedo.

Algunos gritos solidarios se oyeron en la sala, «¡Rosika tiene razón!», «¡No tenemos miedo!», y enseguida las muestras de apoyo se sucedieron entre las delegadas internacionales, cuya mayoría votó finalmente a favor de la cuarta resolución. Cuando llegó el momento de elegir a las emisarias, la delegación británica, mostrando su saber perder, se ofreció como candidata.

La crónica de aquel último día del congreso publicada en *The New York Times* hacía referencia a las «miles de Rosikas que, estratégicamente ubicadas, detendrían la guerra», encumbrando de esa manera la figura de Rosika, cuya fama internacional crecía alcanzando países que podrían adoptar represalias contra ella, tales como Austria, Alemania y, por descontado, su país natal, Hungría, adonde probablemente ya no podría regresar jamás.

Así y todo, Rosika no le daba vueltas a lo que no estaba en su mano y sí a los problemas actuales y cercanos, como, por ejemplo, la tristeza de Lola.

—Pero ¿qué te pasa, amiga mía?

—Pasa que mi marido Henry se ha acostado con una representante canadiense —soltó Lola sin morderse la lengua.

—¿Qué?

—Lo que oyes. Se ve que no ha perdido el tiempo mientras nosotras estábamos trabajando. No me lo puedo creer, la verdad. ¡Se ha liado con una compañera de congreso delante de mis narices!

—Menudo canalla.

—Esto sí que no puedo perdonárselo. Voy a pedir el divorcio.

—Bueno, puede ser, pero no te precipites. Igual no ha sucedido como crees.

—¿Que no me precipite? ¿Crees que me lo estoy inventando? Rosika, por favor. El problema es que no es la primera ni la segunda ni la tercera vez. Pero hacerlo aquí, en nuestro congreso y acostándose con una compañera, es demasiado, ¿no te parece?

Rosika no supo qué responder y se llevó la mano a la boca.

—Tengo cuatro hijos. Cuatro. No sé cómo voy a salir adelante yo sola.

—No estás sola, Lola, eso tenlo claro. Estoy a tu lado.

Nora y Ane se apuntaron al club de lectura de madres e hijas que organizaba la clase de Ane y que se celebraba el segundo sábado de cada mes en una casa diferente de entre las familias participantes. Un grupo muy variado formado por personas de distintas culturas y procedencias: británicos, judíos, africanos, asiáticos, latinos, australianos... Durante el mes previo consensuaban la elección de un libro y, llegado el día, se reunían para compartir opiniones mientras comían dulces caseros.

Para su primer club de lectura les tocó leer *The Year of Miss Agnes*, de Kirkpatrick Hill, la historia de una maestra de escuela que llega a un pequeño pueblo de Alaska y cambia la vida de sus alumnos, contada desde la perspectiva de una niña de diez años, quien al comienzo del libro describe la escuela y su pueblo en 1948, el año de llegada de su nueva profesora. Aunque Ane aún no dominaba el idioma, en cuanto se inició la conversación y alguien preguntó si les había gustado el libro y por qué, ella levantó la mano sin el menor atisbo de vergüenza y afirmó:

—A mí me ha gustado mucho porque viven en un pueblo pequeño junto al mar, igual que vivo yo, y os puedo asegurar que lo que se cuenta del tufo a pescado es cierto. ¡No hay quien lo aguante!

Todos los padres se rieron, algunos a carcajadas. Todos menos Nora.

Una vez terminado el club de lectura, los niños se fueron a jugar por su cuenta y los mayores continuaron la tertulia mientras degustaban unos cócteles especialidad de la casa, aunque ya no se habló más del libro, sino de una inquietud compartida por todas las familias allí reunidas que, como la nuestra, pertenecían a la rama bilingüe de la escuela, la que combinaba el inglés y el español. La amenaza que se cernía sobre esta rama era su posible supresión para el próximo curso, algo que no solo había despertado la intranquilidad de los afectados, sino que había originado protestas y manifestaciones frente a las corporaciones municipales.

—¿Por qué no aprovechamos para hacer pancartas? —propuso una de las madres con un entusiasmo mitad causado por el mimosa que se había bebido, mitad debido a la energía vital propia de una mujer caribeña.

La idea fue bien recibida y, antes de que se diera cuenta, Nora ya había terminado un cartel de protesta ante el ataque al bilingüismo de la escuela.

—La verdad es que se me hace rara esta situación —confesó Nora mientras le enseñaba su pancarta—. Me refiero al hecho de escribir un mensaje en defensa del español porque aquí es el idioma débil, cuando en mi tierra es el idioma predominante. Así que por la misma razón que defiendo allí el euskera, defiendo aquí el español. ¡Quién me lo iba a decir!

—La clave es que siempre defiendes la pluralidad lingüística —apostilló la otra madre mientras le guiñaba un ojo.

Llegó la hora de irse a casa, y Nora y Ane se despidieron del resto y salieron del piso en dirección al ascensor.

—Bueno, ¿qué tal te has arreglado con el inglés? ¿Ya entiendes bien lo que te dicen, hija mía?

—Sí, más o menos. Y hoy me he dado cuenta de una cosa que no quiero que pase.

—¿A qué te refieres?

—Pues que en mi mente, el inglés se está metiendo en la habitación del euskera.

Un ascensorista les abrió la puerta, les preguntó si se dirigían a la planta baja y apretó el botón correspondiente. Los tres bajaron en silencio, sin cruzarse las miradas. A la salida, Ane enseguida preguntó a su madre por el ascensorista.

—¿Por qué se ha quedado dentro?

—Porque es su trabajo, encargarse del manejo del ascensor, de apretar los botones de cada piso.

—Vaya trabajo más raro. ¿Cuántas veces tiene que saludar a lo largo del día? Hola, buenas noches, hasta luego...

—Vete a saber. Miles, me imagino.

Mientras Nora y Ane participaban en el club de lectura, Unai y yo decidimos pasar la tarde en mi lugar de trabajo habitual, un lugar, el despacho de una biblioteca, al que mi hijo se había emperrado en ir con el fin de sentarse en mi mesa y enredar en mi ordenador, que, al igual que le ocurría con el resto de artilugios, le despertaba gran interés y, sobre todo, la voluntad de descifrar su funcionamiento. Como era sábado y había pocas probabilidades de que algún compañero estuviera trabajando, decidí satisfacer el deseo de Unai, más que nada porque de lo contrario habría insistido sin descanso, movido por la misma curiosidad que desde muy niño le llevaba, por ejemplo, a subir y bajar la persiana infinidad de veces o a quedarse absorto frente a la lavadora. Ya en Nueva York, cada vez que aguardábamos en un paso de cebra a que el semáforo se pusiera en verde, Unai apretaba el botón una y otra vez con el fin de escuchar la voz enlatada que decía «*Wait*», hasta que una mujer le llamó la atención y le explicó que con apretar una vez bastaba, sin comprender que mi hijo no lo hacía por aminorar el tiempo de espera, sino por su pasión por los mecanismos, así que a día de hoy sigue apretando varias veces el botón de los semáforos, eso sí, con disimulo y rapidez para no ser reprendido por ello.

Pasamos varias horas en mi despacho y, una vez Unai hubo enredado en mi ordenador, le dio por investigar el aire acondicionado, encendiéndolo y apagándolo mientras observaba los diferentes modos de funcionamiento, y en una de estas me preguntó si sabía cuál era el mejor aire acondicionado del mercado.

—Pues no, Unai, no tengo ni idea.

—La mejor marca es esta, Friedrich, pero el modelo que tenéis en la oficina es bastante anticuado. Los hay mucho más modernos.

—¿Pero tú cómo sabes tanto de aires acondicionados? Conozco a un pintor que se llama así, Friedrich, pero ni me había fijado en la marca.

—Aita, en Nueva York hay aparatos de aire acondicionado en todas partes, en la escuela, en las casas, en las tiendas, en los bares... ¿De verdad que no te has fijado? Pues que sepas que los mejores sitios tienen el aire acondicionado marca Friedrich, el mismo que vamos a poner nosotros en nuestro restaurante.

—A ver, a ver..., ¿qué es eso del restaurante?

—Ya te lo conté. Tú vas a cocinar, que eres un gran cocinero, y yo me dedicaré a atender las mesas. He visto un local vacío en Columbus Avenue, en Saffron, muy amplio y luminoso. Es perfecto porque antes había un restaurante indio que cerró. El nuestro será un restaurante vasco, claro, con mesas grandes de sidrería. He apuntado el número de teléfono del cartel de SE ALQUILA para que llames desde aquí.

—¿Cómo que desde aquí?

—Es tu despacho. Puedes llamar y preguntar por el alquiler, ¿no?

—Espera un poco, Unai. Estas cosas llevan su tiempo. Hay que darle una vuelta antes de llamar.

—Vale. Lo hablamos en casa y llamas mañana.

9

Rosika no se quedó en Europa ni visitó Hungría una vez finalizado el Congreso de La Haya, sino que regresó a Chicago junto a Lola y se estableció en la ciudad de Illinois, donde desempeñó su cargo como responsable de comunicación en el recién creado Partido Internacional de las Mujeres. La cuarta y última resolución aprobada en La Haya instaba a las congresistas a reunirse con destacados representantes gubernamentales para avanzar en el proceso de paz, pero no resultó una tarea fácil, y más cuando el primer dirigente que dio largas y rehusó citarse con Jane Addams fue el propio presidente Wilson, quien siempre encontraba un pretexto para excusarse. En tales circunstancias, a las pacifistas norteamericanas aún les quedaba por jugar la baza de Rosika Schwimmer, cuya solicitud de audiencia, así lo creían muchas compañeras activistas, tal vez sí fuera aceptada por el presidente, pero, en un giro inesperado de los acontecimientos, la lectura en la prensa de unas declaraciones hechas por el millonario industrial Henry Ford abrieron una nueva vía por explorar. Lola leyó a Rosika las frases más destacadas: «No se me ocurre nada mejor que colaborar en el fin de la guerra, terminar de una vez por todas con esta larga historia de odio y muerte que dura ya una eternidad. Estoy dispuesto a donar diez millones de dólares para ayudar a construir un mundo en paz».

—¿Has oído bien, Rosika? Henry Ford es nuestro hombre, no me digas que no.

—Lola, me cuesta creer las promesas de los ricos. Sabes que a menudo no son más que una forma de mejorar su imagen.

—¿También esta vez? ¿Estás segura? No tengo claro que a Ford le beneficie pronunciarse a favor de la paz, y menos cuando el presidente Wilson está cada vez más lejos de nuestras reivindicaciones. Yo diría que Ford ahora mismo, con sus diez millones de dólares, puede ser nuestro mejor aliado.

Rosika se quedó pensativa, sin darle ni quitarle la razón a Lola, pero lo cierto es que, según recogen los papeles de Edith Wynner, para finales de ese mismo año de 1915 ya estaba en conversaciones con el magnate del automóvil, gracias a la mediación de una profesora llamada Shelley, a la que Lola conocía de la lucha sufragista y que sabía que tenía relación con la esposa de Ford, quien posibilitó que Rosika viajara a Detroit para reunirse con el industrial y comer juntos en una de sus fábricas el 17 de noviembre, apenas seis meses después del congreso. Aquel primer encuentro se torció desde el primer minuto, cuando Rosika advirtió a su llegada que no era la única invitada y que un buen número de periodistas, abogados y otras personalidades la acompañaban a la mesa. No obstante, el señor Ford sí que tuvo la deferencia de reservarle el mejor sitio posible a Rosika, a la derecha del anfitrión.

Al inicio del almuerzo, Ford presentó a Rosika y declaró compartir las ideas de su invitada, admitiendo públicamente su condición de pacifista radical y anunciando que en adelante colocaría en todas sus fábricas la bandera internacional de la paz, y cuando uno de los comensales le preguntó dónde la izaría, dado que en el único mástil de cada factoría ya ondeaba la bandera de Estados Unidos, el magnate replicó que la alternaría con las barras y estrellas, porque «él pertenecía a Estados Unidos, pero se posicionaba a favor de todas las naciones del mundo». Ford justificó su postura recordando algunos episodios recientes: «Hay quien considera patriotismo el enviar a los hombres al frente de batalla. Cuando se desató la guerra con México, me ordenaron que reclutara a mis empleados. Pero yo no estuve dispuesto a mandar a mis trabajadores ni a morir ni a matar».

Ford siguió acaparando el protagonismo de la conversación y, en un momento dado, comentó a

Rosika una creencia suya que resultó de lo más incómoda e imprevista.

—Lo que está claro es quién ha desencadenado esta guerra. No hay duda de que ha sido urdida por los banqueros judíos de Alemania.

Por su condición de judía, para Rosika se trataba de una opinión que rayaba la ofensa personal. Era la invitada y, de repente, se sentía completamente fuera de lugar.

—Lo lamento, pero no puedo quedarme callada ante una afirmación así. Diría que la guerra fue provocada antes por personas poderosas como ustedes que por personas judías como yo misma.

Uno de los comensales se dio por aludido y le espetó a Rosika de manera enfurecida:

—¡Ah, sí! Pues si no fueron los judíos, díganos entonces claramente quién fue.

Henry Ford intervino de nuevo con el propósito de calmar las aguas.

—Bueno, haya paz, por favor. No vayamos a discutir por los motivos o las personas que originaron la guerra cuando todos nosotros coincidimos en nuestro deseo de que acabe cuanto antes.

Una vez terminados los postres, el anfitrión hizo pasar a los invitados a una pequeña sala de cine, donde les proyectó imágenes de los últimos modelos de tractores ideados por su compañía, y proclamó una de sus próximas intenciones:

—Transformemos las fábricas de armas en fábricas de tractores.

Alguien desde la sala se atrevió a apostillar con cierto tono de burla:

—Seguro que los alemanes y los austrohúngaros harán lo mismo, ¿a que sí, Rosika?

Sin caer en la provocación, y ocupando un segundo lugar en la sobremesa, Rosika aguardó pacientemente a que se marcharan el resto de los invitados, uno a uno, y, cuando se quedó a solas con Ford, le habló sin pelos en la lengua.

—He acudido a esta reunión convencida de que debatiríamos sobre un plan de paz. Si le soy sincera, no era muy optimista al respecto, pero estoy aquí en representación de un buen número de mujeres que sí confiaban en usted. No me gustaría abandonar este lugar sin haber acordado ni una mínima iniciativa y que mis compañeras pesimistas tuvieran que darme la razón. En sus manos está, señor Ford. Si le parece, de momento no haré ninguna declaración a la prensa relativa a este encuentro.

—Estoy de acuerdo con usted. Aún no es momento de declaraciones.

Henry Ford se levantó e hizo ademán de acompañar a Rosika a la salida. En cuanto le abrió la puerta y le dio paso, añadió a modo de despedida:

—Por favor, señora Schwimmer, venga a verme mañana y veremos qué se puede hacer.

A pesar de esta despedida que dejaba un resquicio a la esperanza, a Rosika se le cayó el alma a los pies en cuanto llegó al hotel. Sola, vencida por la sensación de fracaso, sintió cómo se le venían encima todas las derrotas acumuladas en los últimos años. De pronto, experimentó tanta tristeza que pensó que aquel era el peor día de su vida. ¿Acaso merecía la pena tanto empeño para tan ínfima recompensa? ¿Cuántos menosprecios, cuántas afrentas, cuántos rechazos, cuántos reveses más era capaz de soportar? ¿Hasta cuándo iba a seguir plegándose a los requerimientos de los hombres poderosos, a sus caprichos, a sus dobleces, a sus mezquindades? ¿Y en nombre de quién? ¿En nombre de la paz? ¿A qué se había dedicado el último año? Se había entregado en cuerpo y alma a dar conferencias, a preparar y sacar adelante un congreso internacional, a asistir a infinidad de reuniones, a recorrer Estados Unidos de arriba abajo y a cruzar el océano enarbolando la bandera de la paz..., ¿y qué había conseguido? ¿Y su vida? ¿Dónde quedaba su vida personal? ¿Acaso no se había roto en mil pedazos? Había perdido el contacto con sus familiares, sin apenas noticias de sus padres, de sus hermanos, de las personas que más quería. Había abandonado su ciudad natal, renunciado a la belleza de Budapest, y, de repente, se encontraba en un hotel perdido en la ciudad de Detroit, lejos de su hogar, en un lugar opuesto a su infancia feliz, y hasta el recuerdo del galope de los caballos blancos de su padre le parecía el recuerdo de una vida ajena. ¿Quedaba algo de su anterior vida? ¿Su gran sueño de alcanzar la paz mundial no había terminado en pesadilla? Sí, una pesadilla que la había devastado hasta sumirla en el agujero anímico en el que se hallaba. Algunos sueños se convertían en bestias salvajes que devoraban todo lo que encontraban a su paso y, en aquel momento de desánimo extremo, Rosika sintió en lo más profundo de su ser que, poseída por un delirio, había traicionado a su familia.

Para los migrantes no hay nada más angustioso que la añoranza de las personas queridas que se han dejado atrás en la distancia, en la tierra natal, sobre todo cuando esos seres amados sufren enfermedades o son ancianos; entonces, a la añoranza se le suma la intranquilidad por su estado de salud, la incertidumbre ante la siempre presente sombra de la muerte, y aunque afrontamos cada día como si ninguna fatalidad fuera a suceder durante nuestra ausencia, es inevitable que el miedo se apodere de vez en cuando del alma.

Para Nora y para mí, ninguna otra preocupación era comparable a la inquietud que nos generaba el sabernos tan lejos de nuestros familiares más vulnerables, en particular, de una tía mía que lleva ya, entre operaciones y tratamientos, catorce largos años luchando contra el cáncer; una mujer extraordinaria que siempre ha sido para mí una inspiración por su coraje y por su alegría de vivir, y para quien el verbo *rendirse* no existe.

Por eso, en cuanto supe que me habían concedido la beca de la biblioteca de Nueva York, lo primero que hice fue visitarla en su casa para contarle la buena nueva y recibir, por así decirlo, su bendición, que me dio de manera inmediata y con inmensa felicidad según escuchó la noticia de mi boca, sentado yo al borde de su cama y ella tumbada con un libro entre las manos, pues la había encontrado leyendo.

—Por supuesto que tienes mi permiso, ni lo dudes. Yo aquí te esperaré por lo menos hasta el próximo verano.

En el instante que escuché esa fecha, el próximo verano, y por la manera en que la había pronunciado, pensé que podía tratarse de una fecha de caducidad, el tiempo de vida que se daba con cierta garantía, consciente de que en sus condiciones no podía mirar más allá. La aprensión que me generó ese pensamiento repentino contrastaba con mi actitud habitual, fruto del deseo de que las personas que amamos permanezcan a nuestro lado para siempre.

Aquella aprensión era de la misma naturaleza del miedo a la muerte que siempre me ha acompañado, un miedo cerval, que he ido capeando a lo largo de los años de la mejor manera posible, quizá, sobre todo, escribiendo, porque ¿qué otra cosa es la escritura sino el intento de preservar la vida o, al menos, la memoria de la vida?

De niño, la muerte era un fantasma que se les aparecía a otros, no a mí, porque todos mis seres queridos gozaban de buena salud, incluso los más ancianos, y tampoco me tocaba visitar los cementerios los primeros días de noviembre, el Día de Todos los Santos o el de los Difuntos, aunque desde luego era un fantasma que me causaba mucho respeto, sobre todo si me asaltaba un mal augurio y me imaginaba que moría algún ser querido. La muerte era un fantasma que me rondaba de lejos, porque, por no morir, no se me morían ni mis referentes culturales, ya que, para mi generación, la cultura vasca era una cultura renacida tras el franquismo, y los músicos, los escritores, los artistas que la lideraban se hallaban en la plenitud de la vida.

Después, cada vez con mayor frecuencia, empezaron a morírseme personas cercanas, familiares, amigos, y también artistas admirados, y entonces me di cuenta, sin la menor de las dudas, de que la muerte era un fantasma con quien debía aprender a convivir, no afuera, sino en mi propio ser.

Desde mi llegada a Nueva York, mi tía Bego solía telefonearme con frecuencia, una vez a la semana me llamaba al móvil para preguntarme qué tal estábamos y cómo avanzaba el libro. Como solía cogerme en la biblioteca, yo me salía de la sala a toda prisa en silencio y me metía en una de las antiguas cabinas de teléfono de madera que aún se conservaban junto a las escaleras de mármol, cabinas ya sin aparato, un poco como confesionarios, donde uno podía refugiarse atravesando su puerta de vaivén y charlar sin molestar a nadie.

La tía conservaba la memoria de mi infancia, recuerdos que, de no ser por ella, se habrían desvanecido, tal vez ocultos bajo el mayor peso de los recuerdos de mis tres hermanos mayores, quienes acapararon toda la atención de mi madre, bien porque mi padre pasaba en la mar buena parte del año, bien porque, al ser yo el pequeño y de naturaleza observadora y poco traviesa, tenía en mis propios hermanos mayores una suerte de guía. El caso es que ellos tres casi siempre protagonizaban las historias habitualmente recordadas, y yo debía recurrir a mi tía para que recreara episodios de mi niñez, que formaban parte habitual de nuestras conversaciones, también de las telefónicas transoceánicas.

—No sé si te acordarás, pero cuando el tío y yo os visitábamos y nos quedábamos a dormir en vuestra casa, yo siempre dormía contigo en tu pequeña cama, y el tío, al lado, en el suelo. Y la noche en que nos casamos, ese día también dormimos en vuestra casa, y tu ama nos había reservado una habitación para nosotros, pero tú dijiste: ¿cómo que en otra habitación? La tía duerme conmigo, como siempre. Y así lo hicimos, nosotros juntos y el tío al lado, en el suelo. El matrimonio no iba a cambiar las buenas costumbres.

Mis tíos, antes del anochecer, solían sentarse en un mirador cercano a nuestra casa, desde donde se divisaba el mar y la entrada de los barcos en el puerto, y tengo grabada esa imagen en mi memoria, ambos subiendo calle arriba hacia el mirador, al atardecer, con el sol cayendo en el horizonte detrás de la localidad de Lekeitio. Un recuerdo de mi niñez porque a mis tíos pronto se les quedó pequeño nuestro pueblo, en parte porque mis abuelos no estaban sobrados de dinero, uno marino y la otra en la fábrica, y también porque, en aquel tiempo y lugar, las expectativas no resultaban demasiado halagüeñas para las nuevas generaciones rebeldes e inconformistas.

—Nosotros vivíamos cerca de la fábrica, y desde nuestra calle subía un sendero hacia el monte, camino de Gorozika, por donde bajaban los aldeanos con sus burros y bueyes para vender sus productos en el mercado del pueblo. Llegaban al amanecer y, antes de ponerse a la faena, dejaban en nuestro portal los zuecos de madera y se calzaban sus zapatos más elegantes para asistir en condiciones a la misa de las seis de la mañana, una costumbre que desagradaba a la abuela porque los zuecos siempre estaban sucios y manchaban de barro el portal, pero el abuelo, aun así, les dejaba un farol encendido para que tuvieran algo de luz para cambiarse.

—Los detalles del abuelo...

—Ya, pero a la abuela no le faltaba razón, y, además, en cierta ocasión me acerqué a uno de los bueyes para apreciar de cerca el yugo con sus colores y su pequeña campana, y el animal me metió el cuerno por la barbilla. La abuela no se lo perdonó.

Resultó natural que a mi tía esa casa, por el tipo de vida que acarreaba, se le quedara pequeña, una casa vieja de costumbres antiguas, donde se hablaba de cuentas y se contaban historias, todo era tradición oral y los libros suponían un lujo, ya que había temporadas donde apenas llegaba para comer y no había dinero ni para pagar al médico. Había necesidad de que los hijos trabajaran lo más pronto posible y ayudaran a la economía familiar, y así lo hizo mi tía, pero con el deseo claro de independizarse en cuanto le fuera posible, algo que logró mudándose a Bilbao después de pasar algunos veranos en hoteles de Zarautz, y por fin consiguió instalarse en la capital, donde enseguida empezaría a trabajar como auxiliar de enfermería en el hospital de Cruces. Aunque había venido al mundo con problemas de vista y oído, su voluntad era invencible, y aquella niña nacida en un pequeño pueblo de la costa nunca renunció a sus estudios hasta poder llegar a independizarse en Bilbao.

Cuando siendo aún un muchacho viajábamos hasta la capital para visitar a mi tía, para mí era como ir a otro planeta, y no solo por la diferencia de arquitectura, sino porque mis tíos eran jóvenes, cultos y progresistas, y en el salón de casa tenían una biblioteca enorme repleta de títulos que me fascinaban; era la década de los ochenta y yo me empapaba del ansia de libertad y del hambre de conocimiento que florecían a mi alrededor. Aunque mis tíos me organizaran visitas al parque de atracciones de Artxanda, con su zoo y su pista de hielo, a menudo prefería quedarme con ellos en casa y viajar a través de los libros y de las lecturas que me recomendaban: Beauvoir, García Márquez, Borges, Kafka, Baudelaire, Cardenal... Antropología, feminismo, historia, economía... Aquella pequeña casa de Bilbao era para mí la biblioteca más hermosa del mundo.

Hasta donde alcanza mi memoria, mi tía ha permanecido siempre a mi lado, acompañándome, guiándome, ayudándome con los estudios, convirtiéndose en mi mentora, lo mismo en el arte y la cultura que en la vida misma, sacándome a la calle y llevándome, por ejemplo, a las *txosnas* de las fiestas de Bilbao, donde se juntaban las personas que, como yo mismo, soñábamos con cambiar el mundo.

Cuando me llegó el momento de ir a la universidad, mi tía me recomendó que estudiara Derecho o Arquitectura, y cuando le conté que finalmente me había decantado por la carrera de Filología Vasca, se enfadó conmigo, «Así no viajarás ni conocerás el mundo», se quejaba, y el día aquel en que la visité para anunciarle que me habían concedido la beca neoyorquina, recordamos aquel episodio, y entonces, a su manera, admitió su equivocación: «Al final, ha sido el euskera el que te ha llevado al mundo. Solo en eso me he equivocado, ¡eh!».

Al día siguiente de que Rosika sufriera aquella dolorosa crisis personal en una habitación de hotel, se despertó con otro aire, reconfortada por el descanso y con la sensación de que, una vez superada la fatiga y recobradas las fuerzas, la esperanza iluminaba de nuevo el panorama. Convencida de que ya no tenía nada que perder excepto, a lo sumo, algo de su tiempo escuchando memeces, decidió reunirse de nuevo con Henry Ford con la esperanza de que el magnate se involucrara de verdad en un plan de paz, tal vez, incluso aportando los diez millones de dólares de marras.

El recibimiento fue alentador, muy diferente al del día previo, ya que ella era la única invitada y a Ford solo lo acompañaba un joven que fue presentado como «mi secretario para la paz», algo que ya de por sí significaba un claro adelanto, y más cuando los tres se sentaron en tres sillas que formaban un triángulo de trabajo, por así decirlo, y el magnate dio comienzo a la reunión con estas palabras: «Cuéntanos todo sobre ese plan de paz porque vamos a escucharte con la máxima atención e interés».

La tormenta anímica de la noche anterior había dado paso a un cielo despejado por el que Rosika, emocionada por el cambio, se movió con su destreza habitual, e hizo una exposición completa de la situación y del trabajo realizado desde el mismo comienzo de los acontecimientos, cuando la guerra estalló mientras residía en Londres, hasta las últimas reuniones mantenidas por mujeres congresistas con ministros de Exteriores de países neutrales. Cuando Rosika hizo ademán de sacar del bolso los documentos que acreditaban esta última información, Ford la detuvo y le dijo:

—No hace falta que me enseñe los papeles. Dígame lo que cree que tengo que hacer para ayudar y yo lo haré.

—La verdad es que queda mucho por hacer, pero creo que si organizara una Conferencia de Paz neutral...

—¿Qué planes tiene para los próximos días? —la interrumpió el magnate.

—Bueno, mañana pensaba regresar a Nueva York. Tengo una conferencia por la tarde en el Carnegie Hall y he de prepararla. Y a corto plazo otro de mis asuntos importantes pendientes es reunirme con el presidente Wilson.

—Mire, Rosika, yo no sé nada de política ni quiero saberlo, y no se me había pasado por la cabeza reunirme con el presidente, pero ahora que lo comenta... ¿qué le parece si la acompaño?

—Puede ser —respondió Rosika tras una rápida reflexión—, pero quizá sería más adecuado que nos reuniéramos por separado, eso sí, enfocando las entrevistas hacia una misma dirección.

—Muy bien, me parece adecuado. Así lo haremos. Hoy mismo pediré cita en la Casa Blanca.

—Genial.

—Y, Rosika, una vez se reúna con Wilson, ¿qué planes dice que tiene usted?

—Es mi intención volver a Europa.

—Por favor, eso no puede ser.

—Es importante estar presente también en Europa para avanzar en la paz.

—No, se lo ruego. Ahora mismo no debe abandonar Estados Unidos bajo ningún concepto. La necesitamos aquí. Puede usted enviar todos los telegramas que desee, yo se los pago.

—Pero no se puede organizar una Conferencia de Paz por cable.

—Ya verá usted como con mi ayuda sí se puede. En primer lugar, me gustaría que conociera a mi esposa. Tenemos una casa en Dearborn, y si nos visita mañana, podré presentársela y seguir hablando de la paz.

—Pero, señor Ford, tengo mi tren de regreso a Nueva York a primera hora.

—No se preocupe por eso. Hay otro por la tarde y llegará usted a tiempo para el discurso del Carnegie, se lo aseguro.

A la mañana siguiente, Rosika no cogió el tren a Nueva York, sino que se presentó en la casa de Deaborn, donde la sorprendió ser recibida directamente por el matrimonio Ford y su hijo Edsel, sin presencia de sirvientes por ningún lado. La señora Ford la saludó con amabilidad y cortesía, «Tiene usted un vestido muy bonito y, por lo que veo, se trata de un diseño de Viena», y Rosika se quedó un poco extrañada mirándose su propio viejo vestido y añadió con una sonrisa: «Me temo que esté ya un poco pasado de moda».

Enseguida Clara Ford quiso mostrarle a Rosika el invernadero de la casa y las flores autóctonas que allí cultivaban, y, en cuanto halló la oportunidad, la mujer se mostró favorable al sufragio femenino, y lo hizo, además, con cierto tono de humildad, reconociendo que no era un tema en el que fuera experta, algo que gustó a Rosika, creándose un clima agradable en el que Clara Ford pudo formular todas las preguntas y dudas que le surgieron al respecto del sufragio femenino y de la guerra. En un momento dado, la mujer tomó entre sus dedos una planta con el tallo roto y preguntó:

—¿Cómo ve usted a mi marido? Cada vez lo veo más delgado. Me da miedo que esté incubando alguna enfermedad.

—Me sorprendería mucho. Para mí su marido es la personificación de la salud. No creo que deba preocuparse.

Más tarde pasaron a un salón de la casa, en cuyo centro lucía un gran piano de cola al que Rosika no pudo menos que acercarse y acariciar con sutileza algunas teclas, mientras le venía a la cabeza la memoria de su hermana.

—¿No me diga que sabe usted tocar?

—Sí, aunque no sé si me acordaré. ¿Algo de Verdi, tal vez?

Y Rosika tocó una pieza del compositor italiano, sin percatarse de que, según empezaba, Henry

Ford había entrado en la estancia, y solo se dio cuenta de su presencia cuando levantó la vista del piano y observo cómo Henry y Clara la aplaudían.

—La comida está lista. Sentémonos a la mesa, por favor —anunció después el magnate.

Clara acompañó a Rosika a lavarse las manos hasta el mismo cuarto de baño, y cuando Rosika cerró el grifo del lavabo, se encontró a Clara que le tendía una toalla blanca para secarle ella misma las manos con delicadeza, un gesto que a Rosika le pareció muy cariñoso, y al que respondió mirándola a los ojos con gratitud.

10

El paisaje que contemplaba desde la ventana de la biblioteca fue variando con el paso de los días, los árboles frondosos quedaron desnudos y cayeron los primeros copos de nieve con la timidez de quien asoma la cabeza en un lugar y después desaparece, así blanquearon de cuando en cuando el león de piedra que protegía la escalinata principal. Bryant Park se llenó de casetas donde pequeños fabricantes vendían sus productos artesanales, y en la campa donde en primavera brotaban las flores nutridas por los miles de libros ocultos bajo la tierra, levantaron una pista de patinaje sobre hielo. Adornaron el *hall* de la biblioteca con un enorme árbol de Navidad y lo cubrieron de luces de colores que se reflejaban sobre estampas religiosas, no solo cristianas, sino también judías y musulmanas.

Mi horario de trabajo seguía siendo el mismo, de nueve de la mañana a cinco de la tarde, como es habitual en Nueva York, y, antes de dirigirme a la biblioteca, dejaba a mis hijos en la escuela, una rutina agradable pero que solía dejarme un poso medio amargo debido a un episodio frecuente: a Unai le costaba un mundo entrar en la escuela, se hacía el remolón para quedarse el último y esperaba a que alguien lo cogiera de la mano para llevarlo dentro, bien un compañero o, de manera habitual, una mujer policía llamada Ayala. Me reconfortaba al menos el cariño con que la guardia se ocupaba de mi hijo, la forma en que le hablaba, en castellano y agachándose para quedar a su altura, y poco a poco ambos avanzaban juntos hacia el interior hasta desaparecer de mi vista. Para Nora y para mí era un consuelo la ayuda de Ayala, a pesar de que en un primer momento nos chocara la presencia de una policía en plena escuela, aunque enseguida nos enteramos de que llevaba una eternidad en ese puesto y que era una mujer muy querida por todos, y, en particular, por los niños, quienes sabían reconocer, como suelen intuir los animales, a las personas que poseen un corazón de oro.

A Nora y a mí nos preocupa ese rechazo a la escuela que Unai ha mostrado desde siempre, desde el primer curso del sistema educativo, como si al niño le repateara el propio sistema más allá del centro, o el verse sometido a normas y reglas que no entiende, no lo sabemos, el caso es que casi siempre lo recuerdo llorando al ir a clase, llorando prácticamente todas las mañanas desde la educación infantil, algo que también nos ha hecho cuestionarnos nuestra propia forma de educarlo, naturalmente, y no sabemos cuál es la causa real del problema, aunque sí hay una cosa que tenemos clara, que el chaval no tiene culpa de nada.

Por su parte, Nora seguía participando como voluntaria en las actividades organizadas por la asociación de padres de la escuela, y dos veces por semana acudía a la biblioteca los mismos días que a nuestros hijos les tocaba lectura, ayudando a recolocar en las estanterías los cientos de libros devueltos, dos o tres por persona en un centro de novecientos alumnos. La biblioteca de la escuela PS 87 es una estancia con mucha vida, el bibliotecario lee en alto un cuento a cada clase una vez por semana y, después de la lectura, los alumnos arremolinados a su alrededor hacen preguntas y comparten opiniones, y antes de marcharse a sus aulas de nuevo, tienen la oportunidad de elegir dos o tres ejemplares para leer en casa hasta la siguiente visita. A Nora le gustaba colaborar no solo por la ayuda que pudiera prestar, sino porque para ella era una forma de interactuar con otros padres, integrarse en el entorno y comprender desde dentro la cultura de Estados Unidos.

En cualquier caso, al haber trabajado durante toda su vida, incluso desde antes de terminar la carrera, a Nora se le hacía raro no hacer nada, por así decirlo, y aunque había planeado tomarse el año sabático con calma y meditar sobre su futuro sin presión alguna, hasta cierto punto el tiempo libre la incomodaba, acostumbrada a estar siempre atareada. Por primera vez, la maternidad ocupaba la totalidad de su jornada, y Nora ponía su mejor empeño para que nuestros hijos se adaptaran armoniosamente a una metrópoli como Nueva York, pero se diría que aún le quedaba la sensación de que no era cometido suficiente.

Solíamos quedar dos o tres veces por semana a media mañana para tomar un café, normalmente junto a la estatua de Gertrude Stein de Bryant Park, pero como aquel día hacía frío nos refugiamos en la caseta que la librería Strand tenía en el parque.

Justo antes, a la salida de la biblioteca, y al observar las huellas de mis pisadas en la nieve, me acordé de un suceso acaecido en mi pueblo en los años ochenta, cuando secuestraron la estatua de la Virgen de la Antigua, la santa a la que los marineros profesaban mayor devoción por la protección que les procuraba. Una señora acudía cada amanecer a la ermita, abría la puerta del altar por su parte trasera y desde allí arreglaba a la virgen con el mimo con que se baña a un bebé, engalanándola en los días señalados con una capa larga, una corona y joyas que donaba la gente del pueblo. Pero un día, al abrir la puerta de madera que daba acceso a la estatua, se encontró con que no estaba, y lo primero que pensó es que se habría caído sobre el presbiterio, pero encendió todas las luces y no halló rastro de la virgen. Enseguida informó de lo ocurrido al cura, quien mantuvo la calma, tranquilizó a la señora y le aseguró que no tardaría en aparecer y resolverse el misterio. Fue entonces cuando encontraron una carta junto al sagrario en la que se hacían cargo del secuestro y exigían un pago por el rescate. La noticia corrió por el pueblo como un reguero de pólvora y afectó de manera especial a los pescadores, quienes se mostraron dispuestos a pagar cualquier suma con tal de recuperar cuanto antes a su protectora, ya que no concebían faenar sin su amparo ni las cercanas Navidades sin su presencia. Sin embargo, el sacerdote reunió a la comunidad y les informó de que no pagarían y que esperarían a que apareciese.

En el País Vasco apenas nieva en invierno, y si lo hace es raro que cuaje, y menos en la costa, donde resulta excepcional que las playas de arena se cubran de nieve, pero aquel año nevó y cuajó, al menos lo suficiente para que una mañana el cura distinguiera unas pisadas sospechosas que procedían de una cabaña en una zona próxima a la ermita y por donde él buscaba pistas que descifraran el misterio. Quizá movido por una intuición divina, se acercó a la choza, abrió de golpe la puerta y allí encontró a la Virgen de la Antigua, semioculta entre hojas y aperos. No la tocó ni levantó la liebre, sino que tomó nota y se quedó vigilante a que en los próximos días regresara por el lugar el dueño de aquellas pisadas, y así sucedió al cabo de pocas mañanas, y cuando un joven pasó junto a la ermita camino de la choza, el cura le preguntó a bocajarro: «¿Qué? ¿Es que no tienes nada que decirme?», y el hombre se asustó tanto que confesó de inmediato y mostró su arrepentimiento, «No me denuncies, por favor, necesitaba el dinero», y el cura se apiadó de él, no le denunció y sí le concedió su perdón, aunque con una última advertencia: «Lo que no puedo asegurarte es que te libres del infierno en la otra vida; eso lo decidirá la Virgen y no yo».

La estatua había sufrido algunos desperfectos durante su cautiverio, pero pronto la señora la adecentó de nuevo con fervor religioso, y en Navidad lució su capa de gala y sus joyas donadas por la gente del pueblo, entre ellas, pendientes que se colgaban de la peluca de la virgen, porque su cabeza no tenía orejas.

El joven abandonó el pueblo a las pocas semanas y no se supo de él hasta tiempo después, cuando corrió el rumor de que deambulaba por Bilbao sin poder capear los temporales que le deparaba el destino.

—No conocía esa historia —reconoció Nora—. Y qué curioso, se podría decir que fue la propia Virgen la que provocó las pistas, gracias a la nieve.

—Seguro que sus devotos así lo piensan.

—Me recuerda un cuento de Miguel Torga, en el que también secuestran a la Virgen. —Nora se quedó pensativa—. ¿Sabes? Maider también hizo algo así cuando éramos niñas. El Ayuntamiento solía poner un belén en la Alameda. Y ella robó el niño Jesús. Era una figura enorme, casi del tamaño de un bebé real. Los alguaciles fueron a buscarla a su casa. ¿Sabes por qué la robó?

—No tengo ni idea.

—Para tener regalos.

En casa no tenían belén. El padre estaba en la mar y la madre, en la tienda, ya tenían bastante trabajo. Además, eran de izquierdas, no eran religiosos. Tenían un pequeño nacimiento en casa de la abuela, pero ellos no. Ella pensó que a las casas donde no hay niños Jesús no llegan los regalos. Y precisamente por eso la robó, para asegurarse un regalo.

Nora se quedó pensativa.

—¿Echas de menos a Maider? —le pregunté.

—Sabes que no me gusta hablar de ella —dijo, y empezó a echar un vistazo a los libros de la caseta de Strand. Lo de echar un vistazo es un decir, porque puede tirarse horas en una librería mirando portadas y hojeando ejemplares.

—Nora, ¿te has dado cuenta de que pasas más tiempo que yo mirando libros? Y eso que el escritor soy yo —le dije, pensando que tal vez mi pregunta la había incomodado, y queriendo cambiar de tema.

—Precisamente por eso, Uri. Porque el escritor eres tú, y yo la lectora.

La comida en la casa Fair Lane de los Ford dio pie a que a Clara Ford se le ocurriera una idea que a Rosika le pareció interesante.

—Queda poco para el Día de Acción de Gracias. ¿Y cuál es una de las costumbres de ese día? Escribir y mandar cartas. ¿Qué os parece si enviamos telegramas al presidente Wilson? Imaginaos que le llegan miles de telegramas pidiendo la paz.

Henry apoyó con entusiasmo la propuesta de su mujer, mientras Rosika ya le daba vueltas a la manera de llevar a cabo la iniciativa.

—Yo me encargaré de cubrir los gastos de todos esos telegramas —apostilló el magnate.

Rosika esbozó una sonrisa repleta de expectación.

Dicho y hecho.

El Día de Acción de Gracias de 1915, el presidente Wilson recibió más de veinte mil telegramas en la Casa Blanca reclamándole la paz, y tal fue su impacto que a los responsables gubernamentales no les quedó otro remedio que contactar con el Partido Internacional de las Mujeres para solicitar que cesaran los envíos, que ya habían captado el mensaje.

Edith Wynner conservó varios de esos telegramas en una de las cajas de la biblioteca, y yo me quedé con lo escrito por el presidente de la asociación New York Crippled Children's House, la Casa de los Niños Lisiados de Nueva York.

A nosotros, que nos dedicamos a atender y a procurar que los niños discapacitados sean dueños de su propio destino, nos horroriza que haya tantos mutilados de guerra entre los jóvenes de Europa. Hay que acabar con la guerra. ¿Cómo es que no pueden encontrar la manera de detener tanto horror?

Pero el envío masivo de telegramas no fue la única iniciativa acordada en aquella comida, sino que Clara Ford anunció su intención de viajar con Rosika en el tren a Nueva York y arroparla aquella misma tarde durante su intervención en el Carnegie Hall, un lugar de reconocido prestigio donde contar con el respaldo de la familia Ford sería de gran ayuda, una señal inequívoca del liderazgo de Rosika y del poder de convicción de las mujeres activistas.

Rosika centró su intervención en la importancia de la desobediencia civil, a su juicio, la mejor de las vías para obtener los objetivos marcados, e hizo mención a su experiencia en Hungría, donde la resistencia pasiva terminó por ser la mejor manera de responder a las invasiones sufridas.

—La primera vez que los rusos invadieron Hungría, nuestra respuesta fue militar, y los rusos arrasaron el país. Cada batalla contra el ejército ruso se saldaba con muerte y ruina, hasta que un día nuestros gobernantes se dieron cuenta de que era más efectivo dejarles entrar sin oposición, sin derramamiento de sangre ni destrucción de nuestros hogares, y después sí, una vez ocupados, rebelarnos mediante la desobediencia civil, resistencia pasiva día tras día hasta vencerlos por agotamiento.

La capacidad de Rosika para defender un planteamiento irreprochable en su formulación teórica alcanzó en su discurso del Carnegie Hall su vertiente más utópica, en concreto cuando reclamó el desarme completo de las naciones del mundo y la apuesta por la diplomacia como única vía para la resolución de los conflictos.

Cuando uno piensa en una propuesta así desde la perspectiva que da el paso de un siglo en la Historia, más allá de su idealismo, lo que resulta verdaderamente admirable a la luz de nuestros días es el valor que demostraron aquellas mujeres, su determinación, su fe en que unidas eran invencibles y que juntas podían cambiar el mundo. Sin esa confianza genuina en el ser humano y en sí mismas costaría entender sus discursos y movilizaciones de entonces, y me pregunto si no será esa convicción ética, esa prevalencia de la moral frente a cualquier otro interés, lo más destacable de aquellas mujeres representadas por Rosika Schwimmer.

Sea como fuere, lo que despertó mayor interés en la prensa de la época de cuanto aconteció en torno a aquel acto del Carnegie Hall no fue el discurso, sino el apoyo tácito de Henry Ford a través de su mujer Clara.

Los organizadores del evento habían programado, tras la conferencia, una cena de gala solidaria en el hotel Astor en honor a las ponentes y a su causa, de tal manera que los asistentes pagaban un precio superior al del cubierto y lo recaudado se destinaba a la campaña en favor de la paz. Ya antes de que se anunciara la presencia de Clara Ford, numerosas personalidades de la ciudad habían confirmado su asistencia, y el comedor se asemejó al de los grandes acontecimientos, con racimos de flores ornamentales y la vajilla de lujo sobre los más elegantes manteles.

Al poco de iniciarse la velada, la organización solicitó un brindis en honor de Rosika, tras el cual la homenajeada permaneció de pie con la intención de pronunciar unas palabras:

—Agradezco la acogida que me han dispensado y que estén hoy aquí con nosotras, apoyando la causa de la paz. No tengan duda, les juro que emplearemos cada dólar de manera eficiente con el fin de detener la guerra. Sin embargo, no quisiera terminar esta pequeña intervención sin referirme a una cuestión que considero de capital importancia y que les atañe a todos ustedes directamente. Junto a mi gratitud, debo decirles la verdad, y la verdad es que deben saber que con este dinero no basta. No es suficiente para detener la guerra. Cenaremos todos estupendamente y ustedes regresarán a sus hogares con las conciencias tranquilas, pero, mientras tanto, miles de personas siguen muriendo en la guerra. Jóvenes, mujeres, niños... Eso significa que debemos hacer más. Todos tenemos que hacer más. Porque las mujeres a las que represento, solas, no llegamos. Y he de decirlo: ustedes, los ricos, los poderosos, no han hecho aún lo suficiente por la paz. Pueden hacer mucho más. No lo duden. Mucho más.

Las reflexiones de Rosika no sentaron demasiado bien entre los asistentes, quienes enseguida cruzaron palabras de desaprobación extendiéndose los murmullos por el comedor.

Cuando Rosika tomó asiento, notó la mano de Lola que apretaba la suya mientras le susurraba: «Bien hecho, Rosika, bien». No se arrepentía de sus palabras; al contrario, sentía que se había entregado a la verdad, y, además, ambas sabían, Lola y Rosika sabían que, entre el público, contaban con el respaldo de la persona más importante de todas, la más rica entre las ricas, la más poderosa entre las poderosas: Clara Ford.

Orgullosas, pensaron que en adelante nada podía salir mal.

11

Algunos acontecimientos históricos, lo mismo el estallido de una revolución que la implantación de la extrema derecha, se incuban en la sociedad al margen de la actualidad informativa, hasta que de forma inesperada la acaparan por completo, ya que no hay noticia más importante que su eclosión, y entonces cuesta creer que hayan germinado sin llamar la atención de los medios. Con las enfermedades sucede algo parecido. La salud a menudo se deteriora por dentro sin que nos enteremos, lejos de nuestra vista y, a veces, de nuestras sensaciones; así, por ejemplo, las mutaciones celulares o las afecciones de la sangre, que acontecen dentro de nosotros sin que tengamos la menor consciencia, y, de repente, un día, cuando sale a la luz la enfermedad, nos coge de sorpresa, e incluso, a veces, ya es demasiado tarde.

Contemplo desde la ventana de mi despacho

las raíces de un árbol típicamente urbano llamado plátano de sombra y pienso que les ocurre lo mismo que a enfermedades, revoluciones y golpes de Estado: esas raíces también crecen ocultas sin levantar sospechas hasta que asoman con tanto vigor que se diría que son las propias piernas del árbol que quieren deshacerse del suelo que las atrapa y salir andando, así las imagino yo, y me vienen a la memoria otros árboles agrietando el terreno y descomponiendo las aceras cercanas, por ejemplo, las raíces de los árboles que rodean el Palacio de Justicia de Bilbao, y me pregunto hasta dónde llegarán sus raíces a través del subsuelo, si un día reventarán las baldosas de la villa hasta alcanzar los cimientos del edificio.

No era más que un niño la primera vez que pisé los aledaños de aquellos juzgados de la capital. El 16 de marzo de 1982 acompañé a mi tía a manifestarnos en solidaridad con once mujeres de Basauri acusadas de abortar: ese era su único delito; bueno, ese y ser pobres también, porque, según me contó mi tía durante el viaje en autobús que nos llevó a Bilbao, las mujeres con posibles abortaban en Londres, en clínicas como Dios manda y no en quirófanos improvisados, con un riesgo doble: el de morir desangradas durante la interrupción del embarazo y el de acabar en la cárcel por condena judicial. Con once años, las explicaciones de mi tía me afectaron hasta dejarme sin palabras, y la injusticia que sufrían aquellas mujeres me parecía tan incomprensible y tan fuera de mi ideal que no pude evitar que la congoja me invadiera mientras mi mirada se perdía a través del cristal del autobús.

Una vez en Bilbao, nos juntamos con otros manifestantes en Jardines de Albia, a la entrada del tribunal, mientras dentro se celebraba el juicio a las once mujeres. Entonces sucedió algo inesperado y que de alguna manera alentó nuestra solidaridad: debido al calor sofocante dentro de los viejos juzgados, tuvieron que abrir las ventanas del edificio, y, de repente, desde dentro las acusadas podían oír nuestro clamor solidario, cada vez mayor, y, a su vez, nosotros podíamos atisbar lo que sucedía dentro.

Mientras avanzaba el juicio yo me entretenía quitando la corteza suelta de algunos árboles, podía ir apartando capas y apreciar así las diferentes texturas y colores de la piel del árbol, marrón la más seca y verde la más joven, verde manzana, una paleta caleidoscópica similar a la del agua del puerto. En esas andaba cuando, de repente, oí el primer grito, «¡Que viene la poli!», y, como la policía había cargado con anterioridad a primera hora de la mañana, enseguida reinaron el miedo, las prisas, los gritos, el caos, la gente saliendo en estampida por temor a ser de nuevo apaleada y, en medio, un niño de once años que buscaba a su tía y no la encontraba entre el tumulto. Un niño que tropezó con una raíz o al que le pusieron la zancadilla, qué más da, el caso es que me caí y me quedé tendido en el suelo, solo, solo como nunca antes lo había estado en mi vida, completamente desamparado durante un tiempo que pareció una eternidad, y así quedó grabado en mi memoria, un tiempo detenido y una certidumbre, la de que perderse en la vida era empezar a morir.

Aquel macrojuicio levantó gran expectación en la prensa de la época y sirvió para que las demandas del feminismo cobraran un protagonismo hasta entonces ninguneado, y ya nadie pudo cerrar los ojos ante la fuerza de un movimiento que congregó en Bilbao a cientos de personas que exigían no solo justicia para las acusadas, sino que las leyes se adaptaran a los nuevos tiempos, una vez superada la dictadura. Los anticonceptivos no fueron legalizados hasta aquel mismo año, un claro ejemplo del lavado que le hacía falta a la judicatura, aún copada por franquistas.

La joven letrada que defendía la causa de las once inculpadas se llamaba Mertxe Agúndez, y el primer paso de su alegato fue el de contextualizar el delito de aborto en las democracias consagradas, un delito inexistente porque el aborto ya era legal en los países democráticos; solo en las dictaduras se encarcelaba a las mujeres por un acto del que, en ocasiones, ni siquiera se las podía responsabilizar. Agúndez se refirió a lo sucedido en Nueva York, donde fueron las propias mujeres quienes interpusieron una querella contra el Estado porque la ilegalidad del aborto atentaba contra la

Constitución de Estados Unidos, que debía garantizar la libertad y la privacidad como derechos fundamentales.

Agúndez recordó que en aquel juicio de Nueva York intervino un rabí llamado David M. Feldman, quien se refirió al derecho a abortar desde el punto de vista religioso, y destacó que no existía en la Biblia ni una sola mención al aborto, señal, a su juicio, de que era una práctica reconocida, y sobre las Sagradas Escrituras también sostuvo que el posicionamiento a favor de la mujer era manifiesto, porque, según quedaba escrito, antes que al no nacido había que proteger al nacido, defender a quien existe antes que al supuesto. Igualmente, cuando inquirieron al rabí por la cuestión del alma, sobre el momento en que podía considerarse que un feto la tuviera, Feldman adujo que el alma era espiritual, que ni crecía ni se extinguía, sino que permanecía eterna, y que, por lo tanto, no guardaba ninguna relación con lo que se estaba dirimiendo en aquel juicio, que era si el aborto podía considerarse un asesinato o no, y, desde su punto de vista, y a la luz de la Biblia, no lo era.

La joven abogada continuó la defensa de las encausadas haciendo saber al tribunal que la mayoría de aquellas mujeres eran creyentes, y que por el hecho de abortar no se habían sentido alejadas de su religión, porque habían obrado de buena fe, conscientes de que su pobreza les impedía sacar otro hijo adelante.

Agúndez concluyó su intervención aludiendo a una última evidencia: no había prueba alguna del supuesto delito de aquellas mujeres, y si no se podía verificar que habían estado embarazadas, ¿cómo se les podía acusar de interrumpir lo que no estaba probado?; se trataba, en consecuencia, de un delito imposible, simplemente porque no había delito alguno.

Le correspondió el turno, entonces, al fiscal, quien se opuso a cuanto la abogada había defendido, incidiendo en el deber de una mujer casada, que no era otro que el de la procreación, una responsabilidad para la que siempre debía mostrarse dispuesta dentro del matrimonio, sin eximente alguno, y en ese momento se oyeron protestas en la sala que fueron rápidamente acalladas.

Aquel juicio lo ganaron las once mujeres, pero la fiscalía recurrió la sentencia y el Tribunal Supremo rectificó y condenó con diversas penas de cárcel a las imputadas, penas que finalmente no se cumplieron porque al tratarse de delitos cometidos en tiempos en que vivía el caudillo, fueron indultadas.

El único juez del Tribunal Supremo que votó a favor de la absolución de aquellas mujeres, a favor de su completa inocencia, y solicitó que quedara constancia de su posición particular, y así quedó registrado su voto y su nombre, fue Francisco Tomás y Valiente.

El mismo hombre al que ETA asesinaría años después.

El sonido del móvil me despertó de aquel recuerdo al que me había asomado contemplando las raíces del plátano, un mensaje de Marcos Grijalba, quien, junto a su pareja Rebecca, era de los pocos amigos con los que contábamos en la metrópoli ya desde antes de nuestra llegada:

«¿Tenéis planes para el viernes?».

«No.»

«¿Queréis cenar en casa? Antes puedo enseñarles mi laboratorio a los niños y luego nos cenamos una paella. ¿Os apetece?»

«Genial.»

«Pues quedamos a las 18.00 en la entrada principal del campus. Tenéis que coger la línea 1 del metro, y os bajáis en la estación Uptown 116. Os estaré esperando a la salida, en la entrada a la universidad, donde la calle 116 se cruza con Broadway.»

«Perfecto.»

«¡Hasta el viernes!»

Marcos nos esperaba a la salida del metro, a las puertas de la Universidad de Columbia, y no nos recriminó que llegáramos cinco minutos tarde, sino que, como buen profesor, enseguida captó nuestra atención con sus historias y enseñanzas, alguna ciertamente curiosa, como cuando nos contó que los estudiantes de Columbia deben leer a los clásicos independientemente de la carrera que cursen, lo mismo Ingeniería que Informática; la universidad considera imprescindible que los alumnos desarrollen el espíritu crítico, y había establecido que la vía más rápida y eficaz era la lectura de las obras de Homero, Heródoto, Aristóteles, Platón, Cicerón, Virgilio y compañía, y que Columbia ya se encargaría del resto de las asignaturas, es decir, de impartir formación y conocimiento. Estos nombres están cincelados en el frontis del edificio de la biblioteca central. Debajo de ellos había una gran pancarta con los nombres de las escritoras, recientemente colocada: Angelou, Anzaldúa, Chang, Hurston, Morrison, Revathi, Shange y Silko.

Ya de camino a su laboratorio nos señaló la que fuera la residencia de Lorca y la facultad donde José Antonio Aguirre dio clases. También nos mostró la sala donde, durante la Segunda Guerra Mundial, se gestó la creación de la bomba atómica, hasta que el gobierno se percató de la presencia de espías en la universidad y decidió llevarse el proyecto al completo a Los Álamos.

Una vez en su laboratorio, Marcos trató de explicar a los niños con la mayor sencillez posible el funcionamiento del cerebro humano.

—Las neuronas se encienden y se apagan como las luces de un árbol navideño. A veces unas, a veces otras, y, a lo largo de la vida, algunas de esas luces se funden y se apagan para siempre. —E hizo una pausa para asegurarse de que los niños seguían la explicación—. ¿Y sabéis cómo se iluminan las neuronas? Por grupos, y crean algo parecido a las notas de una escala musical, porque siempre producen los mismos movimientos. A esos movimientos los llamamos *cortical songs*, cantos corticales.

Esta última aclaración de Marcos despertó mi curiosidad.

—¿Se trata de movimientos finitos? Quiero decir, ¿es algo así como lo que decía de la literatura Vladímir Propp, que siempre se repetían treinta y un elementos?

—Aún no sabemos si son finitos. Lo que sí sabemos es que las personas que padecen esquizofrenia, por ejemplo, no producen de igual manera esos cantos, y se les encienden menos luces en el cerebro.

Entonces Marcos nos contó que estábamos a las puertas de un gran hallazgo relativo al cerebro, un acontecimiento similar a lo que supuso el descubrimiento del ADN, de tal manera que se podría formular una teoría completa y exacta sobre el funcionamiento del cerebro.

—De lo que ya no quedan dudas es de que todas las neuronas están relacionadas entre sí, conectadas unas con otras a través de redes increíblemente complejas, pero que siguen un patrón que, una vez descifrado, permitirá una explicación clara e inequívoca de su funcionamiento.

A Marcos le había sorprendido un tanto la comparación que yo había establecido con la literatura y quiso entender mejor a qué me refería.

—¿Cuál es tu proceso de escritura? —me preguntó—. ¿Dirías que, de alguna manera, está todo preconcebido?

—Bueno... Digamos que a veces tengo la sensación de que la novela se escribe sola.

—Vale, ya entiendo por dónde vas. Algo así me lo imaginaba. Tienes la sensación de que algunos episodios se entrelazan entre sí y fluyen de manera natural, y por eso te parece que se escriben solos, casi sin que te des cuenta. Un poco como el estar de pie, como andar, que es un acto muy muy complejo, pero que los humanos hacemos como si nada. Fíjate los robots lo mal que andan. Es imposible que anden con naturalidad. ¡La mayoría tienen ruedas! Nosotros, en cambio, caminamos sin pensar. Yo sospecho que al final, vosotros, los creadores, también os movéis en buena medida por intuición, como dejándoos llevar por vuestro instinto, aunque, por otro lado, lo hayáis planificado todo previamente, igual que los científicos. No sé. Lo que te aseguro es que estamos haciendo grandes avances sobre el funcionamiento del cerebro. En estos últimos años se ha avanzado tanto como en toda la historia, gracias, sobre todo, a las nuevas tecnologías.

—Yo también tengo una pregunta —dijo Nora mientras levantaba un dedo—. ¿Habéis podido encontrar el alma?

—No, no hemos encontrado el alma. Pero quizá algo más hermoso, sí.

Marcos se refería a la propia belleza del cerebro, a su capacidad para aprender todo cuanto somos y el mundo tal y como lo concebimos, y a su facultad de sorprendernos y maravillarnos una y otra vez. Y también estaban los sueños, nuestra capacidad de imaginar cosas, aunque a veces vayan en nuestra contra, delirios, pesadillas, visiones...

—En la medida en que sepamos más sobre el funcionamiento del cerebro, sabremos también cómo curar muchas de las enfermedades mentales. Y no os olvidéis de que el cerebro puede ser nuestro mejor aliado, incluso un buen amigo. El cerebro es capaz hasta de inventarse al amigo perfecto. Un amigo ficticio, pero que se vive como real. Mi hermano tenía un amigo así, y lo prefería a un amigo de carne y hueso. Sabía que los amigos reales podían traicionarle y burlarse de él, así que prefería su amigo leal ficticio. ¡Así era mi hermano! Y también se inventaba palabras. Para cualquier cosa, una palabra nueva, como si no valieran las que le habían enseñado, y así hablaba en una lengua desconocida que solo entendían él y su amigo imaginario.

Llegó la hora de ir a casa de Marcos a cenar y, nada más pasar el umbral de la puerta, nos dio una nueva sorpresa.

—Bueno, que sepáis que en la cocina de esta casa hay un cuadro de vuestro pueblo.

—¿De Ondarroa? ¿Y cómo es eso?

—Pues porque me lo regaló mi padre cuando me vine a vivir a Estados Unidos. Bueno, en realidad, es un cartel de fiestas con el lema de «Boga Boga».

—Boga boga, como la canción.

—Eso es, la célebre canción, que según mi padre cuenta la historia de los marineros que marchan a América. A sus ojos, como hice yo.

—¡Entonces es una canción de migrantes! ¿Te puedes creer que no me había dado cuenta hasta ahora? —exclamé verdaderamente sorprendido—. La gente asocia la letra a pescadores exaltando la belleza del pueblo, pero los protagonistas son emigrantes.

—Efectivamente, por eso mi padre me dio el cartel. Fíjate en la letra: «*Ez det nik ikusiko zure plai ederra, agur Ondarroako itsaso bazterra*», «No volveré a contemplar tu hermosa playa, adiós, rincón del mar de Ondarroa». Pero mira por dónde, aquí estoy en mi cocina neoyorquina hablando con unos ondarrutarras.

Mientras Marcos se esmeraba en la elaboración de la paella, conversamos con Rebecca, su pareja, quien nos comentó que en verano tenía pensado viajar a España a trabajar en un proyecto de excavación de fosas de fusilados durante la Guerra Civil. Rebecca era historiadora, de origen judío, y nos contó que habían aprovechado que el viernes al atardecer comenzaba el *sabbat* para invitarnos a cenar, como rezaba la tradición.

Rebecca mostró a los niños un juguete propio de la fiesta judía de la Janucá, llamado dreidel, que es una especie de peonza cuadrada que lleva grabada en cada una de sus cuatro caras una palabra, y que está provista de un pequeño pivote que se hace girar con los dedos.

—Prueba. —Y Steffi tendió el dreidel a Ane para que se atreviera a hacerlo girar como una peonza.

Cuando el juguete dejó de girar, en el lado visible se leía la palabra *Haim*.

—*Haim* en hebreo significa «vida» —explicó Rebecca.

—Pues en euskera, *Jai* significa «fiesta» —añadió Ane.

Lo cierto era que cualquiera de las dos acepciones, vida y fiesta, le iban como anillo al dedo a nuestra hija, cuya gestación se complicó de manera grave al sufrir Nora una pérdida de sangre en el útero y advertirnos los médicos que el feto solo tenía un cincuenta por ciento de posibilidades de sobrevivir. Pero Nora perseveró y permaneció prácticamente inmóvil en la cama durante meses, y el feto fue creciendo y creciendo, y un día comprobamos como movía sus piernecitas en la placenta, como si quisiera expulsar la sangre hacia el exterior, hasta que llegó el momento del parto y Ane nació sana y salva.

Jai, vida, fiesta.

Ane siempre ha sido una niña feliz, con un carácter alegre y una personalidad entusiasta que le ha permitido desenvolverse en esta primera etapa de su vida con soltura y, diría, con inteligencia emocional y hasta con madurez, dándole importancia a lo que la tiene y restándosela a lo que no, evitando así problemas innecesarios.

Sus compañeros del club de lectura la acogieron bien desde el primer momento, y los padres encontraron una rápida solución cuando comprobaron que la llegada de Ane convertía al grupo de sus hijos en impar, lo cual impedía la clásica división de la clase en parejas de mejores amigos, algo muy habitual en Nueva York, y antes de dejar aislada a Ane sin pareja decidieron modificar la costumbre y formar tríos de mejores amigos, y así siempre eran tres los niños que quedaban para jugar, para dormir en casa de uno de ellos o para cualquier otra cuestión importante a esa edad.

Como el resto de los pequeños lectores, Ane también se animó a escribir un diario, mitad cómic, mitad cuaderno de viaje, en el que, según pudimos comprobar cuando nos permitía leerlo, al principio solo aparecían recuerdos de Ondarroa, dibujos en los que era verano y los protagonistas eran personas ausentes, familiares y amigos, y luego ya Nueva York como ciudad se convirtió en un personaje en sí mismo, esbozado con rascacielos, sombras, monstruos..., hasta que, por fin, en una de las páginas, un nuevo dibujo nos conmovió y nos alivió a la vez: tres amigos cogidos de la mano, y la de en medio era ella, nuestra hija Ane.

Cada día se acuesta abrazada a su querido diario; duerme en una cama en la que cabe de todo, muñecos, calcetines, juguetes y libros, sobre todo, libros, que flotando entre las sábanas parecen barcos de colores en la mar.

A la mañana siguiente de cenar en casa de Marcos y Rebecca, Nora y yo nos despertamos con el sonido de fondo del alboroto feliz de nuestros hijos, risas, ruidos, carcajadas y murmullos que nos llegaban desde el salón como la banda sonora de un dichoso sábado por la mañana en familia, hasta que nuestros hijos entraron en nuestro cuarto y nos pidieron que nos acercáramos al salón para ver su obra maestra: habían retirado las luces con sus cables, bolas y adornos de Navidad del árbol y las habían pegado con cinta por las paredes de la sala.

—¿Pero esto qué es?

—El laboratorio de Marcos.

12

La conferencia de Rosika Schwimmer en el Carnegie Hall dio pie a una iniciativa que marcaría un hito en el pacifismo de la época en Estados Unidos: el apadrinamiento de un Barco de la Paz, una idea innovadora y hasta cierto punto extravagante, pero que daba notoriedad a las reivindicaciones de los organizadores y acaparaba la atención mediática requerida por ellos. A la mañana siguiente de la conferencia, Louis P. Lochner, reconocido pacifista, acudió junto a Henry Ford a la habitación del hotel McAlpin donde se alojaba Rosika y puso encima de la mesa la idea del Barco de la Paz. Lochner les contó que ya el año anterior intentaron fletar un buque a Europa cargado de regalos para repartirlos entre los niños de la guerra, una propuesta que se demostró inviable porque no contó con los apoyos suficientes, pero como la coyuntura había cambiado por completo gracias al apoyo económico de Ford y al respaldo del movimiento pacifista de las mujeres, esta vez había que aprovechar la ocasión.

—El objetivo es que el barco se convierta en un embajador de la paz, que a bordo viajen las más importantes personalidades políticas respaldadas por destacados representantes de la sociedad civil: filósofos, artistas, periodistas, activistas, empresarios...

—Y que una vez en Europa se impulse la anhelada Conferencia de Paz que ponga fin a la guerra —añadió Rosika.

—Si conseguimos que el barco se convierta en un mensajero de la paz tan potente que a los países europeos no les quede otro remedio que escuchar y hacer caso, estaremos muy cerca de nuestro objetivo —apostilló Ford, quien, movido por el entusiasmo, preguntó a Rosika sin más rodeos—: ¿Crees que podrías encargarte de conseguir el barco?

—¿Quién? ¿Yo? ¡Pero si no tengo ni idea de barcos! No sé ni por dónde empezar. ¿Y qué presupuesto manejamos?

—Por el dinero no te preocupes. Tú encárgate de conseguir un barco lo antes posible. Tareas más difíciles has sacado adelante —la animó el magnate.

Rosika se puso manos a la obra y de la noche a la mañana ya tenía localizado un barco, el Oscar II, que podía cumplir perfectamente con la misión encomendada y zarpar de inmediato en dirección a Europa desde el mismo puerto de Hoboken, junto a Nueva York, con un pasaje formado por las personalidades más influyentes del país, incluido el presidente de Estados Unidos a la cabeza; ese era el sueño que se propusieron convertir en realidad.

Para convencer a Thomas Woodrow Wilson de las bondades del proyecto, Henry Ford acordó una cita en la Casa Blanca y prometió a Rosika que haría cuanto estuviera en su mano para que el presidente se uniera a la causa con urgencia, ya que el plan de paz no podía demorarse más.

Los papeles de Edith Wynner recogen lo que Ford contó a Rosika por teléfono sobre la reunión, una vez terminada:

LO QUE FORD CONTÓ A ROSIKA
POR TELÉFONO

La verdad, no veo al presidente muy convencido. La reunión ha estado bien, es un hombre amable, pero estoy seguro de que no va a mover un dedo. Sencillamente, no es capaz de apreciar la oportunidad que tiene ante sus ojos. Por más que le insistí, tal y como habíamos quedado, en que debía ser él quien convocara la Conferencia Neutral por la Paz, no logré convencerlo. Me dio la sensación de que tenía miedo. Le expliqué que el barco estaba a su servicio. Le aseguré que todos los gastos corrían de mi cuenta, que disponía de una fortuna de ciento cincuenta millones de dólares que aumentaba día a día y que estaba dispuesto a hacer todo lo que estuviera en mi mano con tal de que se subiera a bordo e impulsara la Conferencia de Paz. Por supuesto que le hablé también de la labor que estabais haciendo vosotras, las mujeres; todos los pasos que ya habíais dado, los contactos establecidos, los canales abiertos, el plan de paz que ya le habéis presentado con anterioridad y que, sin duda, conoce bien. Pero el hombre seguía reticente. Le advertí que no podía haber marcha atrás. Que al día siguiente convocaríamos a la prensa para anunciar nuestra misión y que resultaba fundamental que compareciera junto a nosotros. Pero nada. Dudas, excusas..., que sí, que la Conferencia Neutral por la Paz parecía muy razonable, pero que quizá él no fuera la persona idónea para convocarla... Rosika, créeme que no puedo con gente así; se me agota la paciencia. Pero insistí. Incluso me llegó a reconocer que nuestro plan era el mejor que conocía para acabar con la guerra, pero que consideraba preferible ser cauto y aguardar por si surgía un plan mejor. ¿Te lo puedes creer? ¡Mejor aguardar por si a alguien se le ocurre algo mejor!, me dice. Y eso que asegura saber perfectamente el horror que está causando la guerra. ¿Cómo es posible?

Al día siguiente, Henry Ford compareció él solo ante la prensa, sin el presidente Wilson y sin Rosika a su lado, ya que el magnate decidió asumir toda la responsabilidad de la convocatoria.

—¿Cuál es el verdadero objetivo de esta expedición? —preguntó un periodista.

—El objetivo está claro. Emplazar a los países neutrales a que se unan y actúen en favor de la paz y el fin de la guerra.

—¿Cómo piensan lograr ese objetivo?

—Más adelante explicaremos el plan con todo detalle.

—¿Cuentan con el apoyo del gobierno de Estados Unidos?

—Ya les he dicho que daremos cuenta de todos los detalles en una próxima comparecencia.

Henry Ford no fue tan preciso como hubiera querido y los periodistas se quedaron sin las respuestas que buscaban, así que la sensación general fue que aquella rueda de prensa había sido convocada de manera precipitada. Quedaba claro, sí, que tanto Henry Ford como Louis P. Lochner y Rosika Schwimmer zarparían en el Oscar II, pero faltaban los nombres y apellidos de las personalidades políticas y sociales que acompañarían a los organizadores.

Cuando al día siguiente Rosika leyó los periódicos, se llevó las manos a la cabeza al leer el titular que había regalado Ford a la prensa: «Trincheras vacías para Navidad». No había duda de que se trataba de un reto demasiado ambicioso y más que improbable. ¿Pero cómo iban a lograr que las trincheras se vaciaran de soldados para Navidad? ¡Si quedaba poco más de un mes! ¡Si la lista de ilustres pasajeros estaba aún en blanco! Lola miraba a Rosika y no podía sino darle la razón. Los acontecimientos se precipitaban sin orden ni concierto.

Pero Henry Ford era así; estaba en su naturaleza el emprendimiento y el marcarse retos en apariencia imposibles y poner todo su empeño en lograrlos, sin dejarse amilanar por el riesgo. El Barco de la Paz zarparía rumbo a Europa con el objetivo de poner fin a la guerra para las Navidades de 1915, y él viajaría a bordo, acompañado de amistades y partidarios de la paz y comprometiendo su fortuna en la misión.

La población americana acogió con ilusión y esperanza el anuncio, pero era un arma de doble filo, porque si el Barco de la Paz no respondía a las expectativas que había generado, la decepción y la sensación de fracaso harían que la opinión pública se volviese en su contra, y la prensa en esas circunstancias no hacía prisioneros, sino leña del árbol caído.

En esas circunstancias, y antes de que el Oscar II se echara a la mar, Rosika quemó su último cartucho y consiguió una cita con el presidente Wilson acompañada de una joven activista, quien tenía al presidente norteamericano en buena consideración y creía poder convencerlo para que diera el paso definitivo.

Wilson recibió a las mujeres en el Despacho Oval y, de nuevo, escuchó con interés su propuesta y se mostró conmovido por las consecuencias de la guerra. «No hace falta que supliquéis —les aseguró—. Soy el primer interesado en que el conflicto acabe cuanto antes. No lo dudéis, por favor. Quiero hacer todo lo posible por la paz. Por eso, es mi intención acometer un último esfuerzo diplomático serio para unir a las fuerzas gubernamentales y a las no gubernamentales e iniciar un camino hacia la paz.»

No era un apoyo explícito, pero las dos mujeres abandonaron la Casa Blanca más esperanzadas de lo que poco antes lo habían hecho Ford y Lochner.

«El presidente Wilson está totalmente a favor de la paz. No tengo ninguna duda de que algo hará. Creo que su mayor preocupación es no precipitarse y acertar con el momento adecuado», escribió Rosika a sus compañeras militantes del Partido Internacional de las Mujeres en lo que se recibió como un mensaje lleno de esperanza.

13

El teléfono móvil me vibró mientras me encontraba en la biblioteca y, como en anteriores ocasiones, salí a refugiarme en una de las viejas cabinas de madera junto a las escaleras, desde donde poder atender a mi tía Bego con la dedicación que se merecía. Aunque se esforzaba por transmitir la energía vital que la caracterizaba, yo advertía, conversación tras conversación, un paulatino marchitamiento del habla, nada exagerado, tal y como se oscurecen los días según avanza el verano y se aproxima el invierno, algo que no aprecias de un atardecer a otro, pero de lo que eres consciente.

Cuando no decaía su entusiasmo era al referirse a un descubrimiento literario, entonces su fascinación afloraba con una pasión fabulosa, y así me contó que estaba leyéndose todo Lucia Berlin, deslumbrada por la sencilla y precisa voz de la escritora norteamericana. Siempre después de compartir conmigo sus hallazgos, la tía Bego se interesaba por los míos; ¿y tú qué estás leyendo ahora? era una pregunta que, a pesar de ser escritor, hasta cierto punto me inquietaba, adquiriendo para mí la importancia de un examen, no solo porque deseaba estar a la altura de sus expectativas, sino también porque era una escena que interpretábamos juntos desde que yo tenía trece años, cuando ella se convirtió en mi mentora literaria, por así decirlo, y me protegía y me alentaba, enmarcando mis primeros poemas y exponiéndolos como cuadros.

A fin de cuentas, mi tía era una lectora empedernida, y lo mismo devoraba las largas y densas novelas rusas que a los mágicos escritores latinoamericanos, conocía bien a los clásicos y, precisamente, en nuestras últimas conversaciones citaba a menudo a Proust, *En busca del tiempo perdido*, y me pedía que reparara en la sutileza con la que el escritor francés recogía los detalles, «Creo que la vida es eso —me confesaba—, las pequeñas alegrías, los placeres cotidianos..., la vida son fragmentos».

Cuando mi tía empezó a perder la vista, no renunció a la lectura y, a pesar de que siempre había preferido leer sobre papel impreso, se adaptó al libro electrónico, de tal manera que podía aumentar el tamaño de letra tanto como le fuera necesario, y continuó con su costumbre de leer en la cama con la ayuda de un pequeño atril. A lo que sí se resignó es a que sus paseos con mi tío fueran cada vez más cortos; antes de que se diera cuenta ya le abandonaban las fuerzas y le podía el cansancio; en fin, cada vez más peajes de la salud. Pero mi tía se rebelaba en cuanto la conversación languidecía y, afanándose por dejar los achaques en un segundo plano, cambiaba de tema.

—Anda, cuéntame alguna novedad, que por aquí todo sigue igual —me pedía.

—Me he enterado de una cosa que te va a gustar. ¿A que no sabías que Trotski estuvo en Nueva York? —Y mencionando al revolucionario ruso, yo sabía que acapararía de nuevo su atención, porque ella y sus amigos habían sido trotskistas en su juventud—. Pues estuvo. Y lo primero que hizo en cuanto llegó a Nueva York fue venirse a la biblioteca a curiosear y hojear libros, a este mismo edificio desde el que te hablo.

—Listo que era el hombre. Yo también habría hecho lo mismo.

—Debió de estar en Nueva York alrededor de un mes, en 1917, el mismo año de la revolución. Al parecer, viajó con su hijo de ocho años, que, según se cuenta, se perdió al escaparse con la intención de conocer la calle 1.

—¿Calle o avenida? —preguntó mi tía.

—Calle, calle. Existe también, pero es una calle muy pequeña y difícil de encontrar. Bowery está al lado.

—No me extraña entonces que el niño se perdiera.

—Bueno, al final parece ser que lo encontraron sano y salvo. Trotski le prometió al niño volver y conocer la calle 1, pero regresaron a Rusia y ya nunca más volvieron.

—Igual que yo, entonces, que me prometí regresar a Nueva York y no he vuelto. Y, con este cuerpo que tengo, está claro que ya no voy a volver. Pero bueno, ahí estás tú por mí, y hablando contigo por teléfono es un poco como si yo también estuviera. ¿Y qué más se cuenta de Trotski?

—Pues lo que más me ha llamado la atención es descubrir la cantidad de trotskistas que ha habido por aquí en todo este tiempo. Existía un grupo que se hacía llamar Intelectuales de Nueva York, al que de verdad pertenecían algunos de los mejores intelectuales del momento, filósofos, escritores, sociólogos, críticos..., muchos de ellos, judíos, y resulta que la mayoría eran seguidores de Trotski. Renegaban de Stalin y de sus políticas devastadoras, y depositaban la esperanza de un socialismo humanista en el ideario de Trotski. Me he enterado de todo esto porque el padre de un compañero mío en la biblioteca perteneció a ese grupo. El sociólogo Daniel Bell.

—¿Bell, has dicho?

—Sí, Daniel Bell. Su libro más conocido es *El final de la ideología*, en el que teoriza sobre el progresivo alejamiento de la clase obrera de los ideales de la revolución. Aunque lo cierto es que se le recuerda más por otra cosa.

—¿Por qué cosa?

—Por una afirmación que hizo una vez. Sostuvo que había tres grandes razones para ser profesor universitario. A ver si adivinas cuáles.

—Uf, no sé. Dímelas tú.

—Junio, julio y agosto. Los tres meses de vacaciones.

Mi tía se echó a reír hasta que le sobrevino la tos.

—Bueno, entonces hay doce grandes razones para ser escritor como tú.

Nos reímos juntos de nuevo. Después, hubo un momento de silencio y le pregunté:

—Tía, una cosa. ¿Tú todavía te sientes trotskista?

—Por dentro, sí. Creo que sí. Pero no sé, no voy por ahí definiéndome como trotskista. Aunque mis sueños, mis ideales, en el fondo, siguen siendo los mismos de entonces. En eso no he cambiado. Sigo igual. Serán los demás los que han cambiado. Yo no.

Cuando terminó la conversación me invadió un sentimiento de ternura hacia mi tía, consciente de la dignidad con la que mantenía sus principios, siempre posicionándose del lado del débil. ¿Dónde figura la gente así? ¿En qué capítulo de la Historia se les menciona? Me refiero a las personas que se alinean con los solitarios, con los marginados, que reniegan de las convenciones, del pensamiento único, y siempre se esfuerzan por comprender al otro, como si detectaran circunstancias atenuantes. Incluso en los pequeños detalles, mi tía siempre puso de su parte para generar empatía, para tender puentes, hasta en el fútbol, que podía no interesarle demasiado, pero cuando advirtió que toda nuestra familia era del Athletic Club excepto un primo nuestro, ella también se hizo de la Real, para no dejarlo solo.

Si algo han tratado de enseñarme mi madre y sus hermanas es a no confundir la empatía con la condescendencia o, peor aún, con la indiferencia. La empatía y el espíritu crítico debían ser las dos caras de una misma moneda, esa bendita facultad de los buenos maestros para unir la comprensión con la exigencia, y así me educaron desde pequeño, «Hay que pasar por esta vida haciéndolo lo mejor que podamos», me repetían, animándome siempre a que fuera mejor persona, sin miedo a cuestionarme mis propias convicciones o a dudar de mí mismo.

Mi tía Bego y sus amigas se convirtieron en una prolongación de mi madre, como si estuvieran compinchadas a la hora de educarme, y a mí no me cabía duda de que compartían una misma visión del mundo, atentas ante cualquier violación de los derechos humanos y siempre unidas para acudir en su defensa. Ese sentido de la justicia y ese afán por defenderla las llevaba a veces a adelantarse a su tiempo y a tener iniciativas vanguardistas, como cuando decidieron casarse dos amigas décadas antes de que el matrimonio entre mujeres estuviera legalizado, sin importarles ni el qué dirán ni la falta de papeles, porque en su fuero interno sabían que no podía haber nada malo en aquel amor prohibido por leyes retrógradas.

Recuerdo también que en otra ocasión una amiga de mi tía llevó a algunos sobrinos a conocer al arqueólogo Joxemiel Barandiaran, un hombre venerado por su sabiduría y humanidad inmensas, y en cuanto supieron que había regresado del exilio y vuelto a su caserío Sara de Ataun, decidieron que las nuevas generaciones debían conocerlo en persona. Yo era demasiado pequeño para aquella visita, pero recuerdo bien lo que me contaron tras la excursión, la manera amable con la que el sabio los había recibido y había mostrado a los jóvenes su valiosa colección de huesos, y lo asombroso que me pareció entonces que les enseñara el diente de leche de un neandertal.

Siempre que pienso en Barandiaran, reparo en su costumbre de conversar con los habitantes de los pueblos antes de iniciar cualquier excavación en la zona; algo parecido a una labor de documentación; la de enseñanzas que el científico aprendió sentándose en los soportales de los caseríos y charlando con los más ancianos del lugar, preguntándoles por los seres mitológicos con los que habían convivido desde tiempo atrás, generación tras generación, tratando de averiguar sus moradas, porque Barandiaran sabía bien, así lo he leído en sus escritos, que en aquellas cuevas donde supuestamente habitaban las criaturas legendarias hallaría él restos de hombres prehistóricos; era una ley no escrita, pero que se cumplía la mayoría de las veces.

Es bonito creer que la memoria oral ha mantenido vivo el recuerdo de seres humanos que vivieron en cuevas hace miles de años, que los mismos huesos prehistóricos que científicamente hoy catalogamos, por ejemplo, como de neandertales son también los huesos de seres humanos que han pasado a la tradición oral convertidos en criaturas de leyenda, pero que, en realidad, no fueron sino nuestros antepasados, y, entre sí, vecinos e incluso amantes.

Al fin y al cabo, qué otra cosa es la ficción sino la memoria multiplicada por el tiempo, esa es su fórmula matemática, el tiempo avanza y en su transcurso modela la memoria y la convierte en ficción.

La última imagen que nos regaló Joxemiel Barandiaran es la de su participación en la Korrika, la carrera popular a favor del euskera que recorre pueblo a pueblo toda Euskal Herria portando un testigo como si fuera la llama de una identidad, de una forma de ver el mundo y de dar nombre y sentido a las cosas, así la lengua vasca, y no me cabe duda de que la Korrika es una de nuestras más bellas invenciones, la manera en que se combina la fiesta con el deporte, mientras se van sucediendo los relevos y la llama del amor por el euskera se transmite sin que se apague durante kilómetros y kilómetros. En 1989, cuando estaba a punto de cumplir los cien años, Barandiaran dio inicio a la Korrika, fue el primer corredor en portar el testigo, y aunque no pudiera correr sino caminar a su ritmo, paso a paso, lentamente, su imagen es de una fuerza conmovedora y sagrada, un icono que apela al valor de toda lengua, y cuya supervivencia jamás sería posible sin transmisión, sin legado, sin llama que se recibe y que se da.

Supongo que algún rescoldo de esa llama fue el que provocó que mi amigo Marcos Grijalba empezara a estudiar euskera cuando comprobó mediante un estudio de su ADN que gran parte de sus antepasados eran vascos, a pesar de ser él y su familia de Madrid. Casualidad, fue Marcos quien indicó al responsable del Museo de Historia Natural que *mariposa* en euskera se decía *pinpilinpauxa*, tal y como nos confesó él mismo durante la cena en su casa.

Al cabo de pocos días de aquella velada, me mandó un mensaje al móvil con un enlace a un artículo sobre los orígenes del euskera, escrito por el profesor John Bengtson. Según su investigación, la lengua vasca llegó a Europa occidental vía Anatolia procedente del Cáucaso, su lugar de nacimiento, en torno al año 7000 antes de Cristo, y es el único ejemplo de una lengua europea con esa génesis, aunque perduren topónimos con similar origen en lugares como Cerdeña, Francia, los Alpes italianos o los Balcanes. Según Bengtson, los vascos de aquella época asimilaron la nueva lengua que había surgido en el Cáucaso en el periodo neolítico y en un tipo de sociedad ganadera y campesina, y la hicieron suya, aunque conservaron palabras de una lengua ancestral anterior, perteneciente al Mesolítico.

Se ve que los vascos también éramos migrantes en aquella época remota. Migrantes entonces, migrantes ahora, migrantes siempre.

En cualquier caso, el origen del euskera es un tema controvertido que se mueve en terrenos pantanosos. En el propio Museo de Historia Natural de Nueva York figura el pueblo vasco como uno de los más antiguos de la humanidad, y así aparece en uno de los mapas de la prehistoria que se exhiben en el museo, por lo que no es de extrañar que el origen del euskera resulte tan dudoso, porque a medida que nos alejamos en el pasado, aumentan las hipótesis y se difuminan las certezas, y aunque el avance de la genética en los últimos años haya contribuido a aportar algo de luz en la oscuridad, la ciencia aún se mueve a tientas en la prehistoria, por diferentes senderos y con variadas evidencias, algunas contradictorias.

Quizá por eso, a mí lo que más me interesa de los orígenes del euskera no sea la parte teórica a debate, sino algunas particularidades de la propia lengua, por ejemplo, el vínculo que las palabras más antiguas guardan con la naturaleza. Es el caso de las palabras *lur*, «tierra», y *elur*, «nieve», que si son tan parecidas es porque en otro tiempo antiquísimo, según los lingüistas, fueron la misma palabra para designar la misma cosa, memoria de una era en la que el clima era tan frío que la nieve lo cubría todo. O, más adelante, ya en el Neolítico, descubrir la relación entre las palabras *abere*, «ganado», y *aberats*, «rico», porque entonces rico era el que poseía ganado. O, todavía más adelante, desentrañar la influencia de las lenguas indoeuropeas en el euskera, por ejemplo, en la palabra *maite*, «amor» o «ser querido», como si los vascos hasta aquella época no hubieran conocido su significado, como si no hubieran sabido amarse, y bendigo el día en que se dio esa influencia y asimilación; y también todas las posteriores, las de las palabras célticas; las romanas, tan ligadas a la cultura y a la economía; las árabes..., en definitiva, me pregunto si nuestra lengua, el euskera, no será un compendio de la historia de Europa, vocabulario de fósiles de un viejo continente oceánico.

Se nos presentó la oportunidad y a Nora no le pareció mala idea que, movida por la curiosidad y por la posibilidad de desvelar alguna sorpresa en nuestra transmisión hereditaria, nos hiciéramos un estudio de ADN, así que cuando nos dieron los resultados que revelaban que nuestros antepasados eran vascos en un noventa y ocho por ciento, no pudo evitar que se le escapara un «qué aburrido, esperaba algo más de colorido». Existían dos líneas principales en nuestros genes, una procedente de Eurasia, muy antigua, y una segunda surgida en

Anatolia, y nada más leer esos nombres me acordé del estudio de John Bengtson y su hipótesis sobre el origen del euskera que nuestro ADN parecía confirmar. ¿Estaría en lo cierto el profesor?

Nuestro estudio genético tan similar también concedía un mínimo porcentaje al origen neandertal, en concreto, un dos por ciento. Una muestra pequeña, mínima, como el diente de leche que Barandiaran mostró a la amiga de mi tía Bego y a algunos de sus sobrinos.

14

Una vez Henry Ford anunció la propuesta del Barco de la Paz, no tardaron en publicarse en prensa artículos de opinión recelosos de la iniciativa; primero, firmas de prestigio mostraron su escepticismo ante las expectativas generadas y, poco después, de esa duda inicial nació cierta desconfianza e incluso la sospecha de que algo oscuro subyacía tras una propuesta tan rompedora, llegando a extenderse el bulo de que el Barco de la Paz podía obedecer a una maniobra encubierta en beneficio de la Triple Alianza. A la luz de nuestros días puede parecer ridícula la manera en que se propagó tamaña patraña, pero lo cierto es que los nombres y apellidos de algunos de los pacifistas dieron pábulo a los infundios, y así, por ejemplo, insistieron en que no podía ser casual que los apellidos Schwimmer y Lochner, de origen húngaro y alemán, pertenecieran a dos de los promotores del Barco de la Paz, como si la genealogía delatara algún ideario. Los sesgos se propagaron en la prensa como la mala hierba y, si aparecía un indicio que contradecía la habladuría, se le buscaba una nueva explicación favorable, de tal manera que a la maestra que posibilitó que Rosika conociera a Ford, llamada Shelley, con su apellido inconfundiblemente inglés, y ahí estaba el poeta para corroborarlo, no se la injuriaba por su apellido sospechoso, sino por ser profesora de alemán.

Aunque Rosika, en un principio, no dio demasiada importancia a estas acusaciones desprovistas de cualquier fundamento, se dio cuenta de que el asunto era grave cuando un medio del prestigio de *The New York Times* se hizo eco de la insidia en sus páginas. Que un periódico de la seriedad y la reputación de *The New York Times*, que desde el primer momento se había posicionado del lado de la Triple Entente y mostrado su apoyo al Reino Unido y Francia, publicara a toda página en aquel otoño de 1915 el siguiente titular: «La cruzada no es una idea de Ford, sino de la húngara Schwimmer y promovida por germanófilos», supuso toda una afrenta para Rosika y una buena muestra de hasta dónde habían llegado los bulos. Una vez más, lejos de achantarse, Rosika descolgó el teléfono y llamó a *The New York Times* solicitando hablar con el director del periódico. Con voz un tanto emocionada, pero firme, dejó claros algunos asuntos de importancia:

—El Barco de la Paz no es de húngaros ni de alemanes, sino que, tal y como dice su nombre, es un Barco de la Paz norteamericano, y en el que viajarán representantes de Estados Unidos: parlamentarios, activistas, filántropos, empresarios... Nuestra intención es zarpar en diciembre, y la cuestión no es si viajamos en nombre del gobierno, sino si lo hacemos en nombre del país, representando a cien millones de estadounidenses que quieren dar una oportunidad a la paz y terminar con esta terrible guerra. Los países europeos beligerantes podrían encontrar en el Barco de la Paz el pretexto para un alto el fuego y para iniciar conversaciones de paz. A veces, cuando las naciones están inmersas en una espiral bélica sin resolución aparente, solo hace falta una excusa para propiciar una tregua que dé paso a la diplomacia.

A pesar de que la he buscado, no he hallado rectificación alguna en el periódico.

Mientras tanto, Henry Ford continuaba con los preparativos del viaje, cuya previsión de gastos enseguida se vio desbordada y, en la medida en que el presupuesto engordaba, aumentaba también la preocupación del magnate, cuya fortuna estaba en juego.

—Rosika, ¿tienes idea de cuánto va a costar el Barco de la Paz? —le preguntó Ford en un momento en que las cuentas no salían.

—No lo sé, Henry. La idea es que te cueste el menor dinero posible. Estamos trabajando voluntariamente mucha gente, sobre todo las mujeres de mi partido. Y yo tampoco voy a cobrar nada.

—¿Pero cómo es posible, Rosika? Si tú eres la verdadera artífice de esta iniciativa y no paras de trabajar. Algo tendrás que cobrar.

—No, Henry. No quiero ni un dólar. Que nadie piense que pretendo lucrarme con esto. Lo que sí me gustaría, si fuera posible, es pedirte un favor.

—Por supuesto, Rosika. Dime y haré lo que esté en mi mano.

—Para mí sería muy importante que Lola pudiera viajar con sus hijos en el barco. El otro día me confesó que para ella sería maravilloso poder compartir ese momento histórico con sus hijos, y yo sería feliz si les encontráramos sitio a bordo.

—De mi cuenta, Rosika. Irán Lola y sus hijos. Pero el que no viajará es el marido de Lola. No es de fiar. Algún día tendré que hablar cara a cara con ese hombre.

—Ni te molestes, Henry. Con que te ocupes de que haya sitio para Lola y los niños, yo me doy por satisfecha y bien pagada.

—Así será. La verdad es que no creo haber conocido a una mujer tan valiente como tú.

—¿Cómo que no? Y Clara, tu mujer, ¿qué? Ella sí que vale.

Aquella complicidad con Henry Ford y la certeza de que el Barco de la Paz saldría adelante contra viento y marea propició que aquellos momentos fueran quizá los más felices en la vida de Rosika. Se sentía dichosa y se sentía plena, de una manera rotunda era consciente de su felicidad, algo que no siempre ocurre en el mismo momento en que acontece, sino más bien a posteriori, cuando la dicha se disipa. Durante un breve periodo de tiempo, apenas un par de días, las causas a las que había entregado su vida, el feminismo y la paz, daban completo sentido a su existencia, colmándola de alegría. Se sentía en la gloria porque se sentía realizada, y de ello dejó constancia en su diario, en el que escribió: «Es como un milagro. El hombre más poderoso sobre la faz de la tierra está de nuestra parte, luchando junto a nosotras por la paz. La felicidad que siento no la he sentido antes igual, e ilumina todo alrededor. Camino por la calle y el paisaje cobra vida, las casas, los árboles, porque mis buenas noticias lo son para el mundo entero. Los sueños se pueden hacer realidad. El matrimonio Ford está de nuestro lado y ya no hay obstáculo que pueda detenernos. Vamos a conseguir la paz». No obstante, a los pocos días escribió una carta a su hermana Francisca donde asumía que ese sentimiento tan puro y pleno había sido como un espejismo: «Durante dos días fui tan feliz como un niño en un cuento de hadas, durante dos días, únicamente dos días, pero fui absolutamente feliz», acaso una sublimación del espíritu.

No sé muy bien en qué momento decidimos que nuestra estancia en Nueva York se prolongaría durante más tiempo del año inicial, quizá fuera algo que barruntábamos desde el principio, conscientes del esfuerzo que había supuesto desplazar a toda la familia y movidos por la sensación de que el periodo se nos iba a quedar corto, con lo que nos había costado mudarnos al otro lado del océano. Lo cierto es que cuando llegaron las Navidades, casi sin darnos cuenta, tuvimos claro que aún nos quedaba mucho por experimentar y aprender en nuestro nuevo destino, y que merecía la pena retrasar el regreso, aunque, por otro lado, lo deseáramos.

Diría que el deseo de volver a la tierra de origen nos es común a todos los migrantes, es algo que permanece en nuestro interior independientemente de las circunstancias que nos rodeen o el tiempo que haya transcurrido desde nuestra partida, y así sucede que migrantes que están bien instalados en su tierra de adopción, con trabajo e incluso habiendo formado una familia, escuchan la llamada de esa voz de la nostalgia, de la morriña, que resuena como en un agujero interior que es imposible de cubrir. Esa voz íntima te empuja a que termines tu vida en la misma tierra en la que naciste y creciste, como si fuera un imperativo vital cerrar el ciclo antes de morirse, tarde o temprano.

Es, además, una voz universal y eterna, y ya en la *Odisea* se da cuenta de ella, puesto que Ulises desea regresar a Ítaca con su querida Penélope por encima de todo, despreciando la vida eterna que le ofrece su enamorada Calipso, en favor de la vida cotidiana en su tierra natal, aun con todas sus penurias e inconvenientes. Quizá por eso resulte tan estremecedor que a su vuelta no lo reconozca nadie, ni Penélope, su propia mujer, tan solo un perro, su leal perro, un final desolador, opuesto al regreso soñado, porque uno no renuncia a la eternidad ofrecida por la ninfa Calipso para encontrarse el más espantoso olvido. No es de extrañar que en las versiones apócrifas que se escribieron en la Antigüedad después de la *Odisea*, Ulises decidiera abandonar Ítaca y volver a los brazos de Calipso, o quizá seguir navegando hasta el fin de sus días, cualquier cosa antes que ser ignorado.

La decisión de quedarnos un año más no fue sencilla para nosotros, no solo por la voz de la nostalgia, sino porque sabíamos que la prórroga acarreaba sus inconveniencias, toda vez que con el fin de mi beca terminaban las ventajas asociadas y, entre ellas, una decisiva, el visado que permitía nuestra estancia. Para permanecer en Nueva York de manera legal y no ser expulsados debíamos prolongar el visado, pero para ello nos hacía falta un contrato de trabajo que era difícil de conseguir si no contabas con visado, en definitiva, la pescadilla que se muerde la cola. Nueva York es dura, cuentan los neoyorquinos, porque casi sin que te des cuenta la ciudad te pone trabas, a ti y a tu familia, palos en las ruedas, y, si no perseveras, lo normal es abandonar y regresar a tu lugar de origen. Para abrir una cuenta bancaria te exigen un certificado de impuestos, sabiendo que no puedes contar con tal certificado en tu mismo año de llegada. Para comprar un teléfono móvil te piden el número de la Seguridad Social, pero para conseguir este número te exigen un número de teléfono local. Y así, obstáculos uno tras otro, trampas para el migrante por todas partes, y multiplicadas por mil bajo el mandato de Trump.

Sin embargo, lo hermoso es constatar que Nueva York es también amigable y es, de hecho, una metrópoli formada por los migrantes y son los migrantes quienes le otorgan su identidad cosmopolita única. En la escuela conocimos a padres de alumnos que se quedaban a vivir en la ciudad porque temían el racismo rural debido a su origen coreano, todo lo contrario de la hospitalidad que percibían en Nueva York, donde por todos lados y tanto entre iguales como entre diferentes se establecen lazos de solidaridad que convierten a la ciudad en acogedora.

Nora acostumbraba a comprar los bagels en una tienda de Amsterdam Avenue y, a pesar de que ella pedía dos unidades, el dependiente le metía tres sin cobrarle el tercero, y, aunque la primera vez pensó que el hombre se había equivocado, cuando se repitió la situación quiso preguntarle por el motivo, a lo que el joven le contestó con una sonrisa: «No preguntes y sigue adelante», tendiéndole la bolsa cerrada con los tres bagels dentro, uno gratis.

Nuestro hijo Unai, atento a la escena, preguntó a su madre en euskera, con discreción, si aquel regalo podía deberse al enamoramiento del muchacho.

—¡Qué va! Pero bueno, por si acaso no se lo vamos a preguntar. —Y Nora cogió la bolsa, tomó a Unai de la mano y ambos salieron contentos de la tienda con su bagel de regalo.

Hay algo en la naturaleza de nuestro hijo Unai que nos enternece sin remedio a su madre y a mí, y es su deseo de integrarse en el entorno, de ser admitido en el grupo y apreciado por los demás, algo que no siempre consigue, quizá porque su sensibilidad lo hace parecer diferente, o incomprendido, o señalado, y, aunque él se esfuerza y pone todo de su parte, no siempre encuentra recompensa.

Me acuerdo entonces de mi propio hermano, quien también padeció el pecado de ser diferente, y se las arregló como pudo con su amigo imaginario, inventándose palabras, conversaciones y juegos en soledad. Y aunque mi hermano estaba contento en casa, mi madre pensaba que ese retraimiento a la larga terminaría por pasarle factura, y le instaba siempre a salir a la calle, con la esperanza de que se integrara en alguna cuadrilla de amigos.

En cierta ocasión sucedió algo tan desasosegante y doloroso que durante muchos años dudé si lo había soñado, agarrándome al vano consuelo de que quizá aquel episodio fuera una terrible pesadilla y no la cruel realidad. El caso es que mi hermano en aquella época se hallaba en el último curso de la ikastola, de hecho, su generación era la primera promoción del centro, y yo, seis años menor, solía verlo por el patio, la mayoría de las veces solo. Un día, sin embargo, advertí cómo sus compañeros lo perseguían, lo atosigaban, lo amedrentaban, con tanta inquina que mi hermano trató de huir sin suerte, pues lo atraparon pronto. Entonces, los matones, crecidos, quisieron realmente aterrorizar a mi hermano, y no se les ocurrió otra cosa que llevarlo al puente y, una vez allí, colgarlo boca abajo sujetándolo únicamente por los pies, con la amenaza de soltarlo y dejarlo caer al vacío.

Los gritos desesperados de mi hermano aún resuenan en mi memoria.

Al final, lo subieron y se burlaron de sus lloros asegurándole que no era más que una broma, y lo dejaron allí tirado, humillado, solo.

Y digo solo porque yo presencié la escena desde la distancia sin poder brindarle mi ayuda, ¡a mi propio hermano!, no reuní el valor para encararme a aquellos vándalos; al contrario, me quedé inmóvil, como escondido, sin saber dónde meterme y sin atreverme a contar nada en casa, ni siquiera a mi madre.

Tuvieron que transcurrir muchos años para que me decidiera a afrontar la realidad y fue precisamente mi madre quien me confirmó, del todo consternada, que la pesadilla había sucedido en verdad tal y como yo la recordaba.

Cuando uno rememora actos tan mezquinos,

de una ruindad inaceptable, no puede sino preguntarse cómo pudo ser posible que sucedieran, y, para más inri, a la luz del día. Así mi madre y yo intentamos encontrar una explicación al sufrimiento que causaron a mi hermano, pero las cosas del pasado no pueden entenderse con los ojos del presente. El ambiente de aquella época en el pueblo era insano, la política lo impregnaba todo, ensuciándolo, y cualquiera que fuera a contracorriente estaba señalado, en la diana, lo mismo por comunista que por no comulgar con la violencia o, simplemente, por raro, así en cierta forma mi familia y, en particular, mi hermano. Nadie hacía frente a los matones, ni los padres ni los profesores. Formaban parte de la normalidad y se disculpaban sus delitos, como si fueran meras travesuras, aunque yo haya sabido, muy a mi pesar, que aquellas bromas, que incluso puede que sus autores ni recuerden, le destrozaron la vida a mi hermano, se la marcaron a fuego, sin poder desprenderse ya nunca del estigma de ser raro, del miedo a ser diferente, del trauma de no ser aceptado, del dolor de no ser querido, incluso de no merecerlo, una carga tremenda que quien no la ha conocido no puede hacerse una idea del sufrimiento que causa.

Yo sí la he conocido y la recordaré siempre, y, junto al dolor de mi hermano, mi propio dolor por no haberle ayudado aquel día, sus gritos y mi silencio.

15

En la segunda planta, las paredes de piedra de los pasillos están adornadas con los retratos de todos los directores que ha tenido la biblioteca durante su historia, lienzos los más antiguos y fotografías el resto, y, rodeado de tan conspicuos personajes, la sensación que uno tiene al salir del despacho y cruzar esos pasillos camino del baño es de privilegio y libertad, como en una constante jornada de puertas abiertas, algo que se acentúa cuando, ya dentro de los servicios, los trabajadores podemos coincidir con el director mientras, por ejemplo, nos lavamos las manos frente al espejo, y así me sucedió recientemente, cuando el director, Tony Marx, me saludó y se interesó por mi investigación.

—Voy bien, estoy contento —le dije—. Pero también tengo miedo.

—¿Miedo? ¿Por qué miedo?

—Estoy en un momento feliz de la vida de Rosika Schwimmer. Junto a Henry Ford, ha organizado el Barco de la Paz y veo que se siente plenamente realizada, con unas expectativas inmejorables. Ya sabes, esa sensación de armonía con el mundo...

—Sí, sé de qué me hablas. Días de gloria, aunque no suelen durar demasiado.

—A eso me refiero. Lo que tengo es miedo a seguir leyendo.

—Bueno, todo buen relato necesita luz y oscuridad. De lo contrario, resultaría ingenuo. Sigue leyendo sin miedo y la próxima vez que nos encontremos me cuentas.

—¿Te refieres a la próxima vez que nos encontremos aquí, en el baño?

—¿Dónde, si no? —Y el director terminó de secarse las manos y salió por la puerta.

Por mi parte, me dirigí al archivo y solicité la caja 42, la que contenía toda la información relacionada con la Expedición Ford, así se llamaba la caja, y las propias memorias mecanografiadas de Edith Wynner con el mismo título.

Ya desde el comienzo de la lectura advertí el cambio de tendencia, como si mis temores se confirmaran en cada hoja, y la alegría con la que Rosika había concebido el plan se marchitó según avanzaban los preparativos, en buena medida, debido a la cada vez peor acogida del Barco de la Paz por parte de la prensa, cuyas críticas pasaban de castaño oscuro y se cebaban en las mujeres y, con mayor inquina, en ella, la cabeza de turco. ¿Cómo se habrá metido Ford en semejante circo?, se preguntaban los periódicos, como si hubiera sido abducido por brujas, y por más que Rosika trató de dar explicaciones, de aclarar malentendidos y de defender el Barco de la Paz, la nave hacía aguas por todas partes, agujereada por cada noticia publicada, también en *The New York Times*. En apenas unos días, el ambiente alrededor era de una hostilidad tremenda y desesperante. Abierta la veda en la prensa, se había pasado de la discrepancia y la crítica a la saña y la mofa con total impunidad, y sin posibilidad alguna de que los injuriados pudieran defenderse.

En esas circunstancias, la única solución pasaba por sumar aliados, que personas de renombre y prestigio se unieran a la causa a título individual, y que la relevancia de los nuevos partidarios obligara a los periódicos a replantearse su visceral oposición. De entre todas las personalidades que barajaron, una de las adhesiones estratégicas que consideraron de vital importancia fue la de Jane Addams, reputada feminista y activista social, y a quien tanto Rosika como Lola conocían de tiempo atrás y con quien mantenían una buena relación. Sabían que la presencia de Jane Addams otorgaría a la expedición y a ellas mismas una credibilidad que se había puesto en entredicho, y estudiaron la mejor manera de convencerla. Rosika conocía a Addams del tiempo compartido durante el congreso celebrado en La Haya, se llevaban bien, aunque rivalizaban en liderazgo, y por temor a que chocaran carácter contra carácter, decidieron que fuera Lola quien contactara con ella. Ambas mujeres se conocían bien de Chicago, mantenían una estrecha amistad, y aunque Rosika y Lola eran conscientes de las presiones que sufriría Addams para no unirse a la expedición bajo ninguna circunstancia, también sabían que la célebre feminista compartía sus ideales y estaba de su parte. Lola se mostró optimista, «No te preocupes, que la convenceré», aunque Rosika no las tenía todas consigo, sin poder quitarse de la cabeza los dos reparos que podían malograr la misión de Lola. Por un lado, la opinión de algunas de las consejeras de Addams, para quienes unirse a la expedición significaría su suicidio político, y, por el otro, las reticencias que la propia Addams tenía sobre la figura del magnate Ford, cuyo protagonismo le parecía excesivo y a quien consideraba poco menos que un advenedizo.

Lola decidió una aproximación a Addams de lo más personal, alejada de cualquier formalidad y basada en la confianza y en el mutuo aprecio, y así pidió a sus hijos que le escribieran una carta con un dibujo en el que aparecían todos juntos, incluida Addams, en la cubierta del Barco de la Paz, pudiendo leerse en la bandera del mástil el siguiente mensaje: «Ven con nosotras, Jane».

«Tendré que sacarme el pasaporte y sacar del armario la ropa de invierno para el viaje», fue la espontánea respuesta de Addams que abrió una ventana a la esperanza.

Sin embargo, pocos días después, Jane Addams sufrió una hemorragia por la que debió ser hospitalizada, y, aunque intentó recuperarse y estar disponible hasta el último momento, finalmente Lola recibió un telegrama en el que su amiga le confirmaba su baja de la expedición por prescripción médica. Todo un mazazo a la línea de flotación del Barco de la Paz.

Algunos historiadores han calificado de providencial aquella hemorragia sufrida por Jane Addams, ya que su reputación quedó indemne, algo que, según su criterio, no habría sucedido de haberse embarcado junto a sus colegas.

A perro flaco todo son pulgas, y a la baja de Addams se sumaron otras negativas, un buen número de calabazas acompañadas de excusas, y quizá la más significativa de todas fuera la del secretario de Estado William Bryan, quien ni siquiera se dignó a despedir a Ford el día en que zarpaba el barco, a pesar de haberlo prometido. Las ausencias de Bryan y de Addams hirieron de muerte la expedición y dieron pie a todo tipo de interpretaciones maliciosas, ninguna favorable, y el Barco de la Paz permaneció envuelto en una espiral de denigración y befa que parecía no tener fin, al menos mientras el viaje seguía adelante. Hasta el último momento, los opositores intentaron que Ford se echara atrás y abandonara la expedición, le dejaron una puerta abierta para que rectificara sin dañar su imagen y le conminaron a atravesarla, pero su fe en Rosika era inquebrantable. Hasta el gobierno británico se pronunció en contra del Barco de la Paz, arremetiendo con dureza contra Ford y Schwimmer, y dejando en el aire una pregunta de muy difícil respuesta: ¿qué sentido tenía continuar cuando una de las potencias europeas decisivas se había posicionado tan claramente en contra?

Pero Ford se agarraba a un clavo ardiendo, el de las potencias neutrales, convencido de que estos países se unirían a la causa cambiando las tornas, y como prueba se remitía a los documentos que garantizaban las citas pendientes con los gobernantes de esas potencias y que Rosika guardaba a buen recaudo, así que Ford, que ni siquiera necesitaba revisar esos documentos, dio un golpe en la mesa y anunció: «Nos vamos a Europa. Los países escandinavos nos apoyarán y conseguiremos que reviva esta llama de la paz que parece apagada». Y así fue como el barco se hizo a la mar desde Hoboken el 6 de diciembre de 1915, con todo en contra, sin nada a favor, salvo quizá, por decir algo, la esperanza, que al parecer es lo último que se pierde cuando todo lo demás está perdido.

Para colmo de males, a los pocos días de iniciarse el viaje, el presidente Wilson anunció un aumento de presupuesto para el ejército, lo cual se interpretó como una inminente entrada del país en la guerra, en los pasillos de la Casa Blanca cada vez ganaba más peso la idea de que la participación de Estados Unidos inclinaría la balanza a favor de los aliados de manera definitiva, poniendo fin al conflicto y resultando la vía más corta, y paradójica, de lograr la paz.

La noticia cayó como un nuevo jarro de agua fría entre los impulsores de la expedición, y como las desgracias parecían no tener fin, tampoco extrañó demasiado que, considerando las inclemencias del tiempo, Ford enfermara, y como su convalecencia dejó a Schwimmer al mando, la prensa aprovechó la ocasión para convertirla en el muñeco del pimpampum, la diana del oprobio, el saco de la ignominia, y, lo que es peor, la coartada perfecta para culparla a ella de todos los males y librar al indispuesto Ford de toda responsabilidad. Los periodistas a bordo dieron por buena esta interpretación maniquea, y cuanto más se les enfrentaba Rosika y les recriminaba su actitud, con más fiereza la convertían a ella en chivo expiatorio y a Ford, en una víctima; hombre bueno, mujer mala.

Este capítulo de las memorias de Edith Wynner, el llamado Expedición Ford, es el último que escribió sobre la vida de Rosika. Quedan más notas, documentos, cartas, fotografías..., pero las memorias mecanografiadas como tales se interrumpen de manera abrupta con el relato de aquellos días terribles para Rosika, poco después de que el barco zarpara de Hoboken y sumida en un ambiente de una hostilidad insoportable. En concreto, Edith Wynner dedica sus últimas líneas escritas a rescatar una crítica de *The Boston Post* a su querida amiga y compañera: «No sé si Rosika Schwimmer es una espía alemana como se apunta, pero lo que parece claro es que la I de idealista es su mayor credencial —y el cronista hace un juego con la letra I que significa YO en inglés, aludiendo al supuesto egocentrismo de Rosika—, aunque nadie dude de la astucia y de la intensidad emocional de la húngara, ni de que se trate de una mujer con un gran conocimiento de la política europea».

Con estas palabras que ni siquiera son suyas, Edith interrumpe la narración sin hacer mención alguna al resto del viaje, abandona las memorias y no cuenta si el barco arribó a su destino ni si se celebró la tan anhelada Conferencia Neutral por la Paz, como si ya nada más importara o como si hubiera perdido la motivación o el sentido, y lo único que nos queda es la fecha en la que renunció a sus memorias, el 5 de octubre de 1976; un 5 de octubre, justo el día de mi cumpleaños.

Junto al puerto de Hoboken, en la antigua zona de muelles del río Hudson, hay un conocido faro rojo llamado The Little Red Lighthouse que es un vestigio de la actividad portuaria de otra época, cuando enormes cargueros atravesaban el río diariamente, un trasiego naval que se difuminó a principios del siglo pasado, igual que se apagó la luz de este pequeño faro que quedó además a desmano de todo cuando, en la década de los treinta, construyeron encima el inmenso puente de Washington. Hoy en día no es más que un pequeño edificio que vive debajo del puente, como si fuera un sin techo, al margen de la velocidad que vive el mundo.

Cuando lo descubrí me trajo a la memoria otro faro ligado a mi juventud y a mi pacifismo, el faro de mi pueblo, originariamente de color gris, luego rosa y, por último, amarillo.

En aquellos tiempos, los jóvenes con inquietudes, por así decirlo, nos refugiábamos a menudo en la librería del pueblo, donde nos fiaban libros como si se tratara de un ultramarinos, y organizábamos tertulias informales en torno a algunas de nuestras lecturas, tanto de novelas como de cómics, y fue en una de ellas cuando surgió la idea de poner una nota de color a nuestras vidas, algún aliciente que rompiera la inocuidad de los días, la gris rutina que tanto nos exasperaba, y así sucedió que un sábado por la mañana el faro amaneció de color rosa.

No fue la única reivindicación pública que realizamos por aquella época, y, como tantos otros grupos de jóvenes vascos, también nos opusimos y aportamos nuestro grano de arena al movimiento popular en contra de la entrada de España en la OTAN, y siendo apenas unos adolescentes nos disfrazamos de soldados y simulamos una invasión del pueblo, un desembarco festivo, porque nuestros trajes militares estaban llenos de color y nuestras caras mostraban pintado el símbolo de la paz.

Alguna vez he pensado que ese acto anti-OTAN fue mi bautismo político, una forma de reclamar un espacio generacional diferente al de nuestros mayores, cuyas revoluciones eran grandes revoluciones, revoluciones mundiales, mientras que nosotros empezábamos por lo cotidiano, por lo que nos incumbía diariamente, y tratábamos de cambiar las cosas paso a paso, desde dentro, apelando a las conciencias de las personas o, digamos, a sus corazones.

La siguiente reivindicación de mi generación, tras aquel primer pinito anti-OTAN, vino de la mano de la creación de los llamados *gaztetxes*, casas abandonadas que, con fines culturales y sociales, ocupábamos y reformábamos los jóvenes de los pueblos, y el movimiento de oposición al servicio militar obligatorio, la insumisión, si acaso no nació directamente, sí que se gestó y progresó en numerosos *gaztetxes*. De alguna manera fue un movimiento profundamente popular, surgido de un problema concreto que nos concernía de forma directa a los jóvenes y al que decidimos oponernos de una manera concreta también, desoyendo nuestra llamada a filas, plenamente convencidos de estar haciendo lo correcto, lo que nos correspondía en conciencia como jóvenes pacifistas y antimilitaristas. El ejército español, además, en aquellas primeras décadas tras la muerte de Franco, apestaba a extrema derecha, a machismo, a homofobia…, es decir, era completamente opuesto a las libertades que nosotros reivindicábamos, y en la primera mitad de los noventa la insumisión cuajó entre la juventud vasca de una forma extraordinaria. Por eso pintamos el faro de rosa, porque el rosa era el color del antimilitarismo.

Este tipo de acciones, ligadas a la desobediencia civil, fueron las que caracterizaron al movimiento insumiso y las que lo dotaron de una personalidad propia, demostrando que existía una vía no violenta, eficaz y ética, para combatir la injusticia. Así, las acciones de desobediencia civil perseguían la máxima repercusión con la idea de sensibilizar al mayor número de personas, de hacerles pensar, sin distinción de ideología. Nos encadenamos al cuartel de la Guardia Civil de Ondarroa porque sabíamos que en su interior murió un joven tiroteado después de que entrara de fiesta y también porque en sus oscuros calabozos se habían producido torturas de manera sistemática, pero teniendo también presente que, allí mismo, en 1982, un guardia civil fue asesinado por ETA a las puertas del cuartel, desangrándose mientras se abrazaba al árbol al que nosotros nos encadenábamos. Que nos detuvieran y nos encarcelaran por reivindicar nuestro pacifismo en contra de la mili fue parte del precio que pagamos, pero lo hicimos sin derramar ni una gota de sangre.

Una vez que logramos nuestro objetivo y suspendieron el servicio militar obligatorio, el movimiento de la insumisión se fue diluyendo, difuminándose entre las grandes revoluciones, poco a poco, como el humo, y aunque de manera individual mantuvimos el espíritu pacifista que había caracterizado a la generación insumisa, ya no fue lo mismo sin un objetivo concreto a nuestro alcance. Pero de lo que no hay duda es de que ahí quedaron para la historia los logros conseguidos, el más importante de ellos, que las generaciones siguientes ya no padecieron más el castigo del servicio militar obligatorio, pero también el poso de la desobediencia civil, la constatación de que esa, y quizá ninguna otra, era la lucha adecuada, en fondo y forma, al margen de la violencia, pero con indudable compromiso y valentía.

Después de las Navidades de 2018, ya en enero o incluso en febrero, un ratón irrumpió por primera vez ante nuestros ojos mientras tranquilamente, después de cenar, veíamos en familia la película *Beetlejuice* de Tim Burton, proyectada en la pared blanca de nuestra sala con el proyector que nos había traído el Olentzero a petición de los niños, ya que no teníamos televisión en casa. De repente, percibimos que algo se movía debajo de la calefacción y enseguida identificamos a un ratón que avanzaba con total parsimonia por la alfombra, como si no estuviéramos, causándonos una gran sorpresa y asustando a los niños de una forma tan intensa que a los mayores nos obligó a fingir cierta indiferencia para tranquilizarlos. En los días previos nos habíamos encontrado en el suelo lo que nos parecieron granos de arroz integral o similar, pero que al irrumpir delante el animal supimos de inmediato que eran sus cagarrutas, y, por lo tanto, dedujimos que su aparición no era casual y que, como suele decirse, había venido para quedarse, algo que a Nora no le hizo ni pizca de gracia, por lo que, a pesar de la hora, decidió tomar cartas en el asunto y llamar al portero de nuestro edificio.

—Pero ¿qué sucede para telefonear a estas horas?

—Sucede que tenemos un ratón en casa.

—¿Un ratón? ¿Eso es todo? Mañana pasaremos a solucionarlo.

—Lo siento, pero no podemos esperar a mañana. No podemos dormir sabiendo que un ratón anda suelto por casa. Tenemos hijos pequeños. Por favor, es una emergencia. Vengan y atrápenlo.

—Pero ¿es que no tenéis ratones en Europa? Comen queso, no niños. De verdad que no es para tanto.

—Claro que tenemos ratones en Europa, ¡pero no dentro de las casas! Y si aparece un ratón en un piso, se le busca una solución con urgencia. Entiéndanos, por favor. Pagamos un buen alquiler y no nos merecemos esto. Piense en nuestros hijos. Han visto al ratón con sus propios ojos y ahora es imposible que se duerman. Tenemos que hacer algo.

—Está bien, está bien. Vamos ahora mismo.

Al poco, José, el superintendente, llamó a la puerta acompañado de su hijo, de nombre Johnny, y, como siempre, se dirigió a nosotros en inglés, a pesar de que sabemos que hablan el español perfectamente porque se comunican en ese idioma a menudo con proveedores, albañiles, mensajeros y otros trabajadores que acuden a nuestro vecindario, pero nuestra relación con ellos es siempre en inglés, e incluso en cierta ocasión, recién instalados, el superintendente, que ya de por sí es bastante seco, a diferencia de su hijo Johnny que es bastante amable, cuando Unai y Ane se lo encontraron en el ascensor y lo saludaron en castellano, les contestó: «A mí me habláis en inglés», como si le hubieran faltado al respeto, aunque lo más probable sea que tengan prohibido hablar con los residentes en otro idioma.

Según entraron en nuestro piso, enchufaron un gran aspirador que habían traído consigo y lo pasaron por los alrededores de la calefacción, absorbiendo en cada rendija, y mientras los veía trabajar, de repente, temí por el ratón, sentí pena por el animalillo, y después, cuando pusieron una cinta adhesiva a modo de trampa para que el ratón quedara pegado en una de sus incursiones, me sentí tan incómodo que, en cuanto se marcharon José y su hijo, la quité y la tiré a la basura; realmente me espantaba la idea de encontrarme al ratón moribundo una mañana.

La inquietud que nos generaba saber que conviviríamos con un ratón, al menos durante el invierno, se mezclaba con una inquietud incomparablemente mayor, la que nos provocaba la incertidumbre de nuestro futuro inmediato, el no saber si finalmente podríamos quedarnos un año más, como era nuestra intención. A veces esa inquietud se tornaba en tensión, en un verdadero malestar, y era algo que yo advertía en los pequeños gestos, como cuando me encontraba a Nora frente al ordenador sin mirar la pantalla ni escribir, sino escudriñándose las puntas de la cabellera, señal inequívoca de que algo no iba bien.

—¿Estás nerviosa por lo del año que viene?

—Sí, ya lo sabes. Yo también quiero quedarme, de verdad. Creo que tenemos igualmente razones para volvernos, más que nada familiares, pero estoy convencida de que debemos aprovechar la oportunidad, de que es ahora o nunca, y que merece la pena hacer todo lo posible por quedarnos un año más, sobre todo por los niños. Es que es una ocasión única. Y se nos ha pasado el tiempo volando. Es que justo volverse ahora, cuando mejor estamos... Pero ¿cómo lo vamos a conseguir? Yo no puedo trabajar. No tengo permiso de trabajo. Es desesperante...

—Bueno, no te preocupes. Ya lo conseguiremos.

—Vale, pero ¿cómo? Con el visado que tenemos es imposible.

—Tenemos que informarnos bien.

—Ya lo hemos hecho. Nos lo han explicado claramente. No tenemos ni visado ni permiso de trabajo. Ni tú ni yo.

—Tal vez alguna universidad me lo dé. Tenemos tiempo aún.

—Tal vez, tal vez... Tú siempre con tu tal vez, con tu quizá. ¿De dónde sacas tu optimismo? ¿Es que no te das cuenta de que lo tenemos casi imposible?

—No sé, tú lo has dicho, casi imposible. Yo en ese casi tengo una corazonada.

—¿Corazonada? ¡Ay, ama! Con corazonadas no salimos adelante.

—Al final, lo importante es tomar una decisión y afrontar los obstáculos. No hay más. Si decidimos quedarnos, pues iremos superando los obstáculos.

—Que no, que es al revés. Solo si superamos los obstáculos, podremos decidir quedarnos. Así que ponte las pilas tú también. Haz lo posible por encontrar un visado, un trabajo. Ese es el primer paso. El primer y único paso de momento, porque sin él no hay más pasos que valgan. Y luego, ya hablaremos.

Ponerse las pilas para conseguir un visado y un trabajo en Estados Unidos es como ascender una montaña por una ruta escarpada y repleta de dificultades sin ser escalador, un reto que uno afronta con bisoñez y sin saber muy bien dónde poner los pies y las manos, y como lo más natural era que me dirigiera al mundo académico, empecé a mandar correos de presentación a los jefes de departamento de las universidades próximas, no sin cierto pudor, todo hay que decirlo. La cura de humildad fue de las que lastiman el orgullo, porque si algo me quedó claro es que mi condición de escritor, mis premios literarios, mi reconocimiento artístico valían poco o nada en Estados Unidos. Si me creía que mis dos poemarios y tres novelas suponían una credencial, las respuestas que recibí me bajaron del burro, sobre todo porque mi bandeja de entrada en el correo permanecía vacía, y, para una contestación que llegó, resultó del todo elocuente: «Tenga en cuenta que por aquí pasan escritores de todo el mundo y es imposible que haya sitio para todos. Lo normal es que deban regresar a sus países de origen».

Tal era mi desesperación que en un momento dado se me ocurrió escribirme mensajes a mí mismo para asegurarme de que llegaban y de que todo funcionaba correctamente, pero mi desesperación no disminuyó al comprobar que sí los recibía, sino al contrario. Me di cuenta de que las universidades sabían perfectamente cómo denegar solicitudes como la mía.

Como no terminaba de hacer buen tiempo, continuamos pasando las frías tardes invernales en el Museo de Historia Natural, sobre todo, en la llamada «Discovery Room», donde los niños podían observar a algunos animales a corta distancia, realizar experimentos variados, divertirse entrando y saliendo a cuatro patas por los pasadizos interiores del baobab de una de las salas o, simplemente, pasar un buen rato bajo la supervisión de los monitores.

En una de las plantas superiores se encontraban los terrarios, donde Ane podía contemplar de cerca a uno de sus anfibios preferidos, el ajolote, *Ambystoma mexicanum*, de color rosado, pero con la apariencia de un dragón, y que a mi hija le gustaba tanto que incluso le dedicó un dibujo. Junto a los terrarios había también un pequeño acuario, y en una de sus peceras se mostraban los peces comunes del río Hudson, y, casualidad, una de las veces que los contemplábamos pudimos comprobar in situ cómo aquellos peces tenían memoria y reconocían a la persona que se encargaba de alimentarlos, porque cuando el resto nos acercábamos al cristal permanecían impasibles, pero en cuanto advirtieron la presencia del operario se agitaron de forma extraordinaria, como niños entre los que fueran a repartir caramelos.

Y fue en ese preciso momento, observando la excitación de los peces en cautiverio del río Hudson, cuando recordé la lección que nos había dado Marcos Grijalba sobre el funcionamiento del cerebro, la manera en que una neurona activa a la vecina si la conexión es la adecuada, y casi al instante decidí que precisamente esa debía ser la estructura de esta novela, una estructura neuronal, por así decirlo, donde cada capítulo encendiera el siguiente, unidos como ramas de un mismo tronco o como raíces bajo un mismo tallo.

Ese mismo día, a la salida del museo, y mientras cruzábamos Columbus Avenue, mi hijo señaló hacia el establecimiento que había permanecido en venta y en donde él soñaba con abrir un negocio familiar, y me dijo:

—Te das cuenta, ¿verdad? ¿Por qué no me haces caso? ¿Por qué no llamaste? Ahora ya es tarde. Han vendido el local. ¿Dónde vamos a abrir ahora nuestro restaurante?

No supe qué contestarle y permanecimos mudos durante todo el camino hasta casa.

16

Con el tiempo he sabido que a mi padre, durante mi niñez, le retiraron el saludo ciertas personas del pueblo sin que él supiera el motivo y que, durante un tiempo, pensó que guardaba relación con alguna cuestión política relacionada con su mujer y sus hermanas, que eran las únicas que podían haberse visto envueltas en algún tipo de enfrentamiento ideológico, ya que él no era más que un marino que se pasaba la mayor parte del año faenando en alta mar, sin conflictos personales conocidos, así que, las semanas que permanecía en tierra, continuó chiquiteando por el pueblo como si los menosprecios que recibía no fueran con él.

Con el tiempo también he sabido que, a principios de los ochenta, en la misma época en que se juzgaba a las abortistas en Bilbao, ETA (político-militar) envió una carta a casa exigiendo lo que se conocía por el sobrenombre de «impuesto revolucionario», aunque nunca he llegado a conocer la fecha exacta de aquella carta de extorsión, porque mi madre la rompió con rabia y se deshizo de ella de inmediato, deseando comportarse como si el envío se debiera a un error, a pesar de que las amenazas y el chantaje no dejaban lugar a dudas, ya que no respondían de lo que pudiera suceder a los miembros de nuestra familia si no se satisfacían sus exigencias, mencionando incluso la palabra *secuestro*. Cuando mi padre supo lo que estaba sucediendo de boca de mi madre, ninguno de los dos encontró una explicación y, además de miedo, sintieron la necesidad de justificarse, como si la maldad de la extorsión estuviera en la identidad de la víctima y no en la acción en sí misma, y se atormentaban preguntándose cómo les podía estar sucediendo una barbaridad así, a ellos, que, en primer lugar, tampoco es que fueran millonarios, sino que simplemente habían hecho algo de capital fruto de la mejora de las condiciones laborales en el sector pesquero a partir de los años setenta, y considerando, además, que se jugaban la vida en el mar del Norte, faenando entre olas de veinte metros. Pero es que, además, ellos —se decían a sí mismos, como si sirviera de algo— venían de pasarlas canutas durante la posguerra, puesto que eran del bando de los perdedores, y habían sufrido penurias durante décadas, hasta que por fin llegaron los tiempos de bonanza económica. Y, por si fuera poco —se armaban de argumentos, como si sirviera de algo—, ellos habían impulsado el euskera, formaban parte de una familia militante a favor de las ikastolas, de la educación en euskera, de los derechos sociales, siendo una de las hermanas sindicalista en la fábrica de conservas... Pero todo eran vanas justificaciones, ajenas a la realidad, porque lo único que importaba era que necesitaban el dinero, nada más.

Mi madre abrió la carta en la mitad del puente de la playa. Se percató de que no venía nadie y la abrió. No quería leerla en casa, no quería que nadie la viera, quería estar completamente sola y abrirla.

Ella no me contó nada en su momento, solo a mis tres hermanos, primero a los dos mayores y luego, también, al tercero, pero consideraron que yo era demasiado pequeño y que era mejor que no supiera nada. Los dos mayores pudieron asimilar mejor la situación, pero mi otro hermano tenía tan solo trece años cuando mi madre le contó la noticia, un buen chaval, eso sí, pero de trece años, honrado, aplicado, tranquilo, amante de la música, capaz de pasarse horas encerrado en su habitación escuchando los discos que había en casa, tan afable que no recuerdo haber tenido jamás una pelea con él, ni siquiera levantarme la voz, y que, una vez mi madre le puso al corriente de las circunstancias, todo lo que dijo fue: «Odio la política y no votaré nunca», y se marchó contrariado pero sin dar un portazo, mientras mi madre le rogaba que anduviera con cuidado y que no regresara tarde a casa.

Poco tiempo después, un sábado al anochecer, a mi madre le fueron comiendo los demonios porque su tercer hijo no llegaba a casa, y no transcurría un minuto sin que se le pasaran por la cabeza las amenazas vertidas en aquella maldita carta, «Ustedes y su familia», y aunque se convencía a sí misma de que no serían capaces de hacerle nada a un adolescente de trece años, su intranquilidad le resultaba ingobernable, y reunió a los dos hermanos mayores y les pidió que salieran a buscar al tercero por el pueblo, pero sin llamar la atención ni despertar sospechas. Pasaron varias horas, el muchacho seguía sin aparecer y los hermanos regresaron de vacío a casa, sin otra pista que lo que les había comentado un conocido, que dijo haber visto entrar a dos chicos guapos en un portal, y a mi madre se le encendió una luz al escuchar lo de los chicos guapos, y se le ocurrió que quizá su hijo, que, para ella, como para todas las madres, era bien guapo, podía encontrarse en casa de algún amigo. Así que rápidamente telefoneó al domicilio de la casa donde pensó que podría encontrarse su hijo, y cuando la madre del amigo le confirmó que, efectivamente, estaba allí, durmiendo en su casa, mi madre sintió un alivio inmenso, pero, enseguida, también infinita rabia, y cuando la mujer le preguntó si quería que lo despertara, mi madre, en un principio, pensó que sí, y exigirle también que regresara a casa, pero si no lo hizo fue porque también pensó que una reacción así, tan alarmante, resultaría desproporcionada y levantaría sospechas, y decidió dejarlo estar, más por precaución que por deseo.

Al día siguiente, eso sí, en cuanto su hijo entró por la puerta, le cogió por los brazos y le gritó con desesperación:

—¿Pero no te conté lo de la carta? ¿No te pedí que tuvieras cuidado? ¿Te das cuenta de lo mal que lo he pasado? ¿Lo que sufrí hasta que supe que estabas a salvo? ¡Llegué a pensar que te habían secuestrado!

—Lo siento. No sé qué decir... Hacía tiempo que ningún amigo me invitaba a su casa a jugar y a dormir... —Y mi madre se quedó mirándolo a los ojos sin saber qué añadir, hasta que le soltó los brazos, en silencio.

Mi hermano solo quería hacer su vida, ajeno a todo aquel infierno.

17

Mi tía Bego no se consideraba a sí misma nacionalista vasca, algo que la diferenciaba del resto de sus amigas y la hacía sentirse un poco aislada, aunque también es verdad que compartía con ellas ideas progresistas relacionadas con el feminismo y la justicia social, o, por descontado, la defensa del euskera que mi tía tanto amaba, pero que desvinculaba completamente del patriotismo de sus amigas, quienes, acaso por convicción o por la simple necesidad de no diferenciarse, sí se identificaban plenamente con el nacionalismo vasco. Sea como fuere, su amistad estaba muy por encima de cualquier discrepancia política, y podían discutir con vehemencia y mi tía defender su postura según la cual había que separar la patria de los ideales progresistas sin que la relación personal se resintiera. De hecho, para mi tía nada había más sagrado que la amistad, su bien más preciado, que merecía una lealtad a prueba de cualquier desencuentro.

Nuestras conversaciones transoceánicas se fueron espaciando más en el tiempo, no por falta de ganas, sino porque, a veces, mi tío me contaba que mi tía Bego estaba demasiado cansada para hablar, molida por el mal oculto, que seguía extendiéndose por dentro de manera implacable, arrasándola de tal modo que los médicos descartaron el trasplante de hígado. Solo a última hora pareció encenderse cierta esperanza, cuando le propusieron la posibilidad de recibir un tratamiento novedoso en Madrid que pudiera curarla o, acaso, mejorar su convalecencia, aunque, según me reconoció ella misma: «Es tu tío quien se alegra más que yo, y aceptaré el tratamiento más por él que por mí».

En aquella conversación en la que percibí un rescoldo de optimismo, me confesó el temor que le causaba la idea del desplazamiento, el miedo al dolor que sufriría su cuerpo después de cinco horas en coche rumbo a Madrid, y si el viaje no terminaría por reventarla incluso antes de poder someterse al tratamiento. Con mi mejor voluntad traté de animarla y le recordé un episodio ocurrido tiempo atrás, «Tú puedes con todo y, si no, acuérdate de lo de la cárcel», le dije, y su risa fue un bálsamo en medio de la incertidumbre.

El caso es que, pocos días después de que me encarcelaran por insumiso, y mientras me hallaba en mi celda, escuché por los altavoces el siguiente aviso: «Uribe Urbieta, visita de la abogada», algo que me dejó perplejo, porque ya me había reunido la víspera con ella y no tenía sentido una nueva cita tan seguida, pero me dirigí a la cabina de visitas pensando que habría quedado algún fleco pendiente que se me escapaba, y cuál fue mi sorpresa al encontrarme a mi tía con una sonrisa cómplice.

—¡Pero bueno! ¿Qué haces tú aquí?

—Soy tu abogada.

—Claro, claro, mi abogada...

Más tarde supe que, gracias a un contacto del colegio de abogados, había conseguido hacerse pasar por mi defensora. Así era mi tía.

—No sé qué van a pensar mis compañeros de cárcel, la verdad. No sé si van a entender que disfrute de estas agradables visitas sorpresa. Digamos que no es demasiado ortodoxo...

—¿Ortodoxo, dices? Yo nunca he sido ortodoxa, así que déjate de preocupaciones y aprovechemos el momento. Si te creías que me iba a conformar con verte una vez al mes y, además, en visitas compartidas, lo llevabas claro. No perdamos tiempo, que solo nos queda una hora para hablar. Carpe diem.

Aprovecha el momento. Verdaderamente, esa era su ley de vida.

Tal y como avanza siempre el tiempo, con días mejores y peores, el invierno fue dando paso a la primavera y la luz del día entraba a raudales por la ventana desde la que yo apreciaba los ladrillos magentas del hotel Lucerne y los cilíndricos depósitos de agua de los tejados. Algunas mañanas en las que la agradable temperatura nos acompañaba, después de dejar a los niños en la escuela, Nora y yo bajábamos andando por Broadway camino de la biblioteca, admirando los teatros, leyendo los carteles de las actuaciones y dirigiendo las miradas a los escaparates de las librerías, y al pasar junto al edificio de la editorial Random House, cuyo portal se hallaba repleto de libros, Nora bromeaba: «Algún día habrá una novela tuya ahí», y, antes de separarnos, nos gustaba tomarnos un café juntos en el Culture Espresso, un local donde ponían música *indie*, desde la Velvet y David Bowie hasta, para nuestra tremenda sorpresa y alegría, los mismísimos Eskorbuto, algo que siempre despertaba los recuerdos de Nora.

—¿Sabías que Maider y yo solíamos ir a escuchar esta música a las rocas? —me contaba Nora después de dar un sorbo al café—. A mí me encantaba Hertzainak y recuerdo que me compré el casete del primero de sus discos, pero la cinta tenía un defecto de fábrica y solo estaba grabada la cara A. Me sabía de memoria la mitad del disco, y toda la cara B la desconocía —se reía.

Conversaciones agradables previas a la jornada laboral, aunque los viernes todavía era mejor. Después de dejar a los niños en clase, en vez de irnos cada uno al trabajo, regresábamos a toda prisa a casa como si fuéramos amantes de camino a una cita secreta y nos metíamos en la cama con la tranquilidad que nos daba sabernos solos, sin urgencias, con tanta calma como amor.

Luego, de nuevo, el apremio de los horarios hacía que me vistiera a toda prisa y saliera pitando rumbo a la biblioteca, en esta ocasión sí, en metro.

Una vez terminado el horario lectivo, las familias alargábamos las tardes antes de regresar a nuestras casas y nos quedábamos en el patio mientras los niños se divertían. Mi hijo Unai, como siempre, optaba por charlar con adultos antes que participar en los juegos que organizaban sus compañeros de clase y, de manera particular, le encantaban los ratos que pasaba junto a uno de los padres, llamado Stephen y dibujante de profesión. Juntos eran capaces de entretenerse ideando mundos fantásticos paralelos, y Stephen apreciaba la imaginación desbordante de mi hijo y lo ayudaba a plasmar sus fantasías sobre papel, y así Unai me presentó un día el boceto de la nueva Biblioteca Pública de Nueva York adaptada para usuarios infantiles, ya que las estanterías disponían de unos aros similares a los del patio mediante los cuales los niños y niñas podrían trepar y alcanzar los libros ubicados en las baldas más altas. Según me explicó, la nueva entidad pasaría a denominarse «The New York Monkey Bar Public Library» y leer sería la actividad más divertida del mundo, ya que los niños se moverían entre libros como los monos en la selva, de estantería en estantería colgados de lianas en forma de arcos. Lo primero que pensé es que debía comentárselo al director de la biblioteca la siguiente vez que nos encontráramos en el baño.

La llegada de la primavera también propició que acudiéramos cada vez más a eventos culturales diversos y, entre ellos, gracias a la ocurrencia de uno de los padres de los clubes de lectura, surgió la posibilidad de asistir a un ensayo general de la Orquesta Filarmónica de Nueva York, cuyos conciertos, de otra manera, no estarían a nuestro alcance. A excepción del vestuario, ya que durante el ensayo los músicos no van vestidos con sus trajes oficiales negros, el propósito de la iniciativa es que los ensayos generales con público sean iguales que los propios conciertos, y la orquesta se entrega como en las veladas oficiales, con idéntica profesionalidad. Nos tocó en el programa una obra del compositor norteamericano Aaron Copland y, aunque temíamos que los niños pudieran aburrirse, nos apuntamos porque, tal y como insistió Nora, para desarrollar la afición a la música clásica había que aprovechar la oportunidad.

Ya una vez dentro de la sala de butacas del Lincoln Center, y justo antes de que comenzara el concierto, Nora les contó a los niños que la música no era demasiado diferente al cine, y que, a su manera, también contaba historias, y que para verlas no había más que cerrar los ojos y dejar volar la imaginación al son de la música.

Y así, en cuanto empezaron a sonar las primeras notas musicales, Ane y Unai cerraron los ojos y escucharon las historias que Aaron Copland les contaba.

—Yo he visto un tren atravesando una llanura —dijo Ane.

—Pues yo he visto caballos salvajes galopando —dijo Unai.

Otro de los días primaverales, un domingo, Ane y yo decidimos darnos una vuelta por Madison Square, ya que había circo de calle, mientras que Nora y Unai prefirieron quedarse en casa tranquilamente. Nos movíamos entre la gente, mirando atracciones aquí y allá, yo siempre pendiente de Ane, que, como era su costumbre desde niña, se movía con total libertad, y en esas estábamos cuando de buenas a primeras una mujer se me acercó y me preguntó si yo era su padre. Según me explicó, su interés se debía a que había estado observando a mi hija y había apreciado en ella ciertas dotes para la interpretación. ¿No te gustaría que fuera actriz?, me preguntó con amabilidad y don de gentes, por así decirlo, a la vez que me tendía una tarjeta de su agencia y se presentaba como Victoria. «Desde luego la niña tiene madera —me aseguró—. Pásate por la agencia cuando te venga bien, sin compromiso. Aquí tienes la dirección. Ya verás como no te arrepientes», y me metí la tarjeta en el bolsillo.

Luego, de camino a casa, una vez terminadas las diferentes actuaciones callejeras, me acordé de la tal Victoria y le pregunté directamente a mi hija si le gustaría probar, o, al menos, darnos una vuelta por la agencia a ver de qué iba todo aquello, a lo que Ane me respondió afirmativamente y yo me comprometí a hacerle caso.

La agencia se hallaba en uno de los rascacielos del centro de Broadway y lo primero que nos sorprendió en cuanto accedimos al interior fue el ajetreo de los pasillos y las salas de espera, como un ambulatorio en hora punta. Me acerqué a la recepción, mostré la tarjeta que me había dado Victoria y una amable señorita me dio una pegatina numerada, me pidió que me acercara a un mostrador donde debía rellenar un cuestionario y me aseguró que Victoria nos atendería de inmediato. A través de las paredes de cristal de algunas de las estancias se podía observar a niñas simulando desfiles y pases de modelos, algo que no encajó con las expectativas que se había hecho Ane, que quería ser actriz y en ningún caso modelo. De hecho, cuando a la hora de rellenar el cuestionario le preguntaron qué quería ser de mayor, ella contestó que actriz, futbolista o bióloga, y, seguidamente, a la pregunta de qué era lo que le importaba más, respondió que los estudios, las amigas y la familia, es decir, ni una mención al mundo de la moda.

Después de rellenar el cuestionario, pasamos a una sala que estaba repleta de otros niños con sus pegatinas numeradas, y se nos hizo tan larga y aburrida la espera que estuvimos tentados de marcharnos en varias ocasiones, hasta que al final apareció una elegante mujer que, en nombre de Victoria, nos dio la bienvenida y se ofreció a enseñarnos la agencia. Se presentó a sí misma como una antigua modelo, aunque ahora ya tenía dos hijos, y ensalzó el prestigio de la agencia, por la que habían pasado modelos de talla mundial, algunas de ellas incluso se habían proclamado Miss Universo, y también nos fue mostrando fotografías expuestas en las paredes, asegurando que las principales marcas de moda se rifaban a las modelos que surgían de la agencia. ¿Pero aquí también se enseña a ser actriz?, le preguntó Ane poco impresionada por las alabanzas y el autobombo, y la mujer se fue un poco por las ramas sin aclarar del todo la cuestión. Ya en su despacho, nos explicó que la agencia se ocupaba de formar a las futuras modelos, enseñándolas a comportarse según los diversos protocolos y convenciones, la forma de comer, el modo de sentarse, la manera de caminar..., todo ello con el fin de convertirlas en verdaderas «mujeres de provecho». La verdad es que nos quedamos mudos sin saber qué decir, aunque todavía nos faltaba por escuchar lo mejor. Como nos podíamos imaginar, prosiguió la mujer, para que los sueños se hicieran realidad hacía falta que nosotros también pusiéramos de nuestra parte, la agencia no podía encargarse de todo gratuitamente, y nos conminaba a inscribirnos mediante el pago en cuenta de tres mil seiscientos dólares, con el compromiso de que la agencia valoraría las posibilidades reales de nuestra hija en el mundo de la moda. Cuando salimos del paso asegurándole que lo pensaríamos, ella nos ofreció toda suerte de facilidades de pago, incluyendo tarjeta de crédito, para asegurarnos de inmediato una plaza, pero todo lo que consiguió de nosotros fue un apretón de manos a modo de despedida.

Cuando nos quedamos solos en el ascensor camino de la salida, Ane me miró a los ojos y me dijo:

—Mejor lo dejamos, eh. Prefiero ser futbolista.

Había días en que sentía que prolongar nuestra estancia en Nueva York era un vano deseo, acaso una ingenuidad, y la desesperanza se apoderaba de mi ánimo cada vez que abría el correo sin una sola respuesta a mis solicitudes de trabajo, tantas veces ni acuse de recibo, solo la indiferencia, como si no hubieras mandado nada o como si no existieras. Aunque recuperaba el optimismo de manera ocasional, lo cierto es que el tiempo corría en nuestra contra de forma implacable, y cualquier expectativa favorable se antojaba, cada vez más, ilusoria.

Uno de esos días recibí la llamada de Marcos Grijalba, quien me invitaba a tomar un café en la cafetería de la Facultad de Ciencias de la Universidad de Columbia, un lugar de lo más agradable ubicado en el interior de una gran vidriera, y desde la que se apreciaban los edificios neogóticos de los profesores en el exterior. Llegué con algo de antelación, me senté en una de las mesas del local y esperé a que apareciera mi amigo, algo que hizo a en punto, porque advertí que sonaban las campanas de la iglesia a la vez que lo observaba aproximarse hacia mí, con la cabeza alta y las manos en los bolsillos, un hombre seguro de sí mismo o, al menos, con las cosas claras, de los que no marean la perdiz, y así, en cuanto nos saludamos, fue al grano y me preguntó si había novedades en mi búsqueda de trabajo.

—Aún no. A ver si encuentro algo un día de estos...

—Un día de estos es mayo ya. Y antes de que te des cuenta, junio.

—Bueno, te lo digo porque he quedado mañana con los de Barnard. Por lo menos han accedido a conocerme en persona.

—Pues el Barnard College puede ser muy buena opción. Sabes que pertenece a la Universidad de Columbia también, ¿verdad? De hecho, se fundó para que pudieran estudiar mujeres cuando tenían prohibido hacerlo en Columbia. Así que es una universidad feminista y una de las más reputadas en estudios de género. Ahora ya le han dado la vuelta a lo de la admisión exclusiva para mujeres y tienen mucha demanda. El noventa por ciento de las solicitudes se quedan fuera, y que sepas que grandes escritoras han estudiado allí, como Jhumpa Lahiri, por ejemplo.

—Sí, sí, lo sabía. Me enteré de que Hisham Matar había entrado gracias a una beca que ofrecen para escritores extranjeros y mi intención es presentarme, si fuera posible.

—Me leí sus memorias en las que cuenta la búsqueda de su padre perdido en Libia. Fabulosas.

—Sí, buen libro... El problema es que para presentarme necesito que me respalde alguien de dentro; no puedes presentarte sin más. Y por eso he quedado mañana con una profesora del centro llamada Wadda Ríos-Font, a ver si hay alguna opción.

—Ojalá tengas suerte... De todas maneras, no te desesperes. En Nueva York la negativa nunca es rotunda, es un no ahora, pero quizá mañana puedan abrirte las puertas que hoy te cierran. Lo importante es que tengas claro el objetivo y que perseveres. Que no te rindas. Luego tendrás mejor o peor suerte y acabarás en un sitio u otro, pero, por lo menos, tú habrás mantenido tus principios y tu rumbo. Y te confieso una cosa: nosotros también lo pasamos fatal al principio. No teníamos dinero ni para pagar el apartamento y estuvimos a punto de abandonar, pero mira ahora. Tuvimos fe y hemos salido adelante.

—Fe no me falta. Lo que no sé es si será excesiva...

—Una cosa. Mira, en realidad yo te he llamado porque quería contarte algo importante. Rebecca y yo hemos decidido ofreceros nuestra ayuda.

—¿En serio? ¿A qué te refieres exactamente?

—Bueno, pues que podéis contar con nosotros. No es que seamos ricos ni mucho menos, pero podemos ofreceros un préstamo para que vayáis tirando hasta que salga algo. No queremos que os vayáis. Entre migrantes tenemos que entendernos, ¿no crees?

—Jo, la verdad es que no me lo esperaba. Muchas gracias, Marcos. Lo aprecio de verdad.

—Me alegro de que te parezca una buena noticia. Nunca sabes cuándo llegan las buenas noticias.

De la misma manera que el viento puede rolar bruscamente y las ráfagas que hace apenas un instante teníamos en contra y parecían no tener fin pueden de repente convertirse en una agradable brisa, así la suerte se puso de nuestra parte a partir del inolvidable momento en que Marcos y Rebecca nos ofrecieron su inestimable ayuda. Un antes y un después que se confirmó al día siguiente, cuando la profesora del Barnard College me sonrió y me transmitió que precisamente estaban buscando a un escritor de mi perfil que pudiera cubrir la baja de uno de los dos colegas que se habían cogido un año sabático y que, si yo no tenía inconveniente —faltaría más, pensé conteniendo mi alegría—, el departamento del que era responsable propondría mi nombre como candidato para la beca de cara al curso siguiente. Me pregunto si no se me iluminó el rostro de gratitud y dicha cuando, a continuación, la profesora Wadda Ríos-Font pronunció las siguientes palabras: «Es posible que los trámites se demoren durante algún tiempo, pero te garantizo que no habrá ningún problema y que nosotros nos encargaremos de todo, incluyendo el visado de tu familia».

Ese mismo fin de semana, el domingo, asistimos toda la familia a Riverside Park a animar a nuestra hija, que jugaba un partido de fútbol de la liga del distrito con su equipo del colegio. En un momento del encuentro, Ane recibió el balón al borde del área, regateó a una contraria —instante en el que yo me incorporé para seguir mejor la jugada— y chutó a colocar, entrando el balón en la portería, pegado al poste. De manera absolutamente espontánea canté el gol con todas mis fuerzas y, con los brazos aún levantados, grité: «¡Vivan nuestras chicas!», y en ese preciso segundo, al verme a mí mismo eufórico y desinhibido me di cuenta de que no solo festejaba el gol de mi hija, sino que en mi celebración cabían también todas mis penas recientes, mis miedos, mis fracasos..., y como flashes se me pasaron por la cabeza las fotografías del álbum de mi ánimo, la soledad de mi hijo Unai en el parque, el gesto de tristeza de Nora mientras se abismaba en las puntas de su cabellera, la derrota de Rosika en la cubierta del barco, la falsa promesa de la agencia de modelos, la sonrisa de mi buen amigo Marcos y, por último, delante de mí, la emoción de Ane dedicándonos su gol.

18

Thomas, el responsable del archivo, me escribió un mensaje, «Tengo lo tuyo», que, en un principio, no entendí, «¿Lo mío?», porque hacía referencia, «Ha llegado el vídeo, el vídeo de Edith. ¿No quieres verlo o qué?», a una solicitud mía hecha tiempo atrás que había casi descartado, pero que podía ser de gran interés para mi investigación, así que me reuní con Thomas al día siguiente para visionar la cinta.

Ya antes de que entráramos en la sala de proyecciones donde se hallaba, entre otros artefactos, un viejo aparato combo de televisión y vídeo, Thomas me advirtió de que se trataba de un hallazgo extraordinario.

—No te lo vas a creer. Es el vídeo del funeral de Edith. Cuando Edith murió, en la biblioteca hicieron un homenaje en honor a su figura. Aparecen testimonios de gente que la conoció. Salen todos, ahí tienes toda la información que te hace falta, en primera persona.

Pensé en un funeral y, de inmediato, me vino a la cabeza la novela de William Faulkner en la que quince personas relatan sus vivencias y puntos de vista con un ataúd de por medio. Entramos en la sala de proyecciones y nos sentamos frente a un artilugio de otra época.

—¿De verdad que este trasto todavía funciona?

—Claro que funciona. Y no te rías: en un archivo tenemos que conservar todo tipo de aparatos y herramientas. Es fundamental, como te imaginarás.

Cuando Thomas se agachó para introducir la cinta de VHS en la ranura correspondiente, pude leer el título del documento, «Edith Wynner's memorial, 08-13-2003».

—Todos los archivos se están digitalizando poco a poco, pero lleva su tiempo —dijo mientras apretaba diferentes botones con poca fortuna—. Lo que no conservamos son los manuales de instrucciones. A ver si me acuerdo de cómo funcionaba esta vaina, creo que sí. Lo mejor es que veamos el vídeo juntos, ¿vale? Si no, no vas a saber quién es quién.

La ceremonia de despedida de Edith Wynner se celebró, organizada como homenaje y tributo a su figura por la familia Lloyd, un caluroso y pegajoso día de verano del año 2003, el 13 de agosto, en una de las salas más suntuosas de la Biblioteca

Pública de Nueva York, la llamada The Sue and Edgar Wachenheim III Trustees Room, panelada con madera de nogal, decorada con tapices flamencos de pared y presidida por una esplendorosa chimenea de mármol rematada con una lápida entre dos figuras clásicas, una estancia acogedora pero quizá demasiado lujosa y ornamental para las honras fúnebres de una mujer que fue en vida todo lo opuesto a tanta apariencia y distinción, y que, de hecho, hizo cuanto pudo para pasar desapercibida.

En representación de la familia Lloyd, dio la bienvenida a los asistentes la nieta de Lola Maverick Lloyd, de nombre Robin, según me confirmó Thomas, una mujer ya de cierta edad pero que lucía esbelta y elegante, con su pelo blanco y sus intensos ojos azules que le iluminaban el rostro, y, tras su breve discurso de presentación y agradecimiento, cedió la palabra a Carol Teitelbaum, el primero de los testimonios de una ceremonia en la que cada uno de los intervinientes debía levantarse y decir su nombre antes de contar sus vivencias relacionadas con la homenajeada.

—Yo era una niña adoptada y, hace ya muchos años, en su lecho de muerte, mi madre quiso ofrecerme algo parecido a un regalo de despedida, no sé muy bien cómo llamarlo; el caso es que, poco antes de morir, me reveló que había una persona que vivía en Nueva York que sabía bien quién había sido mi madre biológica. Y esa persona se llamaba Edith Wynner.

A continuación, Carol, una mujer madura de cabellera y ojos oscuros, relataba que encontró en el listín telefónico de Nueva York un número que correspondía a un tal E. Wynner que bien podía ser el de Edith, y que estuvo llamando noche y día sin que nadie le cogiera el teléfono hasta que una tarde, ya casi a la hora de cenar, respondió la propia Edith, y cuando Carol le explicó quién era y por qué la llamaba, Edith se alegró enormemente, «¡Oh, eres tú, Carol! La última vez que te vi no eras más que una criatura envuelta en su mantilla», y se brindó a contarle en persona todo sobre su madre biológica.

Carol Teitelbaum era, en verdad, sobrina de Rosika Schwimmer, hija de su hermano y dada en adopción, tal y como más tarde le desvelaría Edith.

Pedí a Thomas que detuviera la reproducción.

—Es una historia fabulosa, no me digas que no. —Y apenas podía disimular mi emoción—. Es el capítulo perfecto para dar comienzo a mi novela, ¿no te parece?

—Ya sabes entonces por dónde empezar tu libro.

—Me pongo en la piel de Carol y me doy cuenta de que es un momento de una fuerza tremenda. Imagínate el cúmulo de sentimientos y de interrogantes hirviendo dentro de ti. Por un lado, estás despidiendo a una madre, a tu madre real, y, a la vez, estás dando la bienvenida a tu madre biológica. ¿Cómo te sientes en un momento así? No tiene que ser fácil.

—Mejor seguimos viendo y te haces una idea...

Carol terminó su intervención instando a que su hija Helen, que la acompañaba en la sala, completara el relato, puesto que Edith Wynner, según confesó en cuanto tomó la palabra, había sido algo parecido a una tía abuela para ella; la visitaba con frecuencia en su apartamento de Central Park siendo una niña y mantenían largas conversaciones sobre el pasado y sobre los Schwimmer hasta el punto de que, tiempo después, su interés y su curiosidad por sus raíces biológicas la llevaron a viajar a Europa y conocer in situ su país de procedencia y las ciudades de Budapest, Timisoara y Subotica.

Helen mencionó también un detalle sobre Edith que mostraba la modestia y la discreción que la caracterizaban, y en el vídeo contaba que, hasta la última etapa de su vida, Edith evitaba hablar de sí misma, y solo en las últimas charlas que mantuvieron se animó a rescatar episodios de su biografía, algo que no extrañó a Helen porque enseguida descubrió que eran vivencias de una dureza extrema, no solo durante su infancia en Hungría, sino también por culpa de la Segunda Guerra Mundial, ya que los nazis mataron a casi toda su familia, solo sobrevivió un primo.

No menos conmovedora resultó la historia sobre la muerte, también acaecida durante la Segunda Guerra Mundial, de la madre de Edith, quien falleció envenenada con una dosis de cianuro administrada por una de las monjas al cargo de la residencia de ancianos en la que vivía, una decisión drástica adoptada ante la inminente entrada de los nazis en el pueblo, la muerte como mal menor, una eutanasia colectiva, por así decirlo.

Helen contaba que Edith pudo visitar a su madre en la residencia antes de que estallara la guerra, después de varias décadas sin verse tras su marcha a Estados Unidos, y en su regreso, al parecer, su madre, que debía de ser una mujer de armas tomar con bastantes malas pulgas, cuando vio de nuevo a su hija, así lo contaba Helen, no la saludó ni le dio la bienvenida ni mucho menos la abrazó, sino que le soltó: «No me gusta tu vestido. Pareces un *moris* verde».

En ese instante miré a Thomas con extrañeza y le pedí que detuviera la cinta.

—¿Qué le ha dicho que parece? ¿Un *moris* verde? ¿Sabes qué es eso? Es que no se entiende bien. No sé ni cómo escribirlo.

Thomas tampoco descifraba el significado de aquella palabra, y, aunque rebobinó y volvimos a escucharla cuatro veces, no hubo manera de entender su significado.

—¿Igual es *morish*? Me suena que hay un azulejo llamado así.

—Lo dudo. Si te interesa mucho, podemos bajar a la sección de estudios hebreos y preguntar.

Me pareció buena idea, hicimos un descanso y juntos nos dirigimos a la planta inferior, donde una amable joven escuchó con atención nuestra duda y nos contestó que la palabra *moris*, como tal, no le resultaba familiar, no estaba ni en hebreo ni en yidis, y, cuando se le ocurrió que podría ser una palabra húngara, la buscó en sus diccionarios, pero tampoco aparecía por ningún lado.

—Oye, se me ha hecho tarde. ¿Te importa si seguimos con el vídeo mañana? Tengo que seguir trabajando —me preguntó Thomas después de mirar el reloj, y regresamos a su despacho.

Una vez de vuelta en la sala de archivos, me dispuse a ordenar mis apuntes y anotaciones de lo visionado en una de las mesas de estudio del lugar, cuando, al cabo de un rato, volvió a aparecer Thomas ante mi vista haciéndome una seña para que lo siguiera. Me sentó delante de su ordenador y me pidió que escribiera en el buscador de internet la palabra *Morris*, así escrita, con mayúscula y doble erre, y en la pantalla aparecieron las imágenes de un coche.

—¿Y esto?

—Es una marca de coche. Morris. Un tipo de coche muy conocido en la década de los treinta. —Y Thomas se me quedó mirando para que atara cabos.

Las fotografías de los coches que aparecían en la pantalla mostraban un automóvil de formas redondas, con guardabarros salientes y voluminosos, y, la mayoría, de un color verde oliva muy peculiar.

—Me da que su madre la estaba llamando gorda —añadió Thomas dándome un golpecito en el antebrazo y levantando las cejas.

Podía ser, sí, pero Edith ni estaba gorda ni lo parecía en las fotos de la época; al contrario, mostraba muy buen aspecto, una mujer guapa, y costaba entender el porqué de ese comentario tan mezquino e inoportuno de su madre, siendo, además, como era, una mujer muy querida por su hija, y así lo probaba el hecho de que hubiera regresado desde América para visitarla, y me pregunto si en el origen de tanta amargura materna se hallaba precisamente la prematura marcha de una hija a Estados Unidos y si no le guardaba rencor por ello, aunque supiera que no había sido ni culpa ni decisión de Edith, sino que se había visto obligada a emigrar a Chicago por su padre. A veces, detrás de ciertos comportamientos irracionales se esconde un trauma enterrado en el inconsciente, y podría ser que la madre se sintiera abandonada en su día y que aquel dolor inmenso pero oculto, o, por lo menos, no compartido, aflorara ahora de la peor manera posible, comparando a su hija con un Morris, un menosprecio tan fuera de lugar que hasta daba pena, y yo no sé si aquel reencuentro pudo reconducirse de alguna manera, pero me inclino por creer que lo que en realidad la madre quiso y no pudo decirle a su hija después de tanto tiempo sin verla fue algo muy distinto, o acaso no quiso decirle nada sino abrazarla, llorar de emoción, y como no fue capaz, toda esa impotencia se le pudrió en un instante y se tornó ruindad.

Quiero pensar que Edith sobrellevó aquella primera puñalada con madurez y que pasó página y enseguida le habló a su madre de su vida en Nueva York y así, mencionando a Rosika y todo lo que había aprendido junto a ella, poco a poco, se fueron calmando las aguas hasta que alcanzaron un remanso, un momento de paz, de verdadero afecto, el último que disfrutarían juntas, aunque ellas no lo supieran.

En Chicago, cuando siendo una niña a Edith le preguntaban por sus padres, ella contestaba que no tenía, que habían fallecido en un accidente de tráfico junto a su hermano, toda su familia había muerto, y si le cuestionaban por el hombre que iba a buscarla a la escuela, ella contestaba que era un tío que se había hecho cargo de ella, aunque, naturalmente, aquel hombre no era su tío sino su padre, un hombre que ni en la peor de sus pesadillas podía imaginarse que su hija hablara así de él, como de una persona muerta, y más bien se figuraría lo contrario, que Edith se mostraba bien orgullosa de su padre, que le había dado la oportunidad de emprender una vida mejor en América, lejos de la alocada Europa.

Al día siguiente, cuando Thomas y yo reanudamos el visionado de la cinta, lo que más me llamó la atención fue una nueva intervención de Robin Lloyd en la que anunciaba a la propia Edith, a quien los invitados podrían escuchar de viva voz a través de una grabación previa. Robin Lloyd cede virtualmente la palabra a la homenajeada y, de repente, su voz se adueña de toda la sala, como si verdaderamente estuviera presente y también como si los asistentes reconocieran el alma de Edith en aquella voz, su vitalidad, su sentido del humor, su fortaleza, su esencia... y resulta emocionante el momento en que Edith habla de su querida Rosika, «Destacaría tres cosas de ella. La primera, que era extraordinariamente optimista; la persona más optimista que he conocido en mi vida. La segunda, que tenía un don, el don de que los demás se interesaran por los asuntos que a ella más le preocupaban, como el feminismo o la paz. Su capacidad para persuadir y embaucar era infalible. Y, por último, estaba llena de curiosidad y de alegría de vivir. Su afán por aprender y saber más no tenía límites».

Edith terminaba su mágica intervención con un deseo que sonaba como un mandato: «No me toquéis a Rosika».

Las últimas palabras de Edith resonaron en la sala, como flotando, hasta que Robin Lloyd intervino de nuevo repitiéndolas, «No me toquéis a Rosika... Cuánto la amaba...», y Carol asintió y añadió: «Efectivamente. Tanto, que no admitía las críticas a Rosika. Le era muy fiel...».

A continuación, le tocó el turno a un antiguo

compañero de Edith en la biblioteca llamado Richard Salvato, según me aclaró Thomas; al parecer, una persona muy querida por todo el mundo, buen profesional y buena persona, quien había encontrado cobijo en la biblioteca después de haberse declarado socialista. A él le correspondió ensalzar la faceta laboral de Edith, «Tenía una gran capacidad de trabajo. Organizaba todos los datos, los documentos, las cartas, los archivos... de una manera absolutamente eficaz. Era muy resolutiva y cuidaba con esmero toda su colección. Eso sí, que nadie se la tocara. ¡En eso era una estalinista!», y la gente se echó a reír con la ocurrencia.

La última parte del vídeo es un compendio de intervenciones breves, casi más una charla o una tertulia en la que los asistentes intercambian opiniones sobre Edith. Robin recuerda que la idea de la colección que conforman los papeles de Edith Wynner la tuvieron su abuela y la propia Rosika poco antes de su muerte. Lola y Rosika fueron amigas íntimas durante toda su vida y Robin contaba cómo su abuela fue, de hecho, el mayor sostén de Rosika en los tiempos difíciles, en particular, durante la década de los años veinte, cuando fue ignorada y excluida, «Lola siempre estuvo a su lado cuando más lo necesitaba, siempre, aunque debo reconocer que también se enfadaron en un momento dado, ya después de muchísimos años de amistad, y menos mal que se reconciliaron en 1947, tan solo un año antes de la muerte de Rosika... Y otra cosa: que sepáis que sobre el Barco de la Paz conservo documentos clasificados que algún día sacaré a la luz, pero no por ahora».

Entre los que intervinieron en esta parte final, las palabras que el hijo del pacifista Gary Davis, según me indicó Thomas, dedicó a Lola y Rosika merecen ser recordadas.

—Mi padre siempre me contaba que estas dos mujeres habían sido verdaderamente grandes, excepcionales. Y hay algo que no debemos olvidar: las pacifistas eran las mujeres, quienes vinculaban el feminismo y la igualdad con el pacifismo eran las mujeres. Ellas fueron las verdaderas protagonistas de aquel movimiento. Cuando yo la conocí, Edith ya empezaba a perder la memoria. Se le olvidaban las cosas y las repetía sin darse cuenta. Uno de los asuntos de los que más me habló tenía que ver con la amistad que entablaron Rosika y Einstein, una amistad verdadera, según me repetía. Fue muy duro comprobar cómo una mujer con una memoria tan prodigiosa como la suya perdía facultades poco a poco por culpa del alzhéimer. Al principio de la enfermedad, quiso ponerle remedio fotografiando las cosas para acordarse de ellas. Pero a la postre no sirvió de nada...

Carol llenó el silencio corroborando la inquietud de Edith por copiarlo todo, y Robin lo confirmó y puso fin al homenaje con una nueva ocurrencia que provocó una bonita sonrisa de despedida entre los invitados: «¡Seguro que ella sería la primera en querer conservar esta cinta que estamos grabando hoy!».

El funeral homenaje a Edith Wynner tuvo lugar el 13 de agosto de 2003 y, al día siguiente, cincuenta millones de personas se quedaron sin luz en Nueva York y en toda la costa Este. Fue el mayor apagón de todos los tiempos.

—Murió Edith y se hizo la oscuridad durante dos días enteros —me dijo Thomas.

19

En la misma sala en la que se celebró el homenaje a Edith Wynner, llamada The Sue and Edgar Wachenheim III Trustees Room, el miércoles 12 de junio de 2019, la biblioteca organizó una sesión de lectura continua en diferentes idiomas —italiano, inglés, hebreo, árabe, japonés, chino, español, francés y euskera— con motivo del centenario de Primo Levi y en la que participaron, entre otros, Stella Levi; Jonathan Galassi, poeta y editor; Salvatore Scibona, líder del Cullman Center; el actor John Turturro, y la novelista Nicole Krauss. Yo tuve el honor de leer en euskera un fragmento, las páginas 26 y 27, de sus célebres memorias tituladas *Si esto es un hombre* (1947) en las que el autor italiano relata su padecimiento tras su paso por el campo de exterminio de Auschwitz utilizando un estilo sobrio, preciso y documental.

«Entonces por primera vez nos damos cuenta de que nuestra lengua no tiene palabras para expresar esta ofensa, la destrucción de un hombre. En un instante, con intuición casi profética, se nos ha revelado la realidad: hemos llegado al fondo. Más bajo no puede llegarse: una condición humana más miserable no existe, y no puede imaginarse. No tenemos nada nuestro: nos han quitado las ropas, los zapatos, hasta los cabellos; si hablamos no nos escucharán, y si nos escuchasen no nos entenderían. Nos quitarán hasta el nombre: y si queremos conservarlo deberemos encontrar en nosotros la fuerza de obrar de tal manera que, detrás del nombre, algo nuestro, algo de lo que hemos sido, permanezca.

»[...]

»Imaginaos ahora un hombre a quien, además de a sus personas amadas, se le quiten la casa, las costumbres, las ropas, todo, literalmente todo lo que posee: será un hombre vacío, reducido al sufrimiento y a la necesidad, falto de dignidad y de juicio, porque a quien lo ha perdido todo fácilmente le sucede perderse a sí mismo; hasta tal punto que se podrá decidir sin remordimiento su vida o su muerte prescindiendo de cualquier sentimiento de afinidad humana; en el caso más afortunado, apoyándose meramente en la valoración de su utilidad. Comprenderéis ahora el doble significado del término *Campo de aniquilación*, y veréis claramente lo que queremos decir con esta frase: yacer en el fondo.»

Después de que lloviera a cántaros durante veinticuatro horas seguidas, el 26 de agosto de 1983 la ciudad de Bilbao quedó anegada al desbordarse la ría a su paso por el Casco Viejo y alcanzar las embarradas aguas una altura de tres metros. Los destrozos que las inundaciones que azotaron a todo el País Vasco provocaron en Bilbao fueron catastróficos y las corrientes de agua que se extendieron por las calles con una fuerza inusitada arrasaron edificios, puentes, trenes, coches y, por desgracia, también personas. En aquellos días se celebraban en Bilbao las fiestas patronales, la llamada Semana Grande, y las casetas festivas, conocidas con el nombre de *txosnas*, que se levantan para la ocasión en los márgenes urbanos de la ría, en El Arenal, y en donde la gente en fiestas se arremolina, bebe, baila, celebra, canta y ríe, se convirtieron de la noche a la mañana en un cementerio inundado.

Quiso el destino que yo me encontrara en Bilbao entonces, en casa de mi tía Bego, junto a mi madre y uno de mis hermanos, mientras que el resto de mi familia se hallaba en Ondarroa y mi padre en alta mar, como casi siempre, y recuerdo ver llover desde una de las ventanas de la casa de mi tía, un chaparrón infinito, ruidoso y constante, la banda sonora del fin del mundo. Mi tía solía invitarnos por esas fechas a su casa del barrio de Santutxu, ubicado en la parte alta de la ciudad, sobre una colina a cuyos pies se encajonaba junto a la ría el Casco Viejo, las famosas Siete Calles de la villa, así que desde el piso podíamos observar las corrientes de agua que aquí y allá se formaban sobre el asfalto y descendían como rápidos de un río hacia la parte vieja.

Lo normal en la Semana Grande es que hubiéramos estado recorriendo la ciudad engalanada y alegre acompañados de mi tía, quien por las noches salía con sus amigas pero que de día nos hacía de cicerone, y, sin embargo, nos hallábamos recluidos en un piso sin poder salir, mi madre hecha un manojo de nervios, sin saber nada de sus otros hijos ni de los abuelos, y dándole vueltas a la manera de regresar al pueblo lo antes posible, algo inviable, porque las carreteras estaban cortadas, los accesos, cerrados, sin medios de transporte funcionando, y cuando a la desesperada intentó conseguir un taxi que se atreviera a llevarnos de vuelta le contestaron que no, que debía calmarse y aguardar a que pasara lo peor.

Pero lo peor estaba por llegar. Porque cuando bajaron las aguas y quedaron al descubierto las calles previamente anegadas, el panorama fue desolador, la ciudad devastada, destruida y sucia, cubierta de barro y de dolor y tristeza, y el alma de Bilbao, su gente, inconsolable y desesperada, sin saber por dónde empezar la reconstrucción, y Marijaia, el personaje símbolo de las fiestas, una muñeca rota.

Durante aquellos días, la ciudad de Bilbao yacía en el fondo, varada, con la necesidad de poner fin a una época y comenzar otra.

Yo también durante aquellos días dejé de ser un niño.

Y mi tía dejó de ser joven.

Según leí el mensaje de Thomas, «No te lo vas a creer, pero Robin Lloyd está en la biblioteca. Si quieres conocerla, ven al archivo», salí de mi despacho y me presenté en el de Thomas para que me presentara a una mujer que reconocí al instante como la vital presentadora del vídeo homenaje a Edith, aunque hubiera envejecido unos años.

—Este es el novelista que está escribiendo sobre Rosika —fue la manera en la que me presentó Thomas.

Robin me explicó que había acudido al archivo porque debía preparar un discurso sobre los procesos de paz de París, y su intención era hablar sobre Lola y Rosika y hacer mención a su disparatada pero maravillosa idea de fundar una República Federal Mundial basada en la igualdad y sin ejército.

—La conocía. Una idea maravillosa.

—Lo que quizá sabrás, también, es que, tras su muerte, Edith y Georgia, hija de Lola, continuaron con el sueño de la República Federal Mundial. Georgia era nuestra madre, la hija más joven de Lola.

—No tenía idea.

—Pues ahora ya lo sabes. Georgia y Edith recogieron el testigo de Rosika y Lola. Eran también muy amigas. Mira, tengo unas fotos suyas aquí. —Y me mostró primero una imagen de ambas comiéndose una rodaja de sandía y, después, otra fotografía en la que las amigas iban en bicicleta—. Por cierto, juntas también escribieron un libro.

—¿De verdad?

—La historia universal de los procesos de paz desde la Antigüedad hasta nuestros días. Te lo recomiendo. Deberías leerlo.

—Lo haré, sin duda.

—Lo del libro no fue idea suya, sino de Rosika. Fue ella quien les dio la idea.

—¡Qué mujer esta Rosika nuestra!

—Y tanto. La amiga del alma de mi abuela. Eran inseparables, tanto que mucha gente se creía que eran amantes. Yo, la verdad, nunca lo he sabido a ciencia cierta.

—Me imagino que en aquella época resultaría muy difícil explicar y que se entendiera el amor físico entre mujeres...

—No te creas. Aquella generación estaba muy avanzada y no tenía complejos. Y sabemos que mi abuela tenía sus amigos hombres, no te vayas a pensar que no. En una conversación con mi madre, recuerdo que le pregunté si Rosika era lesbiana, y me contestó: «Sí, pero no», y no me aclaró qué significaba eso, así que es un secreto que se llevaron a la tumba. Lo que sí sabemos es que Rosika estuvo casada...

—¿En serio? No lo he leído por ningún lado.

—Pues lo estuvo. En Hungría, de joven, se casó con un periodista antes de la guerra y se separó meses después. Debió de salir escarmentada, porque desde entonces no se le conoció ningún novio. Aunque ya te digo que la cuestión de su sexualidad no está clara. ¡Ella y Edith borraron todas las huellas! —me dijo riéndose.

—Robin, una duda que tengo: ¿por qué crees tú que Edith nunca terminó las memorias sobre Rosika y las dejó inacabadas?

—No lo sé. Las malas lenguas decían que no quería terminar el libro para poder seguir cobrando por ello, ya que nuestra familia le seguía pagando mientras no acabara, pero no es verdad. Tal vez lo que le sucedió es que tenía miedo. Miedo a que, una vez terminado el libro, se distanciara de Rosika, se apartara de ella. Seguir escribiendo era una forma de tener a Rosika siempre a su lado.

—Vaya, no se me había ocurrido...

—¿Por dónde vas con los archivos?

—Solo he llegado a la caja cuarenta y dos, de momento. Justo cuando termina el libro, en 1915, con el Barco de la Paz.

—¡Te falta lo mejor! Aunque no siguió escribiendo, sí que recopiló todo lo habido y por haber. Te quedan los años veinte, treinta, cuarenta... La sentencia del Tribunal Supremo, el estallido de la Segunda Guerra Mundial, su amistad con Albert Einstein, la campaña por el Premio Nobel...

—Qué pena que no se lo dieran...

—Los mejores siempre se quedan sin premio.

El tiempo en Nueva York siguió transcurriendo y antes de que nos diéramos cuenta nos plantamos en la fiesta de fin de curso de la escuela, en la que, como ocurre en las películas, los estudiantes de cada clase representan un pequeño número para la ocasión en el salón de actos del centro, y a la que estamos invitados todos los padres. Fue una gozada comprobar cómo las conversaciones con Stephen daban sus frutos y mi hijo Unai se desenvolvía con toda naturalidad y confianza encima del escenario, bailando y cantando junto a sus compañeros la célebre ranchera *Cielito lindo*.

Para despedir definitivamente el curso, algunas familias de la rama de castellano organizaron un fin de semana de camping en Nueva Jersey al que nos apuntamos, aunque no tuviéramos tienda de campaña. A última hora me apresuré a comprar una bien barata por internet, apenas me costó cien dólares, de buen tamaño, se suponía que cabían diez personas, ¡seis más de lo que necesitábamos!, pensé, y, por si fuera poco, incluía en la promoción dos camas hinchables gratis.

Llegado el momento, alquilamos un coche y nos presentamos en el camping de Nueva Jersey, un lugar espectacular, de película, con unas vistas fabulosas al parque natural del que formaba parte y encuadrado en las inmediaciones de un lago. Con cierto temor, me encomendé a la tarea de montar la tienda de campaña, algo que conseguí con inesperada facilidad, y el resultado a primera vista resultó estupendo, con nuestros hijos entusiasmados y pudiendo chulear ante sus amigos de nuestra hermosa tienda de campaña en la que cabíamos de manera tan confortable que podíamos mantenernos de pie en su interior.

Ya por la tarde, mis medallas como padre se diluyeron de golpe al comprobar la facilidad con la que se fueron rajando y agujereando las paredes de la tienda de campaña, a poco que los niños en sus juegos las pusieran a prueba, a las claras confeccionadas con un material tan escaso que se justificaba su ridículo precio.

El parque natural resultaba tan magnífico que también tenía sus inconvenientes, ya que de natural y salvaje que era los osos campaban a sus anchas en su territorio, y los campistas debíamos ser precavidos y, por ejemplo, no dejar restos de comida en el suelo. Cuando observamos los contenedores de basura, de acero y herméticos como un búnker, nos asustamos, pero los responsables nos calmaron asegurándonos que, si seguíamos unas normas básicas, no corríamos ningún peligro, porque los osos tendían a huir de los humanos y solo en el caso de hambre extrema se acercarían a nosotros. Así y todo, distribuidos por el propio camping se leían carteles con las instrucciones a seguir en el caso de que apareciera algún oso: lo peor era huir, porque el animal olía el miedo y te seguía, así que mejor quedarse quieto; y, después, se diría que había que imitarlo, y si el oso te rugía debías rugir tú también, agitando los brazos incluso, lo más fuerte posible. Y si, a pesar de todas estas medidas, el oso te atacaba, siempre te quedaba una opción: ¡luchar!

Osos aparte, el primer día en el parque lo pasamos todos estupendamente, y cuando llegó la hora de la cena, encendimos una enorme fogata y los padres y los niños seguimos disfrutando alrededor de la hoguera, los niños quemando nubes de azúcar que aproximaban al fuego con sus palos, y todo iba sobre ruedas hasta que me llegó la hora de inflar las camas y me di cuenta de que se me había olvidado el hinchador, maldita mi suerte. Para colmo de males, el pitorro era de algún tipo especial, supongo que algo tendría que ver el precio también, y ninguno de los hinchadores del camping me servían, así que me pasé mi buen tiempo dedicándome a inflar las camas, respirando hondo y soplando con fuerza, mientras del exterior me llegaban las risas del resto de los campistas, las canciones, el buen ambiente, la felicidad, y yo soplaba y soplaba y pensé que lo único que me faltaba era que irrumpiera un oso hambriento en la tienda de chichinabo y me sorprendiera desencajado, exhausto, mareado y con un pitorro en la boca.

Cuando terminé mi tarea, regresé junto a la fogata entre aplausos, y debía de tener tan mal aspecto que me ofrecieron una cerveza y me dieron ánimos para que recuperara mi mejor versión.

Por lo menos dormimos bien, aunque hiciera frío por la noche, pero lo más hermoso de la excursión fue el momento en el que regresábamos a la ciudad, mientras cruzábamos en nuestro coche alquilado el puente que separa Nueva Jersey de Nueva York, y, en ese instante, al sentir la proximidad de los rascacielos, creo que sentimos también que regresábamos a casa, no solo a un hogar, sino a un lugar al que, de alguna manera, pertenecíamos.

A finales de junio hablé por última vez con mi tía Bego sin que yo supiera que era la última vez que escucharía su voz, aunque, estoy convencido, ella sí sospechaba que pudiera ser nuestra última conversación.

—Lo de Madrid me cuesta verlo. No creo que esté en condiciones de moverme de aquí para allí.

—Pero... ¿y si fueras en avión?

—Peor me lo pones. Tu tío dice que podríamos alquilar un piso en Madrid mientras dure el tratamiento. Él siempre tan optimista, ya lo conoces.

—Seguro que hay alguna alternativa válida.

—Quién sabe. —Y aprecié su profunda respiración a través del teléfono—. ¿Sabes? Seguir viva a veces es agotador. Jamás pensé que diría algo así, pero quien sienta el sufrimiento que yo siento al despertarme, al ir al baño, al desayunar, al vestirme... sabe de lo que hablo. Es muy duro. Muy duro. Ha llegado un momento en el que hasta el simple contacto de la ropa sobre mi cuerpo supone una pequeña tortura. Es así. Desde que enfermé, han sido ya muchos años de tratamientos, de operaciones... Es suficiente.

—¿A qué te refieres?

—Me refiero a que los médicos ya han recabado los suficientes datos conmigo. Estoy segura de que disponen del material suficiente para hacer una elegante tesis doctoral, no me digas que no... —dijo con su habitual sentido del humor.

—En serio, tía. Eres muy buena enferma. La mejor.

—Pero ahora quiero estar tranquila. Lo necesito. Nada más. Descansar. Sé que tu tío desea que siga peleando, y os entiendo, pero mi cuerpo pende de un hilo muy fino que está a punto de romperse.

Me quedé en silencio. Su sinceridad era terrible y conmovedora. Sabía que había llegado su hora y quería afrontarla con dignidad. Siempre había sido así en su vida, a fin de cuentas, era enfermera, científica, y veía el mundo con las gafas de la verdad objetiva y los cuentos los dejaba para los libros. Nunca rehuía la verdad, y había encarado las enfermedades de seres queridos de la misma forma, sin paños calientes, porque estaba convencida de que el ocultamiento resultaba contraproducente y no ayudaba a afrontar las situaciones difíciles, mientras que la verdad, por muy cruda que fuera, siempre dejaba una puerta abierta a la dignidad humana.

—Mañana mismo me cojo un vuelo para estar ahí lo más pronto posible —dije tras el largo silencio.

—Ni se te ocurra. No gastes dinero ahora. Tienes tus cosas que hacer ahí, y están Nora y tus hijos también. Quédate tranquilo en Nueva York, mi querido sobrino, que yo no me voy a ir a ninguna parte. Os esperaré aquí, en paz, hasta que volváis. Quedaos tranquilos.

20

Nuestro vuelo de regreso para las vacaciones de verano partía el 28 de junio de 2019, y hasta esa fecha estuve pendiente cada día de las noticias que me llegaban desde casa, noticias tranquilizadoras por rutinarias, y que me confirmaban que mi tía seguía bien, acompañada de su amiga del alma, Manolita, quien la visitaba cada tarde y la entretenía recordando juntas tiempos pasados, batallas de juventud, aunque, la verdad, era Manolita la única que hablaba, porque mi tía ya solo se limitaba a escuchar.

La víspera de nuestra partida, la familia al completo fuimos a pasar la tarde a Riverside Park, y a última hora subimos a una colina del parque que hay cercana a la autopista, desde la que se oye el intenso tráfico de los coches, y, de manera milagrosa, mientras anochecía y descendíamos de regreso a casa, asistimos a la aparición en aquel espacio verde pero completamente urbano de un campo de luciérnagas, cientos de pequeñas luces que iluminaban el camino y que no se escapaban a nuestro paso; al contrario, los niños podían coger las luciérnagas con sus manos y observarlas de cerca, aquellas antorchas en miniatura, una maravilla de la naturaleza que acontecía en plena metrópoli y mientras, de fondo, seguía oyéndose el motor de los vehículos, el fragor sordo de una ciudad en la que habitaban millones de personas y, a la vez, en aquel rincón, el oasis de las luciérnagas interpretando sus melodías luminosas.

Coincidimos en el camino de regreso con una pareja mayor de italianos igualmente fascinados por el espectáculo que presenciábamos, y el hombre, en su deseo de compartir la magia del momento con nosotros, nos contó que *luciérnaga* en italiano se decía *lucciola*, y de la misma manera se puso a cantar una tonada con gran sensibilidad, una canción de cuna, una canción para dormir, para descansar.

Lucciola lucciola vien da me:
ti darò il pan del Re,
pan del Re e della Regina.
Lucciola, lucciola, vien vicina.

Y entonces, mientras escuchaba la delicada voz de aquel hombre y observaba a las luciérnagas sobre las palmas de las manos de mis hijos felices, sentí que mi tía Bego se estaba despidiendo de este mundo. Se acabó, ha muerto.

LIBRO SEGUNDO

(2020)

La gente —hombres, mujeres y niños— se sentía atraída por ella, quería estar cerca de ella, sentir su calor, su cariño, su amistad. Ella procuró todo ello a mucha gente, demasiada, se lo dio todo, sin reservas, de manera pródiga y, a menudo, imprudentemente.

ANGELIKA SCHROBSDORFF

La primera vez que sentí que alguien me salvaba la vida fue contigo, Maider. En realidad, creo que me la has salvado más de una vez. No recuerdo exactamente cuántos años tendríamos. Éramos niñas, eso sí, y no tan pequeñas. Yo diría que andaríamos sobre los doce años, ya que fuimos solas a bañarnos a las rocas. Mi madre siempre me advertía que era peligroso nadar allí, que sin darte cuenta la corriente y las olas te llevaban mar adentro. Y así sucedió. En unos segundos, noté que la resaca me empujaba hacia el interior. A pesar de que nadaba con todas mis fuerzas, aunque movía mis brazos y mis piernas lo más rápido posible, me alejaba sin remedio de la orilla. Por un momento creí que me ahogaba. Entonces, cuando mayor era mi angustia, una mano me agarró del brazo y me acercó hacia las rocas. Eras tú, Maider. Te miré con pánico y me sonreíste, como si nada hubiera pasado, quitando peso a lo que pudo haber sido una tragedia. Me subiste a tierra y me cubriste con tu toalla. La apreté furiosamente, con los ojos enrojecidos, mientras miraba al mar Cantábrico, ese monstruo líquido que quiso tragarme.

«Eres como un gato, el agua no es para ti», me dijiste. Tú, sin embargo, eras completamente acuática. Disfrutabas muchísimo nadando. Podías pasar horas en el mar. Para ti, la playa del pueblo, Arrigorri, no era más que un lugar aburrido, un arenal lleno de familias con niños pequeños, mientras que en las rocas podíamos estar nosotras solas. A mí no me convencía mucho ir allí, temerosa por las advertencias de mi madre, pero, en aquella época, era imposible decirte que no, tal era tu carisma. Te seguía a todas partes, hasta el fin del mundo, sin medir muy bien las consecuencias.

Maider, tú fuiste mi primera amiga. No recuerdo ni cuándo nos conocimos. ¿A qué edad se empieza a tener amigos? ¿Quizá con cinco años? Bueno, pues a esa edad tú y yo ya éramos amigas, y dimos juntas nuestros primeros pasos en la escuela.

Siempre nos estábamos buscando. A pesar de estar sin vernos durante tiempo, al final siempre nos juntábamos. Y al volver a encontrarnos era como si el tiempo no hubiera pasado. Una vez me dijiste: «Tendré novios, pero eso siempre se acaba. Tú siempre estarás ahí, como una hermana. No, más que una hermana, porque me conoces mejor».

De niña eras como un pequeño animal, salvaje, inquieta, libre. Y eso es lo que me gustaba de ti. Nunca has sido de nadie. Ni siquiera mía. Estabas conmigo cuando querías. Y cuando no querías, pues no. Eras así.

Ay, si pudiera volver a esos días de la infancia. Me gustaría regresar a la cocina de tu abuela María Dolores, oler su comida, saborearla, sentir de nuevo el cariño de esa mujer. Tu abuela siempre estaba en la cocina, vivía allí. Ahora que lo pienso, en aquel entonces no sería mucho mayor de lo que lo soy yo ahora. Pero los cincuenta años de aquella época pesaban bastante más que los cincuenta años de hoy.

Ella siempre será la abuela que todas queríamos tener. Me encantaba escucharla. Las historias que contaba eran maravillosas. Parecía tener un relato para cada momento. Eran cuentos que describían una forma de vida verdaderamente diferente, a pesar de que en realidad no hubieran pasado tantos años. Nunca olvidaré la historia del abrigo. Era la época de la posguerra y había poco dinero en casa. Las chicas en aquellos tiempos salían a pasear juntas. Caminaban del brazo, calle arriba y calle abajo. Se vestían lo mejor que podían, pero a María Dolores le faltaba un abrigo de su talla. El que tenía se le había quedado demasiado pequeño y estaba raído. Un día, se percató de que un guardia civil había dejado su capa verde sobre el pretil del paseo del puerto. Sin que se diera cuenta, se la robó. Y cosió un hermoso abrigo con aquella capa, a su gusto, un estrecho abrigo verde oliva. Nadie sospechaba que se trataba de una capa robada a un guardia civil, ni siquiera el propio guardia, que pensó que el viento habría arrojado la suya al mar. Y así, tu abuela paseaba con sus amigas, siempre abrazadas, con orgullo. Ella nos dijo que conquistó a su esposo de esa manera, gracias a aquel abrigo verde oliva.

Todos los domingos nos regalaba croquetas. Nos las daba antes de servirlas en la mesa, a escondidas. Solían estar muy calientes y ardían en nuestras manos de niña. Soplábamos para evitar que nos quemaran. Las croquetas eran nuestra recompensa por asistir a misa por la mañana. Al menos eso es lo que nos aseguraba ella. Cada domingo nos hacía la misma pregunta.

—¿Habéis ido a misa?
—Por supuesto, abuela.
—¿Y quién decía misa?
—Pues el de siempre.
—¿El vicario?
—Sí, ese mismo.

Nos tenía más que caladas, pero parecía no importarle. Nos seguía regalando croquetas a escondidas, a pesar de que nos delatara la arena de nuestro calzado. En lugar de ir a la iglesia, preferíamos acercarnos a la playa pequeña y pescar diminutos moluscos. Todavía hoy me asombro al recordar la manera en que organizábamos el tiempo durante nuestra niñez. Aún no había comenzado la revolución tecnológica. Era una vida lenta. Nosotras procurábamos llenar el tiempo de otra manera, moviéndonos de un lugar a otro, imaginando otros mundos. La solución al aburrimiento siempre estaba en los territorios limítrofes de la vida cotidiana, en formas y aspectos que eran invisibles a los ojos de los adultos o que no les interesaban.

De adolescentes, cuando empezamos a salir los sábados por la noche, usábamos como grito de guerra un dicho que aprendimos de tu abuela María Dolores, ¿te acuerdas? Era la historia de dos lamias. Una leyenda que contaban los ancianos del lugar. Una lamia vivía en la orilla norte del río y la otra, en el sur. Cuando veían a un joven que paseaba por ahí, se decían la una a la otra:

—*Lamina goikoa.*
    —*Zer dozu behekoa?*
    —*Egin ete leikixo gizon honi lakixo?*
    —*Bai, bere emazte onak ipini ez baleutso bozkotxako trapixo.*

—Lamia de arriba.
    —¿Qué quieres, lamia de abajo?
    —¿Qué te parece si le echamos el lazo a este joven?
    —Podríamos, si su mujer no le hubiera puesto un amuleto de artemisia.

No sabíamos muy bien qué significaban aquellas palabras, pero repetíamos el dicho cada vez que veíamos a alguien que nos interesaba. Tú eras la lamia de arriba y yo, la de abajo. O viceversa, no lo recuerdo bien. Éramos lamias, seres que viven fuera de la previsible vida cotidiana, seres peligrosos que podían llevar a su presa a la perdición o, por qué no, procurarle la mayor de las dichas.

Maider, sabes que fuiste clave para superar mi timidez. Con tu apoyo, crecí como persona. Me vendías muy bien entre las otras chicas. Contabas que tocaba el piano con delicadeza, que hablaba idiomas, que era brillante en mis estudios, que todo lo hacía bien, en definitiva. Así que nadie se atrevía a criticarme si tú estabas delante. Te enfrentabas a cualquiera con tal de defenderme. No sé muy bien por qué, pero no tenía una buena relación con el resto de las chicas de mi edad, pero contigo todo resultaba sencillo.

Los fines de semana íbamos al cine. Toda la chiquillería del pueblo, todos juntos, en el cine. Exactamente novecientos noventa y nueve niños, llenando las dos plantas del local. Éramos unos espectadores muy ruidosos. Aguantábamos poco rato sentados en nuestras butacas, chillábamos y nos poníamos de pie para animar al héroe de la película. Ambas teníamos la costumbre de sentarnos en los asientos del piso de arriba. Cuanto más alto, mejor. Allí, cerca de los orificios de la máquina de proyección, oíamos el tictac que hacía el celuloide al pasar por el proyector. La pantalla parecía estar cuesta abajo, muy lejos. La mirábamos como si estuviéramos en una montaña. Llegábamos a las puertas del cine mucho antes de la hora. Y esperábamos. Cuando se abrían las puertas, subíamos las escaleras corriendo, cientos de niños gritando, tratando de ocupar su lugar. Qué imagen aquella. Creo que veré esa escena en mi último día, cuando deje este mundo, niños subiendo las escaleras, felices, persiguiendo la magia de lo imaginado.

La película no importaba mucho. En su mayoría eran muy antiguas, de los años treinta, cuarenta o cincuenta. Daba igual. Íbamos al cine cada semana, sin faltar una sola, independientemente de lo que proyectaran. El cine hacía más corto el lluvioso invierno. Había películas que veíamos todos los años, temporadas de Chaplin, de romanos o wésterns. Como los juegos, las peonzas, las canicas o las gomas, las películas también tenían su temporada. Cada año, las mismas. Aunque, si había suerte, proyectaban novedades que, por supuesto, llegaban mucho más tarde que a las capitales. Recuerdo muy bien la emoción de ver *Annie*, *Ghostbusters* o *ET* en el cine del pueblo.

Mi madre nos observaba desde el balcón cuando íbamos al cine. Dos chicas caminando y charlando constantemente, deteniéndose aquí y allá en la acera si la conversación lo requería. Mi madre se preguntaba sobre qué estaríamos hablando con tanto entusiasmo, qué sería lo que llenaba nuestras mentes. Y así, doblábamos la esquina de la calle y desaparecíamos de su vista.

En nuestra inocencia de niñas, no nos percatábamos de muchas cosas. Nacimos en los setenta. En verano, nos bañábamos en agua sucia, en medio de las manchas de gasóleo que venían del puerto. Eso, en lugar de entristecernos, nos llenaba de felicidad. Lográbamos ver algo hermoso en una mancha de aceite, y gritábamos «Saltemos dentro del arcoíris», llenas de fascinación. Pero ese arcoíris, aunque brillante, era suciedad. No era un arcoíris real. La infancia misma, aunque queramos recordarla bellamente, tiene sus momentos difíciles, incomprensibles y violentos, momentos desagradables, como esa mancha de petróleo, e incluso momentos bastante peores y decisivos que una mancha. Por eso, lo que una vez sucedió en el pasado surge de nuevo de manera cruel en el futuro. Porque todas las cosas tienen memoria, y esa memoria vuelve a cobrar vida tarde o temprano, cuando menos te lo esperas. En Nueva York, por ejemplo, tan lejos de donde ocurrió todo.

Este es nuestro segundo año en Nueva York. El primer año de la beca de Uri pasó rápido. Uri, sí. Es curioso: decidiste llamar a Kirmen de esa forma cuando empezamos a salir. Su nombre no te gustaba, decías que era un nombre demasiado serio para él, que no encajaba con su carácter. Y así decidiste recortar su apellido y llamarlo Uri, que en euskera quiere decir «ciudad».

Como te decía, el año en la biblioteca pasó rápidamente. Toda la seguridad que nos daba la beca se desvaneció. Atrás quedaron los días en que me citaba con Uri bajo la estatua de Gertrude Stein en el Bryant Park. Aquel segundo año comenzamos a saber lo que significa realmente vivir en Nueva York, dándonos cuenta de la verdadera medida de la ciudad. ¿Sabes lo que dijo la propia Gertrude Stein? Que la vida ha de vivirse en dos lugares. El primero es el sitio donde naces, donde pasas tu infancia, donde creces protegida. Y el segundo es donde te conviertes en ti misma. Así que debes dejar tu tierra natal, romper lazos con ella, para aprender a ser libre, ser tú misma. Es lo que dice Stein, en la autobiografía que escribió para su eterna amiga, Alice B. Toklas.

Durante el primer semestre de este curso, Uri ha estado en Columbia impartiendo un seminario sobre Literatura mundial del siglo xxi. Era profesor en el Barnard College. ¿Lo conoces? Allí le marcaron reglas muy específicas sobre cómo dar clases. No podía tomar el ascensor con una estudiante. Le recomendaron que la puerta del aula estuviera siempre abierta, especialmente si tenía que hablar con alguien en la oficina. Estas reglas son para prevenir agresiones sexuales y para que, en definitiva, tanto la estudiante como el profesor se sientan cómodos.

Yo también conseguí un trabajo, pero no de lo mío. Doy clases de español por Zoom. Envío currículums constantemente, decenas de solicitudes a la semana, y siempre la misma respuesta... cuando contestan. Dicen que es complicado conseguir un puesto de trabajo a menos que conozcas a alguien dentro de la empresa. Lo de las clases no es un gran trabajo, pero con el dinero que gano y con lo que la universidad paga a Uri, conseguimos, no sin esfuerzo, llegar a fin de mes.

Uri me promete que cuando se publique en inglés su libro de poemas en Estados Unidos andaremos mejor de dinero. Y que luego vendrá la novela, y la siguiente, y la siguiente. Sin embargo, llevamos sin noticias del editor estadounidense bastante tiempo y estoy empezando a ponerme nerviosa. La pandemia tampoco ayuda. Uri vive siempre en el futuro. Dice que nos va a suceder algo bueno pronto, de eso está muy seguro. Pero a mí esta incertidumbre me mata. Yo necesito un asidero. No puedo vivir pensando que algún día sucederá un milagro. Necesito certeza, para mí y para mis hijos.

A principios de marzo estuvimos con Rebecca Rochkin y Marcos Grijalba. Aquella fue la última vez que quedábamos con amigos. Uri les había enviado los primeros veinte capítulos de su nueva novela para que los leyeran y le dieran su opinión. Fueron los primeros lectores, aparte de mí. Nos esperaban en el Tom's Diner, en Broadway Avenue con la calle 112, cerca de la catedral. El lugar es conocido porque Suzanne Vega escribió allí la famosa canción *Tom's Diner*. Te-te-tee-re, te-te-tee-re..., seguro que la conoces, Maider. Bueno, la cosa es que desayunamos allí. Los niños comieron panqueques. Y nosotros, mientras tanto, hablamos de la nueva novela. Lo primero que nos comentó Rebecca es que le había recordado a la película *Rouge* de Kieślowski, cómo vidas de personas que no tienen nada que ver entre sí finalmente, de alguna manera, se conectan y se fusionan.

Después de las buenas palabras llegaron las críticas.

—Creo que tendrían que pasar más cosas. No sé, sucesos de la vida cotidiana. Quiero detalles, más detalles —dijo Marcos con seriedad.

—Por ejemplo —añadió Rebecca—, cuando mencionas la tienda de ultramarinos Zabar's, podrías contar que supervivientes de los campos de exterminio nazis realizan allí sus compras. Imagínate una mujer adulta que extiende la mano para pedirle algo al charcutero y se le ve debajo de la manga el número de prisionera tatuado en el brazo.

Uri lo apuntaba todo, sonriendo, pero con un gesto de nerviosismo, de inquietud. Conozco bien ese gesto.

Fue allí, desayunando en el Tom's Diner, la primera vez que temí que Uri pudiera abandonar el libro sin acabarlo.

Esa noche, después de que los niños se durmieran, le pregunté si le apetecía que viéramos juntos en la cama la película de Kieślowski. «Yo ya la tengo vista, pero bueno», respondió, sin mucha emoción. Me dio rabia su respuesta. No puedo soportarlo cuando se pone de esa manera. Lo sabe todo, lo ha visto todo. Sin embargo, al cabo de un rato, nos acostamos y pusimos la película en el ordenador.

Rouge es una película sobre una joven modelo y un viejo juez. La joven salva a un perro de un accidente. Lo cuida en casa y lo saca a pasear. Inesperadamente, el perro huye. La chica va tras él. Se da cuenta de que el perro se dirige a la casa de su antiguo dueño. El amo del perro es un juez retirado. «Si quieres, quédate con el perro», le dice a la joven. «¿No lo quieres?», le pregunta ella incrédula. «Yo no quiero nada», le responde él. «Pues deja de respirar», le replica la modelo. «No es mala idea», dice el juez. ¡Qué conversación! Aquel hombre me daba muy mala espina. Me aterrorizaba. Pensaba que le haría mal a la chica y estuve a punto de apagar la pantalla. Pero aguanté. A medida que avanzaba la película, sin embargo, me di cuenta de que me había dejado engañar por la apariencia. Kieślowski es un maestro a la hora de llevar al espectador por donde quiere. Aquel señor era un buen hombre. Hacia el final, le cuenta a la joven que la ha visto en un sueño. Y que en el sueño era feliz, ya con cincuenta años, y junto a un novio que aún no conoce.

Para entonces, Uri ya se había dormido.

Siempre he sido bienvenida en tu casa. Me hacíais sentir como una más, como otra hermana. Me encantaba tu familia. Era genial. Tenías abuelos, abuelas, tíos, tías... y cientos de primos. Erais tres hermanos, y tú, la menor. Mi familia era muy diferente. Yo solo tenía una hermanita, un bebé, y, lo peor de todo, no tenía primos. Era injusto. Porque en tu familia erais una multitud y, además, me parecía que todos y cada uno de tus familiares tenían un encanto especial, un aire rebelde que los hacía irrepetibles.

Tu hermano mayor, Joseba, era nuestro principal confidente. Conocía todos nuestros secretos. Era guapo y delgado. Recuerdo que llevaba una chaqueta de cuero, una camiseta blanca y vaqueros. Melena larga y oscura, y siempre sonreía. Una vez, nos pidió que fuéramos a su habitación en silencio. Cerró la puerta y sacó una guitarra eléctrica de debajo de la cama. Una Gibson negra. No lo podía creer. Nos dejó tocarla. Nunca había tenido una guitarra así en mis manos. No puedo olvidar el sonido que hacían sus cuerdas, era un sonido parecido al de las estalactitas, sin amplificador. Tocar la Gibson era como entrar en un mundo prohibido, el de los rockeros, el de aquellos jóvenes desgarbados que vivían al día, libres, a su manera. No sé de dónde sacaría tu hermano aquella Gibson. Fue la única vez que la vimos. Supongo que luego la vendió, y así desapareció la Gibson, y su brillo.

Practicábamos la ley de la calle durante nuestra adolescencia. Nada nos gustaba más que la calle. Era la realidad a la que queríamos pertenecer, quizá la única realidad que nos importaba. Muy pronto empezamos a beber. Antes que el resto de los chavales de nuestra edad. Bebíamos en los bajos de la casa azul, ¿dónde si no? El caso es que la casa no tenía alcantarillado y el agua sucia de los baños de los pisos superiores caía directamente donde estábamos. Si no eras cuidadosa, la suciedad te podía caer encima. Afortunadamente, teníamos localizados los puntos exactos donde caía la mierda. Por supuesto, apestaba.

Olores, siempre los olores. Ya sabes que soy muy sensible a ellos. Por ejemplo, el olor a pescado y sal que acompañaba a las mujeres de la conservera al entrar en el bar que frecuentábamos durante el bachillerato. Al principio era insoportable, aunque tras unos minutos el olfato se hacía al ambiente y ya no olía. El olor de la zapatería de Serapio, que estaba en la subida a la iglesia. Remendaba zapatos en una diminuta tienda dentro de un pequeño portal. Cuando era niña, me encantaba el olor a cuero curtido. El olor del gasóleo del puerto, del algodón de las redes y de las podridas escamas. El olor de las amigas que venían de la escuela a visitarme a casa cuando estaba enferma. El olor a pan recién horneado, el olor de los insectos, de los pequeños mamíferos, el olor a tabaco y hierba. El sudor de los árboles y las personas. Y el olor del placer y el olor de la vida, cuando di a luz a Ane y a Unai.

Y, por supuesto, el olor del alcohol. El olor de las bodegas que guardaban el vino en odres. El olor a vinagre de vino.

La bebida se la robábamos a los chicos que eran un poco mayores que nosotras. Ellos también la robaban. En la playa había un chiringuito con un almacén con techo de fibra. No era difícil perforar aquella tejavana. Los muchachos se subían sobre ella, agujereaban la uralita y entraban en el local. Así robaban las botellas. Posteriormente, enterraban el botín en la playa. Dibujaban un mapa, contando los pasos y marcando con una X el lugar exacto en el que guardaban el tesoro. Tú y yo solíamos estar al acecho y como buenas corsarias sacábamos el tesoro de la arena, sin necesidad de ningún mapa.

De allí íbamos a la casa azul. En una ocasión, una mano firme me agarró por sorpresa por la espalda e intentó arrebatarme el licor. Era uno de los chicos. «Deja a Nora en paz», le amenazaste, situándote entre él y yo. No se atrevió a enfrentarse. «Está bien, porque eres la hermana de Joseba. De lo contrario, te daba una paliza. Puedes quedarte con esa botella, tenemos más», dijo, y nos dejó en paz.

Nos ventilamos la botella y la dejamos vacía. Pusimos la casete y cantamos y bailamos. Y la marea fue subiendo, tanto en la ría como en nuestras cabezas.

El viernes 13 de marzo prohibieron todos los vuelos desde Europa. Era una situación inusual, y si el Atlántico es ya enorme de por sí, de repente se hizo mucho más grande, infranqueable. Cuando comienza una guerra vuelan todos los puentes, y a mí me pareció que era un momento histórico similar, el inicio de una guerra diferente, frente a un enemigo invisible.

Ese mismo sábado, el gobernador ordenó el cierre de bares y restaurantes. El domingo por la noche nos informaron de que las clases de los niños serían no presenciales. La Universidad de Columbia y la Universidad de Nueva York ya habían enviado a sus estudiantes de regreso a casa una semana antes.

Casualmente, el grupo de rock Belako se hallaba de gira y participaba en un festival de rock alternativo ese mismo fin de semana en Nueva York. Días antes, Lore, la bajista de la banda, nos escribió diciendo que tenía invitaciones para que fuéramos a la sala de conciertos Piano's. Por supuesto que iremos, le confirmamos, y nos pusimos a escuchar sus canciones en casa, ajenos a lo que se nos venía encima. O queriendo obviarlo. Los niños ya tarareaban las letras.

Hemen nago kometa keinuen zai.
Amets txarrak ez dekie argirik.
Negarra joan jat ama.
Gogoa joan da aita.
Galdua izan nintzana.
Eurie beti...

Espero los gestos del cometa.
Las pesadillas no tienen luz.
Se me fue el llanto, ama.
Se me fueron las ganas, aita.
Se ha perdido lo que fui.
Llueve siempre...

Recuerdo nuestra infancia con una lluvia eterna. Siempre llovía. ¿Te acuerdas cómo caía el agua del caño de la iglesia? Pasábamos por debajo con un paraguas. Una vez, dos veces. La tercera, sin paraguas. Volvíamos a casa empapadas, pero felices.

Al final, no hubo concierto de Belako. Fue una pena. Tuvieron que volver al País Vasco, de prisa y corriendo. De hecho, el Ministerio de Asuntos Exteriores había emitido una recomendación para que todo aquel que no fuera residente en Estados

Unidos volviera cuanto antes a su país. También nosotros recibimos el aviso. Era la última oportunidad para poder regresar a casa. No habría más vuelos. Las fronteras permanecerían cerradas durante mucho tiempo. Dudamos. Nuestro seguro médico no era muy bueno y en el País Vasco estaríamos cerca de la familia. Pero volver entonces suponía echar por tierra el trabajo que habíamos realizado durante estos dos años. Todo en vano. Después de muchas vueltas, sopesando los pros y los contras, decidimos pasar la pandemia en Nueva York. Nos quedaríamos aquí con los niños. Pasaríamos la tormenta los cuatro juntos.

Nos metimos en casa y dimos comienzo a un estilo de vida diferente. Las clases eran virtuales, al igual que nuestro trabajo. Cada uno de los dos ayudaba a un hijo. Por la tarde, nos dedicábamos a lo nuestro y, después del trabajo, empezamos a jugar a las cartas. Ane y Unai nunca habían jugado a los naipes.

—¿Jugamos al Apestado? —pregunté.

Unai se echó a reír.

—¿Qué es eso del Apestado?

—Es así como se llama el juego. El Apestado es el as de oros. Cueste lo que cueste, tienes que pasar esa carta a otra persona. Cualquiera que se quede con ella perderá su mano. También se le llama la Pobre jota.

—Yo prefiero el Apestado —dijo Unai sonriente.

Ane y Unai estaban fascinados, también nerviosos, porque no querían quedarse con el as de oros.

Era muy gratificante jugar a las cartas los cuatro juntos, ver la cara de alegría de los niños, cómo se reían. Curioso el embrujo de las cartas en tiempos de videojuegos.

No sé si fue por la conversación con Rebecca y Marcos en el Tom's o porque el confinamiento en casa modificó sus prioridades, la cuestión es que Uri dejó de escribir. Con anterioridad, ya ha tenido momentos así. Épocas muy creativas, en las que no para de darle a la tecla. Y otras en que ni siquiera abre un documento. Escribe cuando quiere. Dice que tiene que estar bien para escribir, que, de lo contrario, no puede crear. «Escribir es un placer, pero también un sufrimiento», me suele recordar.

La verdad es que empecé a echar de menos las andanzas de Rosika y Edith. Me gustaba escuchar a Uri cuando le preguntaba por la novela al regresar de la biblioteca. Me gustaba que, después de pasarse todo el día entre cajas y archivos, compartiera conmigo sus avances.

—¿Ya no me vas a contar más historias sobre Rosika o qué?

—No lo sé, cariño —me respondió con tono grave—. Ahora tengo la cabeza en otra parte.

Cuando Uri está en plan autista, lo mejor es darle su espacio y confiar en que se le pase pronto. Le dejo en su mundo y me concentro en los hijos.

Unai se pasaba horas enteras en su mágico laboratorio. En realidad, el espacio que Unai llama «laboratorio» es un antiguo vestidor dentro de nuestro dormitorio. Tendrá un metro y medio de ancho y unos tres metros de largo. Cuando vio el lugar, Unai pensó que él, siendo el más joven de la familia, dormiría allí.

—No, no, esto no es una habitación —le expliqué—, sino un viejo vestidor.

—¿Vestidor? —respondió asombrado—. ¿Y eso qué es? Bueno, da igual. Si no puede ser mi habitación, será mi laboratorio.

Y de esa manera, vació todo lo que había allí y creó su propio estudio mágico, un mundo imaginario creado en un vestidor.

Allí puso luces de colores, un proyector para ver las estrellas en el techo, una caja de cartón que se suponía que era un portátil, fotos de Ondarroa de cuando eran más pequeños...

—Ama, he inventado una nueva marca de autos llamada UB.

—¿UB?

—Así es, Unai Brillante. He hecho un dibujo del prototipo.

Me mostró un coche dibujado con ceras.

—Mi coche no contamina. No funciona con gasolina.

—Así que es eléctrico.

—Sí, pero especial. UB es una compañía única en el mundo.

—Entonces dime por qué es tan especial.

—En la escuela aprendimos que las plantas hacen fotosíntesis. Absorben carbono y producen oxígeno.

—Sí, ¿y?

—Bueno, los coches de UB se moverán por la fotosíntesis y arrojarán oxígeno por el tubo de escape.

Me quedé mirando con asombro el dibujo de Unai. Le di la vuelta a la página y me di cuenta de que era una fotocopia de un viejo texto mecanografiado. Era una página suelta de algo escrito por Edith Wynner.

—Pero ¿dónde has dibujado el auto, Unai?

—Son los papeles de aita. Están todos dentro de una caja. Le pregunté si podía reciclarlos y me dijo que sí, que no había problema.

—No se daría cuenta de lo que te decía. Seguro que tenía la cabeza en otra parte.

Allí mismo, sentada en el suelo, comencé a registrar la caja que había dicho Unai. Eran notas suyas y fotocopias hechas en la biblioteca. Empecé a leer un folio que me llamó la atención. Parecía un capítulo desechado de la novela de Uri.

Te lo transcribo aquí.

SOBRE EL BARCO DE LA PAZ

A pesar de que el ánimo de los expedicionarios era magnífico al inicio de la aventura emprendida por el Barco de la Paz, la armonía del principio del viaje se resquebrajó pronto, sin que importara el optimismo con el que el propio Ford se había manifestado antes de que zarpara el Oscar II, cuando llegó a proclamar que pondría en marcha una nueva expedición si fracasaba la primera. La razón de este imprevisto desmoronamiento general se debió a unas desalentadoras afirmaciones que el presidente Wilson hizo cuando el barco ya surcaba el Atlántico y que cayeron en la tripulación no como un simple jarro, sino como una verdadera tormenta de agua fría. A criterio del presidente de Estados Unidos de América, era necesario el fortalecimiento del ejército del país y la inversión en armamento militar para garantizar en un futuro próximo la paz mundial.

Fue tal el enojo con que Ford recibió la noticia que se apresuró a emitir una declaración formal de protesta, sin imaginarse que algunos compañeros de viaje evitarían firmarla por temor a futuras represalias y posibles enemistades con el entorno presidencial. La cizaña había germinado de repente en un grupo hasta entonces cohesionado y la convivencia se resintió sin remedio. En medio de ese giro adverso de los acontecimientos, Rosika Schwimmer y su inseparable Lola Maverick Lloyd mostraron todo su apoyo a Ford, quien agradeció su lealtad. No obstante, la figura de Rosika despertaba ciertas reticencias y, lejos de suscitar unanimidad, provocaba que la insidia se extendiera como la mala hierba entre los desconfiados. Lo cierto es que Rosika no era una persona que destacara por su amabilidad ni por su trato afable, más bien al contrario, parecía siempre ocupada con algún asunto de mayor trascendencia, de tal manera que daba la impresión de sentirse importunada por tonterías. El joven pacifista estadounidense Lochner dejó escrito que Rosika era una mujer que trabajaba con eficacia y esmero y a un ritmo frenético, que además hablaba de manera excelente inglés, francés y alemán, pero que no lograba llevarse bien con los estadounidenses, como si el carácter americano chocara con el suyo de manera irremediable.

Para colmo de males, Ford enfermó gravemente de forma repentina, y la convalecencia se prolongó más días de la cuenta y agotó todas sus reservas de optimismo, de tal manera que se retiró a sus aposentos y anunció que regresaría a Europa en cuanto le fuera posible, nada más pisar tierra firme.

Llegados a este punto, Rosika tomó las riendas de la expedición en unas circunstancias adversas que presagiaban un progresivo declive, y a pesar de que ella pedía confianza remitiéndose a los documentos firmados por los gobiernos beligerantes en los que se comprometían a una negociación que pusiera fin a la guerra, nadie la creía, tampoco los periodistas, entre otros motivos porque guardaba los supuestos documentos bajo siete llaves en su célebre bolso negro, argumentando que la discreción era fundamental para que avanzara el proceso de paz.

Así las cosas, Rosika depositó toda su esperanza en el recibimiento que Europa procuraría al Barco de la Paz, y elevó las expectativas de una calurosa bienvenida por parte del primer país europeo que los acogiera, llegando a vaticinar en público un baño de masas en Noruega. Nada más lejos de la realidad. El Oscar II arribó al puerto de Oslo el 18 de diciembre en medio de una helada insoportable, sin autoridad competente alguna aguardándolos y con cuatro gatos en los muelles ateridos de frío. Poco después, sí ofrecieron una recepción a la comitiva en la Universidad de Christiania, pero los asistentes se mostraron disgustados por la presencia de Rosika en vez de Ford, a quien realmente deseaban ver. Los periódicos noruegos dieron buena cuenta del desastre y solo dos de ellos se mostraron algo indulgentes. Tal era el desánimo que un buen número de expedicionarios, la mayoría periodistas y jóvenes desalentados, abandonaron la aventura y decidieron regresar a América.

Cuando parecía que no quedaba ni un rescoldo para la esperanza, no obstante, y de la forma más inesperada imaginable, Suecia recibió al Barco de la Paz como Rosika había soñado que lo hiciera Noruega. Y después de Suecia, Dinamarca, y después de Dinamarca, Holanda, y de la nada surgió un movimiento internacional de apoyo al proyecto que favoreció que la Conferencia de Paz se celebrara con éxito en Estocolmo en febrero de 1916. Los países participantes, neutrales la mayoría de ellos, suscribieron una carta oficial que hacía un llamamiento a la paz y urgía a una tregua que diera paso a un nuevo orden internacional asentado sobre un desarme total y sobre la construcción de pilares esenciales, una organización global con soberanía parlamentaria que integrara a todas las naciones del mundo.

La Conferencia de Paz demostró la veracidad de los documentos que Rosika había resguardado en su bolso, y cuando el emperador Guillermo II mostró su disposición al diálogo, lamentablemente ya era tarde, y los aliados se negaron a firmar un armisticio, así que la guerra cruel sembró destrucción y muerte hasta el 6 de abril de 1917, cuando Wilson decidió desequilibrar la balanza de manera definitiva gracias a la entrada de Estados Unidos en el conflicto por parte del bando aliado.

Al final del folio, escrito de su puño y letra y entre exclamaciones, Uri había añadido la siguiente nota:

«¡Rosika no logró detener la guerra, pero los cimientos de las Naciones Unidas estaban ahí!».

En la caja también hallé un sobre grande de color marrón que no me pude resistir a abrir, titulado «Artefactos». Dentro de él encontré algunas fotos acompañadas cada una por un post-it y la siguiente explicación:

«Cuando Estados Unidos entró en guerra, todo lo que Rosika Schwimmer dejó en el hotel McAlpin fue expropiado y más tarde vendido, tras ser catalogado como *Propiedad del enemigo exterior*.

»Años después, Rosika fue recuperando objetos que había dejado en el hotel, como libros, las llaves o una cámara de fotos».

La primera foto es de las llaves del hotel McAlpin.

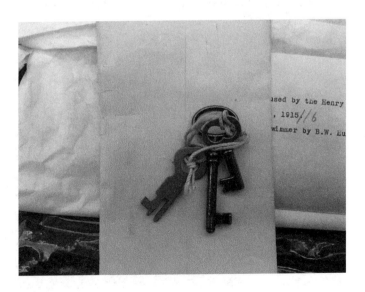

La segunda foto, una cámara Kodak de 1915.

La tercera foto es la que más ilusión me hizo. El famoso bolso negro de Rosika Schwimmer.

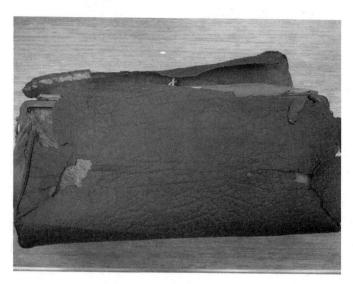

Seguro que Uri, antes de hacer la foto, miró si los papeles de Rosika estaban aún dentro. Y se lo encontró vacío, por descontado.

Mientras estaba mirando las fotos de Uri, Unai me tocó la espalda y me preguntó qué estaba mirando.

—Unas fotos preciosas, tomadas por tu padre.

—¿Fotos de aita? ¿Y no salimos en ellas?

Llamaron a la puerta del pequeño laboratorio.

—¿Quién es? —preguntó Unai.

—El Apestado —dijo Uri—. Venid, la cena está servida.

Eras muy guapa, Maider. Alta, morena, femenina, tus vívidos ojos color mandarina enamoraban a cualquiera. Siempre tuviste muchos amantes. No te costaba nada. A mí, sí. Yo prefería las relaciones largas. Las mismas que a ti te daban alergia.

Cuando comenzamos a interesarnos por el sexo, todo eran miedos y culpas. En nuestra sociedad aún pesaba la fuerte tradición católica y la sombra del pecado. No se hablaba de sexo. Circulaban leyendas y habladurías, sin olvidarnos del miedo al dolor, el miedo a que te hicieran daño. La información sobre el sexo tampoco era accesible. En casa no se hablaba de ello. En la escuela, de pasada y desde un punto de vista biológico, sin mencionar para nada el placer. Por desgracia, nadie nos enseñó a disfrutar del sexo con naturalidad.

Curiosamente, la generación de nuestros padres fue la primera en romper ciertos tabúes. Para la generación de nuestros abuelos, el sexo era un terreno prohibido al que solo debían acceder dentro del matrimonio y con fines reproductivos. Pero nuestros padres sí vivieron cierta apertura. Incluso acuñaron la expresión *sexo libre*, ¿recuerdas?, y propiciaron la incorporación social de gais y lesbianas. Nuestros hermanos mayores conocieron la estética *glam*.

Pero casi todos seguían siendo conservadores por dentro. Aún faltaba el cambio interior, el verdadero paso adelante. No importaba que fueran de izquierdas o progresistas. En el fondo, les costaba aceptar que sus hijos se enamoraran de chicos y sus hijas, de chicas. Y tampoco nos contaron nada sobre los placeres del sexo, ni la manera de evitar enfermedades, ni qué hacer si una de nosotras se quedaba embarazada. Nadie hablaba de ello en casa, solo en la calle. Y en la calle, como sabes, circulaban demasiadas leyendas urbanas.

La educación sexual de una niña era de color de rosa, como las películas que veíamos en el cine. No tenía nada de real. Que te gustaran los chicos era una obligación social, unos chicos, además, con un rol muy masculino. Incluso la contracultura, el mundo del rock, transmitía esa masculinidad tóxica. Los grupos musicales eran solo de hombres, y mostraban posturas muy agresivas. Posaban chulescos, desafiantes, una irreverencia muy de macho, ajena a nuestra propia rebeldía. Una actitud distante y fría.

Las parejas de adolescentes solían quedar en la

playa, en el paseo marítimo o en una antigua atalaya con un cañón oxidado, frente al mar. El paseo marítimo era un buen lugar para contemplar la puesta de sol, pero lo mejor ocurría una vez oscurecido el cielo. El momento perfecto para besarse. Tirábamos piedras a las farolas para asegurarnos de que la penumbra fuera completa. La primera vez que quedé con un chaval no sabía ni para qué quedaba. Me contó que quería invitarme a tomar algo. «Está bien», le dije, sin darle más importancia. Salimos a caminar por el malecón de la playa y nos sentamos. De repente, quiso besarme. ¿Cómo? Salí corriendo de allí. Nunca más quedé con él. Qué inocentes éramos.

Hasta cumplir los veinte o más, las relaciones solían ser superficiales. A veces quedabas con algún chico solo para no sentirte excluida. El resto de las amigas se echaban novio y una no quería quedarse sola. Ni se te pasaba por la cabeza tener novia. Impensable. Aceptabas salir con alguien sin estar muy convencida. Quedabas con chicos que apenas conocías, chicos con los que nunca habías hablado antes. Eran tratos entre adolescentes. Y no podías decir que no. O sí.

Recuerdo el día en el que fui a Mutriku a un concierto de rock con una amiga de la cuadrilla. Allí nos juntamos con un grupo de chavales de nuestro pueblo. Ella estaba saliendo con uno de estos chicos, y una vez que terminó el concierto, su novio y un amigo suyo nos hicieron sitio en su coche. Mientras conducían, propusieron parar en el camino para cenar. Yo no quería, pero nadie me preguntó. Tuve que conformarme, ya que no tenía otra forma de volver a casa. Cenar con una pareja de novios y un desconocido me resultó muy incómodo. Sentía la mirada de la gente y me daba cuenta de que chismorreaban sobre nosotras. Mi tensión se debió de palpar en el ambiente, porque recuerdo que ella me reprochó que me estuviera comportando de una manera muy egoísta. Después de todo, aquel chico me había invitado a cenar. «A mí nadie me ha preguntado si me apetecía», le contesté, y, nada más llegar a nuestro destino, me marché.

En nuestra juventud, decirle no a un hombre resultaba violento. Creaba tensión, suscitaba preguntas, causaba un sentimiento de culpa. No podían entender que, simplemente, no te apeteciera. Por el contrario, si decías que sí, se acababa el problema. Por eso, a menudo, se decía que sí, para evitar conflictos. Por supuesto, con el paso del tiempo tuve relaciones sanas y me lo pasé bien. Pero esos primeros años no fueron los más fáciles. Diría que incluso hoy, un no a un hombre sigue generando tensión.

Hablamos de este tema en una de mis clases de español. Mantengo conversaciones con mis estudiantes a través de Zoom, y siempre surgen debates interesantes. Tengo una relación especial con una de mis estudiantes, Isabelle. Es de origen francés, estudió Filosofía en la Sorbona y disfruto hablando con ella. Pues bien, cuando le hablé de estas relaciones de la adolescencia, me mencionó un artículo publicado en *The New York Times* escrito por la pensadora Amia Srinivasan.

Srinivasan es profesora de Filosofía en Oxford. Mantiene que a partir de la década de 1970, entre los progresistas se extendió la idea de la positividad sexual. Una idea que postula que está bien tener relaciones con quien quieras, y cuantas más, mejor. Nosotras, como mujeres, teníamos que buscar el placer sexual, no ser cohibidas, dar la espalda al tiempo de la negación y de la prohibición.

El hecho es que ahora nos damos cuenta de que ese llamamiento a la libertad fue un gran chollo para los hombres. Se aprovechaban de que el rechazo estaba mal visto y forzaban las relaciones. Una vez más, ellos eran el centro. Además, el lado emocional se dejó de lado. Todo era muy físico, cuestión de números. Creo que por eso muchas jóvenes de hoy no quieren relaciones sin afecto.

Siempre lo mismo, Maider. A las mujeres se nos dice lo que nos conviene, pero nunca nos preguntan.

Mientras Isabelle me contaba estas cosas, recordé algo que me dijiste una vez. Una noche un chico te abrazó por la espalda mientras dormíais en la cama después de tener sexo, y en el instante del contacto te quedaste sorprendida. El gesto te conmovió, sin poder interpretarlo bien. ¿Afecto? ¿Ternura? ¿Cariño? ¿Enamoramiento? ¿Amor?

Algo que habitualmente brillaba por su ausencia, en cualquier caso.

Liarse con alguien al final de la noche podía suceder, pero mientras tanto, era nuestro momento, Maider. No nos hacía falta nadie más. No creo que nadie más me haya hecho reír tanto. Siempre has seguido muy bien mi humor. Algunos no lo entendían y se lo tomaban a mal. Creían que estaba siendo demasiado seria, cortante o que les tomaba el pelo. Era como si hablara otro idioma. Por el contrario, contigo siempre ha sido fácil entenderse. Es el humor que hemos cultivado desde la infancia, un tipo de humor surrealista. Y desde la primera frase, contigo, surgió esa complicidad.

Solíamos imaginar escenas, situaciones. Cuando te propuse que visualizaras un posible matrimonio entre Uri y yo, fantaseaste con una boda estrafalaria, nada típica. Me sugeriste organizar algo parecido a una caravana de circo. Yo sería trapecista y Uri se disfrazaría de foca, ni más ni menos. Y tú, por supuesto, serías la maestra de ceremonias, la jefa de pista, con todos los focos sobre ti. La mayoría de las veces, las fantasías son más hermosas imaginadas que convertidas en realidad. Y tú eras prodigiosa en eso, recreando maravillosos mundos imaginarios.

Siempre me preguntabas cómo me sabía las letras de las canciones en inglés. En una época en que no había internet, claro. En casa leía, traducía y me aprendía de memoria las letras que venían en los discos de vinilo. Quería saber qué decían las letras, no quería cantar en alto canciones que dijeran tonterías o que fuesen denigrantes para las mujeres. Había demasiadas canciones machistas.

Nos gustaba cantar gritando *Estatuari gerra* de Hertzainak. ¡Oh! Ahora me acuerdo. Una de nuestras favoritas era *Heroes* de David Bowie. Cómo la cantábamos cogidas por el cuello y con los brazos abiertos. Me sabía muy bien la letra, aquella historia de dos jóvenes pacifistas que querían cruzar el Muro de Berlín.

Y cantábamos:

Yo,
yo desearía que pudieras nadar,
como los delfines,
como los delfines pueden nadar.

Y cantábamos:

Yo,
yo seré rey.
Y tú,
tú serás reina.
Aunque nada los ahuyentará,
podemos ser héroes,
solo por un día.
We can be heroes, just for one day.

Y gritábamos:

Y la vergüenza estaba en el otro lado.
Oh, podemos vencerlos para siempre.
Entonces, podremos ser héroes.
Un día nada más.
Just for one day.

La vergüenza estaba en el otro lado: los que nos tocaban el culo, los que no nos daban las mismas oportunidades en el trabajo por ser mujeres, los que no te aceptaban como eras.

Pero, al menos durante unas horas, Maider, éramos héroes. En aquellos momentos, las dos juntas, éramos libres.

Nuestros héroes, cuando éramos adolescentes, eran los jóvenes mayores que nosotros. A mediados de los ochenta, la actividad pesquera vivió una época dorada. Las familias de pescadores aumentaron su poder adquisitivo. La gente salía mucho, quería divertirse. Se decía que Ondarroa era la localidad que más cava consumía por habitante de Vizcaya. Al mismo tiempo, los jóvenes se familiarizaron con el mundo anglosajón, la música pop y la contracultura. Y también aparecieron las drogas duras. Piensa en el gran salto sociocultural que todo ello suponía con respecto a la generación de nuestros abuelos. La mayor parte de sus vidas había transcurrido bajo la sombra del catolicismo, la misa diaria, los confesionarios, las vigilias, las fiestas de guardar. No sabían qué era la música pop, la contracultura, los paraísos artificiales. Trabajar, ir a la iglesia y tener hijos. No había nada más. Hubo un tremendo salto de una generación a la siguiente.

En aquellos años vimos a conocidos volverse pálidos y adelgazar. A la hija del pescadero del barrio, por ejemplo. Llevaba pantalones de cuero, botas altas, y aunque estaba muy enferma, siempre nos saludaba a los niños en el portal y nos daba un beso, con los labios pintados de rojo.

—¡Ten cuidado! —me gritaste una vez.

No me di cuenta de que había una jeringuilla justo donde me disponía a sentarme. Cada vez aparecían más jeringas tiradas en nuestro refugio de la casa azul.

Fue tu hermano, una vez más, quien nos habló con mayor claridad acerca de las drogas. Los padres no acertaban a aconsejarnos porque no sabían de la misa la media. Pero la generación de tu hermano sí que había aprendido de lo que iba la fiesta. A marchas forzadas. Porque ellos mismos estaban disfrutando y sufriendo de lo lindo. Ambas cosas, aunque terminaran por ser incompatibles. Por culpa de la heroína y el sida se perdió toda una generación que soñaba con un mundo diferente, más libre. Anhelaban exprimir la vida, hasta que se les cruzaron la enfermedad y la muerte. Esa batalla también la libraron las madres, mujeres que, a pesar de su desconocimiento sobre el poder de la heroína, luchaban por salvar a sus hijos, por devolverlos a la vida.

Joseba nos hizo una advertencia: «Tenéis que prometerme una cosa. Ni os acerquéis al caballo. Sé que lo prohibido es tentador, pero hacedme caso. Nunca lo probéis. Probarlo te condena. Vais a oír eso de que os hace libres, que es un puro orgasmo. Y la verdad es que las drogas son buenas cuando son buenas. Pero no te liberan. Te llevan al agujero».

Sabía bien de qué hablaba.

Una mañana llamaron a tu casa. Viste cómo le temblaban las piernas a tu madre, cómo se le caía el teléfono de las manos, cómo se cubría la cara y rompía a llorar.

Corriste hacia ella, la abrazaste y llorasteis las dos. Le decías una y otra vez: «Dime que no es verdad, dime que no es verdad».

Joseba murió por sobredosis. Lo encontraron al amanecer, en la playa. Solo. Quizá si se hubiera pinchado junto a otra persona, aún estaría vivo. Alguien habría podido pedir ayuda y una ambulancia podría haber acudido a reanimarlo. Pero estaba solo y murió en la más absoluta soledad.

Mientras tu hermano se moría, tu padre faenaba en la mar.

La ciudad estaba desierta a principios de abril. Era una ciudad fantasma. Todo el que tenía una casa en las afueras, o en el campo, huyó. Primero, desaparecieron los turistas. Luego, los estudiantes. Y después, los ricos. Parece que solo nos habíamos quedado en Nueva York los trabajadores esenciales, los pobres y los necesitados. Y también los enfermos.

Uri tuvo que acercarse a la universidad a recoger sus cosas. Fue en bicicleta. Regresó aterrorizado. No se había cruzado con nadie. Pedaleaba por las calles como si fuera un superviviente tras el estallido de una bomba nuclear. Me contaba que podía oír su propia respiración, únicamente interrumpida por las sirenas de las ambulancias. Reinaba un silencio terrible. ¿Qué había sido de la ciudad que nunca dormía? Ni coches ni motos ni taxis amarillos ni autobuses ni camiones de bomberos. Pero la mayor sensación de desamparo la causaba la ausencia de peatones. Tanto silencio bajo los rascacielos resultaba desolador. Silencio y más silencio. Silencio de muerte, del que nos salvaban los aplausos de las siete de la tarde.

Nuestro edificio también se quedó medio vacío. Éramos los únicos vecinos que quedábamos en el séptimo piso.

Una mañana nos despertaron los aullidos de un perro. «Ama, la que ladra es Luna», me dijo Ane. Me daba miedo que le hubiera pasado algo al dueño. Ese temor me atormentaba. ¿Estará bien? ¿Se habrá contagiado? ¿No podrá levantarse de la cama y por eso nos llama el perro? El dueño de Luna es un hombre mayor. Tendrá cerca de ochenta años, imagínate, aunque se viste como un jovencito. Usa vaqueros, camisetas y playeras, ya sabes. Es un hombre agradable, siempre nos saluda en el ascensor. Aunque Luna no le permite largas conversaciones, porque le tira de la correa, ansiosa de salir a la calle, y el señor apenas puede sujetarla.

Los niños tenían miedo. Uri dormía en la habitación de los niños con Unai y yo, en la de matrimonio con Ane. Las escuelas daban las clases virtuales y los chicos estaban enchufados al ordenador todo el día. Era horrible, Maider. Tanto ordenador les generó una dependencia excesiva. Hacían sus deberes frente a la pantalla y luego les costaba salir de allí. ¿Pero qué iban a hacer, si no podían quedar con los amigos en la calle ni salir a los patios ni hacer deporte? Se citaban para jugar con sus compañeros por ordenador, videojuegos a todas horas, en compañía digital o en soledad.

Tenía la sensación de que las computadoras me estaban robando a mis hijos.

Tú siempre decías que tenías la impresión de que nosotras nacimos demasiado pronto o demasiado tarde, que no encajábamos ni en el mundo anterior ni en este. El siglo xx, el siglo de la ciencia, las guerras y las utopías, y el siglo xxi, donde las nuevas tecnologías han cambiado de arriba abajo el planeta. En los noventa, terminó un mundo y comenzó otro muy diferente. Siempre entre dos aguas.

Sea como fuere, lo sabes bien, no me rindo fácilmente. Empecé a enseñarles a tocar el piano. Los sentaba en mis rodillas, ponía mis manos sobre las suyas, y tocábamos las teclas. Ane lo intenta y ya le salen las primeras piezas. Unai prefiere tocar solo o, mejor dicho, aporrearlo solo, y se inventa canciones, es un decir, siguiendo su oído e ignorando las notas.

El piano siempre ha sido mi gran aliado. Empecé a tocar muy joven y nunca lo he dejado. Recuerdo muy bien el día en que mis padres me regalaron uno. Ya sabes que mi padre era camionero. No sabía nada de música pero, como muchos padres de esa generación, quería para sus hijas lo que él no había podido tener. Se fue a Bilbao a una tienda de pianos. El señor de la tienda le preguntó qué tipo de piano quería, qué marca le gustaba, quién iba a tocarlo en casa. Mi padre no sabía qué contestar y le preguntó: «¿Cuál es el mejor? Me gustaría llevarme el mejor posible». El comerciante le explicó que acababan de reparar un piano de pared de segunda mano, que había pertenecido a una familia adinerada de Neguri venida a menos. Era un antiguo piano alemán de la marca Ed Elser. Un piano estupendo, muy apreciado. Creo que a mi padre le gustó más la historia que le contó el comerciante que el propio sonido del instrumento. Mis padres estuvieron pagando la deuda durante años.

El piano que tenemos en Nueva York es muy diferente. Bueno, ni siquiera es un piano, a decir verdad. Es un teclado. Cada cierto tiempo, las resinas de goma que hay bajo las teclas se rompen. He intentado arreglarlas yo misma, gracias a un tutorial de YouTube. He conseguido quitar los moldes estropeados de las teclas que apenas usaba y me he apañado utilizando el resto. Hasta que un día, harta de tocar con medio teclado, escribí a los proveedores quejándome de que las gomas se habían roto con demasiada facilidad. Amablemente, me respondieron que me enviarían un nuevo sintetizador a casa. Agradecida, les pregunté dónde debía enviar el viejo para que pudieran repararlo. «No, haz lo que quieras con él, no lo queremos», me contestaron. Y bueno, durante unas semanas, el nuevo teclado funcionó perfectamente, hasta que las gomas se deterioraron otra vez. Uri me asegura que compraremos un piano de verdad con las ganancias del libro de poemas que publicará aquí en inglés.

A ver si es cierto.

Pero, antes que nada, quiero verlo publicado.

El piano me calma. Me bajo partituras de internet y las aprendo. La última, una maravillosa versión de la canción de Pixies *Where is my mind*. A veces, leyendo las partituras, me acuerdo de los músicos de la banda municipal de mi pueblo. En fiestas señaladas, recorrían el pueblo tocando por las calles, de un lado a otro. Se alineaban en filas, de tal manera que cada músico podía ver la partitura en la espalda del anterior, excepto los de la primera fila, que se sabían las notas de memoria. Antes del comienzo del pasacalles podías ver cómo se sujetaban las partituras a la espalda con alfileres, para que quedaran bien fijas, como dorsales. Siempre me ha parecido bonita esa imagen y la idea de que cada músico no sabría qué tocar sin su compañero de fila.

A finales de marzo iniciamos un proyecto llamado «La música nos une». Gracias a internet, nos juntábamos amigas de cada lado del Atlántico para tocar. Ellas, en el País Vasco y yo, en Nueva York. Una más de mis ocurrencias. Cada semana aprendíamos una parte y la ensayábamos por separado. Cada una se grababa en vídeo con su móvil y yo me encargaba de la edición final. Tocábamos canciones vascas y de otras partes del mundo, y las elegíamos por turnos. Grabamos, además, poemas y bailes, en los que cada participante realizaba un paso. La música nos mantuvo así en contacto entre amigas. Nos ayudó a que la semana transcurriera con cierta alegría, porque es algo que nos gusta y entretiene. Al principio solo participábamos las amigas de la cuadrilla, pero luego también se animaron nuestros hijos.

La edición de los vídeos me permitía ver algo más que las meras interpretaciones. Observaba la carga que cada una de mis amigas lleva encima. La reciente muerte de un padre, la enfermedad grave de una hija, una separación en ciernes, la dependencia de unos padres ya ancianos... Cada una tiene sus preocupaciones. Aparte de sus obligaciones laborales y familiares. Cuando cantábamos todas juntas, tocando el piano o el violín, entonces apreciaba cómo nuestras respectivas cargas se aliviaban un poco, gracias a la música y a la amistad. ¿No es eso ser amigas, Maider?

Hicimos un vídeo de la célebre *Bella ciao*. Es increíble, pero no fuimos capaces de encontrar una versión en euskera de esta canción tan conocida. Cuando éramos niñas, la melodía la cantábamos con otra letra, surgida del antifranquismo, pero la versión original italiana es muy distinta. Al final, Uri la tradujo para nosotras. Este pequeño detalle me hizo pensar sobre la situación del euskera. En nuestro idioma faltan demasiadas cosas aún. Cubrimos poco a poco las carencias. Años y años rellenando agujeros. Por eso las traducciones al euskera son tan importantes, para que no nos perdamos la posibilidad de disfrutar en nuestra lengua los tesoros escritos en otros idiomas. Nos queda trabajo por hacer. Pero bueno, al menos tenemos ya *Bella ciao* en euskera.

Recuerdo bien cuando me hablaste de sor Juana Inés y sus secretas palabras en euskera, Maider. Estudiabas Filología Hispánica y en clase te hablaron de sor Juana. «Es una de las primeras feministas americanas conocidas —me decías—. Utiliza palabras en euskera para expresar sus sentimientos más íntimos en sus poemas. Y así, cuando se dirige a la Virgen, o a su pareja, lo hace en euskera, y le dice *laztana*, que es "cariño", o *bihotza*, "corazón". Y le confiesa a su amada *galdu naiz, nire bizi guziko galdu naiz*, "me he perdido, me he perdido para toda la vida". Nora, Sor Juana utiliza su lengua materna para expresar lo más hondo, el idioma que aprendió de su madre cuando era niña, y la añade a su obra para mostrar sentimientos secretos y prohibidos. Así las palabras en lengua vasca son en el texto de Sor Juana Inés como delicadas y hermosas flores que una encuentra escondidas entre la hierba o gemas dentro de una cueva.»

Nunca me olvidaré.

No sé cuándo caí en la cuenta de que era vasca, de que parte de mi identidad se sustentaba en ese sentido de pertenencia. Nuestra madre era maestra de ikastola y, como la mayoría de los maestros de aquella época, era muy defensora del euskera. Nos ponía en el coche canciones de Mikel Laboa, Imanol, Xabier Lete y Lourdes Iriondo. Y a través de esas canciones tomamos conciencia de que éramos parte del mundo. Una parte pequeña, demasiado pequeña, quizá, pero aún viva. Una lengua ausente de los grandes medios de comunicación, de los centros de poder, pero que existía. Incluso cuando íbamos a Bilbao, a la capital, percibíamos una especie de exclusión, como si supiéramos menos, como si fuéramos ignorantes por no hablar el español correctamente. A los vasco-hablantes era común que nos espetaran el «háblame en cristiano», como si el cristiano fuera una lengua, el español, y nosotros fuéramos bárbaros o incivilizados. Es un menosprecio que sientes desde la infancia y que crea un estigma que permanece de por vida. En el pueblo hablábamos en euskera con total naturalidad. Era la lengua materna de la mayoría de nosotros y los migrantes también lo han aprendido, no a la fuerza, sino porque querían ser parte de nuestra pequeña parte del mundo, y porque entendieron que sin su cooperación podría perderse definitivamente una lengua al borde de la extinción. Una pérdida irreparable, y que un mundo justo no debería ni permitirse ni tolerar. A diferencia de los migrantes, lo malo es lo que sucedió con muchos vascos que renegaron del euskera vencidos por el complejo de inferioridad y, lo que es aún peor, renunciaron a transmitirlo a sus hijos. Menudo desastre. Avergonzarse de algo que no hace mal a nadie, que enriquece el mundo y que forma parte de tu identidad. Qué pena más grande.

Recordarás también, Maider, que me achacabas no hablar a la perfección el dialecto del pueblo, me reprochabas que intercalara modos y expresiones propios de los dialectos de Elgoibar y Markina. Pero era lo natural para mí y, aunque no lo apreciaran, una forma de que el euskera perdurara como una lengua viva. De hecho, recordarás, mi madre era de Elgoibar y mi padre, de Markina.

En Elgoibar, en el caserío Arane del barrio de San Pedro, nació mi abuela Mari. Era raquetista y jugó en los mejores frontones de la época, de Elgoibar a las Canarias pasando por Barcelona.

Mi madre me contaba que mi abuela solía bajar del caserío acompañada de un burro.

—Debía de ser de tu edad, más o menos. Bajaba a la plaza a vender leche y allí se quedaba hasta vender el último litro. A veces, terminaba pronto y le quedaba tiempo para sus cosas. Otras veces, la venta completa se demoraba hasta el anochecer.

—¿Se quedaba ella con el dinero que ganaba?

—Lo que sacaba con la leche tenía que dárselo a su padre. Él sabía cuántos litros llevaba su hija en el burro, y el precio al que debía vender cada litro.

—¡Qué injusto! Si la abuela Mari trabajaba, tendrían que haberle pagado por ello.

—Su padre era muy riguroso. No debía de ser fácil mantener un caserío y una familia. No debes juzgar.

—No juzgo, solo opino.

—Pero te voy a contar un secreto. Cuando se acercaban las fechas de las romerías, su madre, a escondidas, echaba a las cantinas una azumbre más de leche. Era un secreto que compartían solo ellas. De este modo, si vendía toda la leche, le sobraban unas monedas que se guardaba en el bolsillo. Le daba a su padre el dinero correspondiente, cumplía con sus deberes de hija y se marchaba dando las gracias, mientras guiñaba un ojo a su cómplice.

No conocí a mi bisabuelo, pero sí a mi bisabuela. Era una mujer menuda, de mirada sobria y voz pausada. La recuerdo a la sombra del haya, sentada recostada sobre el tronco y leyendo. Vestía siempre de negro. Falda larga, camisa y mantón. Los sábados, sus hijas la visitaban en el caserío y al calor de la chimenea la peinaban. Un moño bien recogido. ¡Era tan elegante! Sus manos eran huesudas, y los dedos largos y curvos por la artrosis me recordaban las raíces de los árboles. Y cuando sabía que estábamos las dos solas, introducía su mano en mi bolsillo para darme una paga.

Las Navidades de mi infancia las pasábamos en el caserío. Recuerdo unas Pascuas en particular. Hacía mucho frío.

—Nora, ten cuidado con los carámbanos. Échate a un lado —me avisó mi madre.

Miré hacia el tejado y vi las goteras congeladas y convertidas en piezas de hielo puntiagudas y colgantes.

—No son muy estables. Pueden caer en cualquier momento. Ten cuidado.

Descargamos el maletero del coche. Cargué con una caja, la dejé sobre la mesa de la cocina y volví al porche. De camino, me quedé mirando la ropa tendida. Los bombachos estaban helados y crujían cuando los estrechaba entre mis manos. Antes de seguir descargando, tuve que calentar mis manos junto al fuego.

En la cocina las mujeres preparaban la comida. Los hombres charlaban sentados a la mesa. Los niños jugábamos en el pajar o nos entreteníamos junto a los animales en la cuadra. Las vacas, los conejos, las gallinas. También los murciélagos. Los animales daban calor, pero aquella noche en particular incluso en la cuadra hacía frío. Entonces, mi tío agarró una botella y roció los comederos del ganado.

—¿Qué es eso, tío?

—Jarabe.

—¿Jarabe? ¿Están enfermas las vacas?

—Es preventivo, es para que no enfermen.

—Ah, entiendo.

Aquello no tenía mucha pinta de jarabe. Yo había visto aquel recipiente en algún lugar, pero no recordaba dónde.

—¡¡¡A cenar!!! —llamó mi bisabuela. Corrimos a ocupar nuestro sitio. Todos los años empezábamos el menú con una sopa. Mi bisabuela llevaba a la mesa un trozo de pan cubierto con un pañuelo.

—Este trozo de pan lo guardé durante la cena del año pasado. Lo guardo de año en año como un tesoro, y para recordar que somos afortunados por no tener que recurrir a él en el curso de todo este año. Por ello, vamos a desmigarlo en nuestras sopas y vamos a pedir que no nos falte pan en la mesa a lo largo del año que viene.

Lo hacía todos los años y, afortunadamente, no nos faltó nunca el pan.

Tras la cena, vi que mi padre le decía algo a mi madre. Parecía que buscaban algo. Mi padre se acercó y me preguntó:

—¿Nora, has cogido tú la caja del maletero? —refiriéndose a la caja que había dejado en la cocina.

—Sí. La he dejado sobre la mesa. ¿Ocurre algo?

—Es extraño. Juraría que había dejado la botella de coñac en la caja.

Entonces lo supe. Supe dónde había visto antes el frasco del jarabe para el ganado.

El 11 de abril, lo sabes bien, fue mi cumpleaños. ¿Te acuerdas de aquel cumpleaños que nos perdimos en el monte? El día empezó bien, mis padres me regalaron un collar hippie y me lo puse para ir a la escuela. Como hacía un día primaveral, nos llevaron a las dos clases al monte. Sesenta niños y dos maestras. Nos perdimos. La maestra, que era de fuera, no conocía muy bien los senderos y perdió a la mitad de la tropa. Nosotras llegamos por nuestra cuenta al pueblo. Sin problema. Nos sabíamos de memoria los caminos. Y luego, para celebrar mi día, nos compramos un cigarro y lo fumamos a medias en las escaleras de la casa azul. Una calada tú y la siguiente yo. Así terminamos el día, entre toses y risas.

Este año decidimos comprar pescado para celebrarlo. En medio de la pandemia, los pescadores todavía salían a faenar para que no faltara el suministro en las pescaderías. Recuerdo que al poco de llegar a Nueva York me acerqué al mercado a comprar algo de pescado. Mi problema era que no sabía los nombres de los peces en inglés. Me tocó el turno y la pescadera me preguntó qué quería a la vez que entregaba una bolsa a un cliente. «Lo mismo que lleva él», contesté, sin saber bien qué contenía aquella bolsa. Delante de mí, eligió un ejemplar, lo pesó, lo limpió y, antes de introducirlo en la bolsa, me informó de lo que costaba. Había comprado el pescado más caro de todos: la lubina. Desde entonces, me he aprendido bien los nombres y los precios.

Me gustó volver al mercado entre tantas restricciones y confinamientos. Había largas colas frente a los diferentes puestos. Gente en hileras, guardando las distancias, y con semblantes tristes y apagados, quizá por las mascarillas. De repente, una señora de la cola comenzó a susurrar la canción de Bill Withers *Lean on me*. En el silencio impropio de aquellos días, se oía bien su dulce voz, y, una a una, verso a verso, se fueron uniendo al cántico el resto de las personas que formaban la cola. Un coro improvisado, consecuencia de una necesidad humana en tiempos de pandemia. Se me puso la piel de gallina. No me esperaba un regalo de cumpleaños tan maravilloso, tendrías que haber estado allí.

> *Apóyate en mí*
> *cuando no eres fuerte.*
> *Yo seré tu amigo*
> *para poder caminar.*

Cuando llegué a casa, los niños habían puesto la mesa. Habían elegido el mantel que compramos en Sara el verano anterior, blanco, con líneas azules. También habían encendido velas. «Ama, bienvenida a mi restaurante. Es el único restaurante abierto en la ciudad», me recibió Unai.

Cuando me acerqué a la cocina y saqué de la bolsa la lubina, Uri miraba su teléfono móvil con cara de circunstancias. No podía disimular el disgusto. Me mostró un correo electrónico, no para que lo leyera, sino como quien enseña una multa.

—¿Qué pasa?

—La editorial americana ha rechazado el libro de poemas. Dicen que no se atreven a sacarlo con la pandemia. Que no es el momento, con las tiendas cerradas. Quizá más adelante. Excusas...

—¿De verdad? ¿Y ahora qué hacemos? Contábamos con ese dinero.

—Ya lo sé. Soy el primero que lo siente.

Unai se acercó a nosotros.

—¿Qué ha pasado? ¿El pescado está malo? No pasa nada, ama, nos pedimos una pizza. Pero no estés triste, que es tu cumpleaños.

Apenas pude dormir esa noche. Una mala noticia en el peor momento posible, en el día en que debía mostrarme feliz y esperanzada.

De madrugada, me desperté y fui a la cocina a beber un vaso de agua. Noté que algo se movía, una sombra rápida. Era el ratón. Nuestro ratón, moviéndose como Pedro por su casa.

Me senté en el sofá y comencé un soliloquio dedicado al pequeño roedor. Hay que estar desesperada para hablarle a un ratón, Maider. O harta. O con ganas de mandarlo todo a la porra. O sentirse muy sola.

—No te preocupes, pequeño, no te voy a hacer daño. No me pareces tan feo, ahora que te veo de cerca. Pareces una cría inocente. Te observo y me parece raro que puedas asustar a alguien o resultar repugnante. Me gusta cómo husmeas, cómo andas a pequeños saltos, como un caballito de juguete. No te alejas demasiado de tu guarida junto al radiador. Te detienes en la alfombra de la sala de estar, y miras a un lado y a otro antes de dirigirte a la mesa del comedor. Me da que quieres llegar a la cocina, ¿verdad?

»¿Por qué no te doy miedo? ¿Acaso no conoces a los humanos? ¿No te has enterado aún de que llevamos meses queriendo acabar contigo? No te preocupes. No hemos colocado esas trampas crueles que os rompen el cuello, ni nos gustan esas tiras de cartón pegajosas, tal y como nos aconsejaba poner el superintendente del edificio. No, no me gustaría nada despertarme por la mañana y encontrarte atrapado en la tira, aullando de la angustia, presa del pánico. Me parece una trampa horrible. Y si los niños te vieran allí pegado, quizá ya muerto, guardarían esa amarga imagen para siempre. Se les haría duro porque varios compañeros de clase de Ane tienen un hámster en casa. Ha sido como una especie de moda. Ella también quería uno, pero no se lo compramos. Su padre le preguntó: "¿Por qué quieres una mascota, si ya tenemos una?". "¿Qué mascota?", le preguntó Ane. "Pues el ratón." Ane se rio por la salida de su padre. Los dos tienen el mismo humor, así que Ane añadió: "Traeré a mis amigas de clase y les mostraré el ratón. Esta es nuestra mascota", les diré.

»A veces pienso que mi marido es también una especie de mascota, porque nos encargamos de él, lo mantenemos a flote. Es como un niño. Entiéndeme, no me refiero a que sea un mal hombre, no, todo lo contrario. Es un buen compañero, pero no se da cuenta de muchas cosas. Él trata de comprenderme, pero a veces pienso que solo es capaz de ver la parte visible del iceberg, y nunca mira debajo del agua.

»Bueno, tú no sabrás ni lo que es un iceberg. Eres solo una cría.

»¿Sabes que Ane y Unai te han puesto un nombre? Te llaman Mr. Tickle, Sr. Cosquillas. Y Mr. Tickle, no sé ni por qué estoy hablándote. Te he visto salir de debajo de la calefacción, por entre las trampas que puso Uri, y aquí me tienes. Mi marido te compró unas trampas ecológicas, de esas que te atrapan dentro pero no te hacen daño, y así su idea era cogerte y llevarte a Central Park, para que fueras libre allí y comenzaras una nueva vida. Aunque se confundió y, en vez de una trampa, llegaron diez a casa. Una caja de cartón enorme llena de trampas. Primero pusimos una y, claro, tú no entraste. Luego pusimos una segunda y notamos que entraste, porque te zampaste el trozo de queso que te pusimos dentro, queso Idiazabal, un queso delicioso que trajimos de Euskadi escondido en nuestras maletas. Te comiste el queso y saliste tranquilamente de la trampa ecológica, y así vimos que esas trampas no funcionaban. Aun así, Uri decidió poner todas las trampas en fila, una al lado de la otra, debajo del calentador, diez trampas inútiles para tapar todos los agujeros y evitar que salieras. Las ató con cinta aislante. Aunque tampoco sirvió el truco. A la vista está.

»Tranquilo, no diré nada. Por los niños, y sobre todo para evitar que Uri se entere de que su muro de diez trampas pegadas con cinta aislante no ha servido para nada. Pero tengo que pedirte una cosa, por favor. Te pediría que no volvieras. Vete, si puedes, al parque. No vengas más, porque no tenemos nada bueno que darte.

Milagrosamente, el ratón me hizo caso. Se fue.

Me despertó el vibrador de mi teléfono. Temblaba en la mesita delante del sofá. Eran mensajes de texto. Sin darme cuenta, me había quedado dormida en la sala. Hice un gesto para incorporarme apoyando las manos en el sofá, y al tacto sentí algo extraño en la funda, pequeñas escamas semitransparentes. Me di cuenta de que procedían de los pies de mis hijos. Si no se movían, si no salían de casa, la piel de la planta de los pies se les caía. Sobre la colcha, las partículas parecían copos de nieve a punto de derretirse.

Cogí el móvil. Eran mis compañeras del chat del club de lectura enviando mensajes de apoyo a Laura Lavicolli, una madre del club que trabajaba en el hospital de Queens. Habían publicado una gran foto suya en color en *The New York Times*. Apenas reconocible, aparecía vestida de médico, totalmente cubierta con gorro, guantes, máscara y gafas. La foto salía en un suplemento especial dedicado a los trabajadores sanitarios.

Pensé en la proximidad y virulencia del virus.

De la noche a la mañana, una conocida nuestra, muy cercana, madre de uno de los niños de la escuela y compañera del club de lectura, luchaba en primera línea del frente. La vida de todos parecía estar en riesgo, pero personas como Laura daban la cara en los hospitales y combatían contra la epidemia sin saber muy bien contra qué luchaban exactamente.

No sabes lo difícil que fue para mí no poder hablar contigo en una situación como aquella, Maider. Tú siempre has estado ahí. Durante la escuela secundaria, un hombre se obsesionó conmigo. Me seguía hasta el portal de casa y me escribía cartas. Mandaba pastelitos a mi nombre al bar donde tomábamos café todas las tardes. El resto de las chicas se reían. En lugar de tirar aquellos malditos pasteles a la basura, en lugar de mostrar su solidaridad conmigo, se los comían sin más. Abrían el paquete en la barra y devoraban los pasteles entre bromas. No percibían la amenaza, ni les preocupaba que aquel hombre, a pesar de que yo le había insistido que me dejara en paz, me acosara y no me diera tregua. Para ellas no era más que un pobre diablo. Sin embargo, yo vivía asustada, con verdadero miedo de salir a la calle y cruzarme con él. Me aterraba quedarme sola. Me espantaba la idea de hablar con él.

Recuerdo aquellos días y sé que sin tu apoyo quizá me habría hundido. Pero tú estuviste allí, Maider, a mi lado. Me acompañabas a casa, permanecías atenta por si esa persona repugnante se aproximaba o rondaba al acecho. Y, lo más importante, me escuchabas, me calmabas, le dabas la seriedad que requería a la situación.

Al final, fue la abuela Mari quien solucionó el problema. La abuela Mari, la vieja raquetista. Me veía rara y se interesó por mi estado. Le conté lo que pasaba y, sin pensarlo dos veces, se presentó en casa de aquel hombre y le ordenó que se apartara de su nieta: nada de seguirla por la calle, nada de cartas, nada de pastelitos. De lo contrario, se iba a enterar.

Y el hombre me dejó, por fin, en paz.

Extraño tu voz, Maider, la echo de menos. Es ahora cuando se me hace raro no poder llamarte y oírte hablar. Echo en falta tu sentido del humor.

¿Recuerdas nuestro viaje a Cuba? Me engañaste, una vez más, para que te acompañara, y yo te seguí. Me persuadiste contándome que era un viaje organizado por una ONG con fines humanitarios. La idea era sencilla: echar una mano a los habitantes de un pueblo de la costa, llevándoles botes de pintura y ayudándoles a pintar la escuela. Cooperaríamos de lunes a viernes, integrados con los locales, comiendo y durmiendo con ellos, pero tendríamos libres los fines de semana. Podríamos aprovecharlos para hacer un poco de turismo y bañarnos en las playas del Caribe. En aquella época universitaria, ya no nos veíamos con tanta frecuencia, y no pude negarme.

Una vez que llegamos allí, me di cuenta de que aquello estaba lleno de castristas y organizado por el Partido Comunista, no por ninguna ONG. Tú me hablabas de los beneficios de la revolución, de lo bien que estaban en el país la salud y la educación, de lo feliz que era el pueblo cubano. Y sí, en parte tenías razón. Pero ya me conoces, yo soy más escéptica con esas cosas, no soy de las que comulgan con ruedas de molino. Me engañaste bien aquella vez, aunque tengo que admitir que fueron unos días increíbles, que me lo pasé de cine en aquel país tan bello y con su buena gente.

Lo más gracioso fue el día de los delfines. La gente de la brigada nos contó que habíamos trabajado mucho durante toda la semana y que, como recompensa, nos llevarían a nadar con los delfines en el mar. Tú estabas encantada por poder nadar junto a los delfines en el Caribe, vaya regalo de la vida.

El domingo nos hicieron madrugar. Nos metieron en una furgoneta, pero, sorprendentemente, no fuimos al puerto a embarcarnos. Nos llevaron en autobús a una piscina de agua de mar. Los delfines vivían allí. Cuando llegamos, había un grupo de turistas esperando. Entramos en el agua, era un agua de color verde, nada transparente. No había forma de saber qué se movía debajo de nosotras, ni siquiera podíamos ver nuestros pies. De repente, sentí que algo me tocaba las pantorrillas. Era un delfín. Deambulaban a nuestro alrededor, se acercaban, nos tocaban y luego desaparecían. Tú no te tenías que mover; si no, se asustaban. Estábamos allí, moviendo los brazos y las piernas para mantenernos a flote y esperando a que un delfín nos tocase. Te miré y vi tu cara de asco. «Nora, ¿qué estamos haciendo aquí, en esta agua sucia, esperando a que un delfín nos toque el culo? —me preguntaste—. Si me viera mi padre, se reiría a gusto. Para él, los delfines eran solo comida. Durante la hambruna de la posguerra, no había otra carne que esa. Y yo estoy aquí ahora, junto a estos turistas, como una estúpida.»

Recuerdo tu cara de asco y me entran ganas de reír incluso ahora. Eso sí, eras muy educada. Cuando los de la brigada te preguntaron cómo fue la experiencia, tú les contestaste «maravillosa».

Siempre me he imaginado la mar como una cama enorme y en movimiento de la que se caen objetos, como pueden caerse de entre las sábanas, por ejemplo, libros o ropa interior. Sobre todo, en invierno, el mar arroja a la costa lo que las olas furiosas atrapan. Me acuerdo de un barco enorme de acero que encalló en la playa una noche de tormenta. Un buque vacío, que se había desprendido de su amarradura en el puerto y había sido arrastrado hasta la arena. Lo mismo podían haber varado cetáceos, delfines o focas. Cada vez que aparecía un animal extraordinario en la playa, la chiquillería del pueblo se acercaba a contemplar el espectáculo. La noticia corría como la pólvora. El mar rompía la monotonía, y de vez en cuando nos regalaba magia.

Con los años, en vez de ballenas, el mar llenó de basuras y plástico las costas tras las tormentas invernales. La señal más evidente de hasta qué punto lo habíamos contaminado, dejándolo sin apenas vida.

La pesca que se había practicado durante nuestra infancia se demostró insostenible. Se capturaron de manera incontrolada hasta esquilmarlas numerosas especies, lo que significaba millones de peces. La excusa era que, si uno no lo hacía, otro lo haría en su lugar, sin la más mínima conciencia ecológica. Cuando empezaron a adoptarse medidas legales, como la pesca era casi el único medio de vida de la gente de nuestro pueblo, los pescadores las incumplían para poder mantener a sus familias.

Recuerdo un día aciago de marzo de 1984. Nos despertamos con la noticia del ataque a cañonazos de la Armada francesa a dos barcos de Ondarroa. Mientras desayunábamos, mi madre subió el volumen de la radio. Todos permanecíamos atentos mientras un pescador del pueblo narraba lo sucedido.

—¿Que cómo fue? Primero nos echaron chorros de agua, pero nosotros seguimos a lo nuestro. Después nos tiraron botes de humo desde el remolcador y quemaron algunas redes, pero no nos achantamos. Íbamos siempre al menos dos barcos juntos, para protegernos, y así nos defendíamos de los ataques y no hacíamos caso a las amenazas. Pero de repente empezaron a disparar desde la patrullera y la fragata nos tiró dos cañonazos seguidos que nos dieron de pleno. Habían tirado a dar, a matar. Me levanté del suelo cegado por el humo y medio atontado, y vi sangre y a varios compañeros gritando de dolor y de rabia. Enseguida se nos echaron encima once soldados con metralletas, porras y esposas y se apoderaron del barco. Hasta llegar a puerto no nos han dejado ni asomarnos. Ha sido muy duro. No lo esperábamos, la verdad. Creíamos que era una persecución más. Y nosotros sabemos defendernos. Ha habido ocasiones en las que hemos acorralado con nuestras proas a la patrullera y hasta algún marinero francés ha ido al agua. Pero esto ya es otra cosa. Ahora tiran a dar y yo y mi familia vivimos de este trabajo. Queremos trabajar, queremos comer, la mar es de todos. Esto ha sido una salvajada —mascullaba entre dientes.

La rabia y la indignación se adueñaron del pueblo. Ondarroa entera se lanzó a la calle en protesta por el ataque sufrido por los dos pesqueros con base en el puerto. Los comercios decidieron cerrar ese día para poder sumarse a la protesta. Así lo hizo mi madre con su establecimiento y la familia entera asistimos a la manifestación. Había tal gentío que apenas podíamos caminar.

Según recuerdo, las mujeres lideraron la manifestación. Las madres de mis amigos tenían los megáfonos y llevaban la voz cantante. Salieron a defender con uñas y dientes lo que creían que eran sus derechos. Madres que tenían a los maridos en la mar y, a la vez, hijos colgados de la heroína. Maider, si no recuerdo mal, tu propia madre sujetaba la pancarta en la cabecera de la manifestación. «Sí a la mar, no a la guerra», «La mar es de todos, no de los franceses» fueron las consignas más coreadas por los manifestantes, en euskera y castellano. Y todas repetíamos las proclamas a pleno pulmón. Necesitábamos que nuestras voces se oyeran más allá de nuestras fronteras.

La imagen de unidad que proyectaba aquella manifestación era muy distinta a otras protestas políticas de la época. Aquel día no había nadie en los bares, ni en las aceras de las calles, ni en las ventanas ni en los balcones. La inmensa mayoría de los habitantes nos concentrábamos allí, unidos.

Las únicas personas separadas de la multitud eran los periodistas, con sus cámaras de vídeo y de fotos.

Sin que lo supiéramos, inmortalizaban el principio del fin de una época.

Maider, mis hijos se aburrían. Dedicaban la mayor parte del tiempo a hacer sus deberes, y luego yo intentaba que nos divirtiéramos juntos, tocando el piano, el ukelele, pintando carteles con el arcoíris, haciendo gimnasia, leyendo libros, viendo películas..., pero se aburrían. A veces, entraban en su habitación y los oíamos reírse. Grababan vídeos en la aplicación Photo Booth de nuestro ordenador. Se imaginaban que eran dos periodistas que tenían un canal de YouTube y comentaban lo sucedido durante el día, con un toque de humor. Han grabado muchísimos vídeos. Es lo que más les gusta. Casi me han llenado toda la memoria del ordenador con sus vídeos. Pero me da pena borrarlos, porque los vídeos son graciosos y muestran un momento irrepetible de sus vidas, en plena pandemia. Me doy cuenta de que, al menos en los vídeos, parecen felices, bromean, se ríen. Y no les falta inventiva.

Después de lo que sucedió en mi cumpleaños, Uri y yo no hemos hablado demasiado. Cada uno se ha ocupado de sus propias cosas: el trabajo, los niños, las tareas del hogar. Operamos de forma mecánica, con respeto y cordialidad, pero sin comunicarnos de verdad. Tampoco ha habido gestos de cariño o muestras de amor, ni conversaciones ni sentido del humor. Creo que Ane se dio cuenta de que algo no marchaba bien.

Lo creo porque nos juntó a los cuatro en la mesa de la cocina después de comer. Nada especial, pero sí una forma de romper el ambiente enrarecido.

—Mirad lo que me han enseñado en la clase de matemáticas de hoy. Es un pentágono —nos explicó. A Ane le gustan las matemáticas, igual que a mi madre, y parece que sigue su camino. Hasta ahí, todo normal.

Nos mostró el dibujo del pentágono para que lo observáramos.

—Tenéis que contar cuántos triángulos hay dentro del pentágono —nos retó Ane.

—Once —contó rápidamente Unai.

—No.

—¡Veinticinco! —se apresuró Uri sin éxito.

—Tampoco. Ama, ¿tú cuántos crees?

—Jo, la verdad es que yo tampoco lo sé. Pero me encantaría saberlo, Ane. ¿Cuántos hay?

—¡Ah! ¡Lo tenéis que adivinar!

Mientras contábamos con atención los triángulos del pentágono, llamaron al timbre de casa. ¿Quién sería en medio de la pandemia? ¿Johnny, tal vez? Abrí la puerta y no vi a nadie. Pero en el suelo encontré una pequeña caja de cartón con un corazón dibujado.

Dentro había galletas caseras.

Inmediatamente adiviné de quién eran, de Rebecca.

Tocó el timbre y se fue. No quiso hablar con nadie, no quiso enfermar a nadie. Dejar las galletas fue su forma de hablar, de mostrar cariño, de preguntar, ¿estáis bien?, ¿ha acabado Uri su libro?

El gesto de Rebecca, y sus galletas, mejoró mi estado de ánimo. Tanto, que decidí afrontar un momento que no podía retrasar ni un segundo más.

Entré en el laboratorio de Unai, busqué un papel y le pedí a Uri que me acompañara a nuestro dormitorio.

Se sentó en el borde de la cama. Cerré la puerta.

Después le entregué el papel a Uri.

—Lee.

—¿Qué es?

—¿Que qué es? Son tus notas acerca del juicio que ganó Rosika. Su lucha en los tribunales durante cuatro años para defender su honor de los ataques recibidos en un libelo. Rosika luchó. Tú también tienes que luchar. Lee, lee tus propias palabras.

—Está bien. Tranquila. Ya voy...

Y Uri comenzó a leer en voz alta.

—Si las primeras décadas del siglo xx fueron favorables a la causa pacifista, después del final de la Primera Guerra Mundial, el ambiente en Estados Unidos empeoró y se volvió en contra. El nacionalismo y el antisemitismo cobraron gran fuerza. El propio Ford se volvió antisemita, y muchos atribuyeron ese cambio en su pensamiento a Rosika. Decían que se había vuelto antisemita por influencia de Rosika. Lo peor es que los propios judíos, en un gran número, pensaron que la culpa era efectivamente de Rosika...

Uri se quedó parado, como si no entendiera bien a qué venía eso de leer sus propias notas en voz alta.

—No te pares, por favor. Sigue.

—Rosika se convirtió en un blanco fácil para la derecha tras el supuesto fracaso de la Conferencia de Paz. Muchas firmas se posicionaron en su contra. Una de ellas, la correspondiente a un periodista llamado Fred M. Marvin, escribió una columna en 1924 en un periódico de Nueva York afirmando que Rosika había usado el Barco de la Paz para su propio bien y no por la paz, y que había propagado proclamas comunistas aquí y allá aprovechando los mítines por la paz. Rosika lo demandó. Cuatro años después, el 29 de junio de 1928, Rosika ganó la demanda y el periodista y el periódico tuvieron que pagarle diecisiete mil dólares en concepto de daños. En el juicio, Rosika mostró como prueba a su favor una carta de Ford en la que el empresario reconocía las buenas intenciones de Rosika, y revelaba que la mujer había renunciado a su caché de trescientos dólares por conferencia para trabajar gratis por la causa de la paz...

Paró de leer.

—¿Y bien? —dijo con desgana.

—Uri, Rosika luchó durante cuatro años por recuperar su buen nombre. Cuatro años. Las cosas llevan su tiempo. Olvídate de lo pasado con el libro de poemas y continúa escribiendo la novela. No te rindas ahora, porque no has llegado aún al final. Acaba lo que has empezado.

—Es una historia maldita, Nora. Ni siquiera Edith, su amiga del alma, pudo terminar su libro sobre Rosika. ¿Por qué crees que no pudo seguir escribiendo? No me digas que el panorama no es como para detenerse a pensar un poco sobre lo que está pasando en el mundo, lo que está pasando con el planeta, con la humanidad misma... Y dime, ¿qué sentido tiene que siga escribiendo en esta situación? Y no hablo solo por mí. ¿Qué sentido tiene la propia escritura? ¿De qué sirve recuperar la figura de Rosika? ¿Por qué crees que ha sido completamente olvidada por la Historia? Además, creo que tienes demasiada fe en mí. ¿Crees que soy mejor que Edith? ¿Por qué crees que puedo terminar este libro maldito?

—Porque me tienes a mí.

—No lo entiendes, Nora. Perdona, pero no lo entiendes. Es una cuestión de sentido. Escribir tiene que tener un sentido. ¿Sabes cuál es el problema? ¿Sabes cuál es el problema de Edith y mío? Que escribir sobre Rosika sin más no tiene sentido. A Rosika le daría igual que contemos su vida. ¿No te das cuenta? Ella lo que querría son hechos.

—Mira, Kirmen Uribe. No me envuelvas con tus palabras. ¿Quieres hechos? Pues venga, ¡escribe!

En cuanto Uri reapareció por la sala, le noté otro semblante más animado.

—Perdonadme.

—¿Por qué, aita?

—Porque he estado en silencio durante días. Habéis pagado mi mal humor. Lo siento. No volverá a ocurrir. ¿Ya sabéis qué le pasó al musgo?

—¿Qué?

—Hace muchos muchos años, los humanos y los animales y también las plantas hablaban.

—¿De verdad?

—Así es. Pero un día el musgo se enojó con sus amigos. Y se quedó callado. Luego, como el musgo no hablaba, las otras plantas y animales se enfadaron y también decidieron no hablar. Todos callados y enfadados. No se hablaban entre ellos. ¿Y sabéis qué?

—¿Qué?

—Bueno, que todos los animales y las plantas se olvidaron de hablar.

—¿Todo el mundo?

—No, no todos. Menos el ser humano. ¿Sabéis por qué?

—Ni idea.

—Porque al ser humano le gustaba hablar solo.

—¡Como a ti, aita!

Uri cuenta las cosas a su manera. Se lía con los datos y se confunde con los números. Pero me gusta mucho cómo cuenta las cosas, incluso cuando se las inventa. Creo que cuenta las cosas no de la forma en que sucedieron, sino de la manera en que deberían haber sucedido. Tiende a embellecer la vida real.

Él encuentra la belleza en todas partes.

Me gustaría esa cualidad para mí, Maider.

Aun así, Uri me tenía preocupada. Dijo que las palabras no valían, que Rosika prefería los hechos. Pero las palabras le han dado un oficio a Uri, las palabras son la base del pacifismo de Rosika y de Edith. Son las palabras las que nos han traído hasta aquí, Maider.

Y las palabras también son hechos. ¿No crees?

El 27 de abril fue el primer día que los niños pisaban la calle. Habían permanecido un mes y medio metidos en casa. Nosotros salíamos a hacer la compra, pero ellos ni eso. Al principio no querían salir, estaban asustados. Nos decían que preferían quedarse en casa. Que los niños no ansiaran jugar al aire libre, correr y divertirse en la calle nos cogió por sorpresa. Nos resultaba incomprensible.

Tras el episodio de las pequeñas escamas de piel en el sofá, nos dimos cuenta de que los niños necesitaban que les diera el sol, y que debía ser una prioridad familiar salir, aunque fuera poco a poco, para que ellos mismos vencieran sus miedos. «Vayamos de excursión al Museo de Historia Natural —les propuse—. Aunque sea, damos la vuelta al edificio y nos volvemos a casa.» Con mucha pereza, pero aceptaron.

Preferimos bajar por las escaleras en vez de coger el ascensor. Justo antes de la puerta de nuestro portal, en la planta baja, hay un viejo cartel en la pared, vestigio de la Guerra Fría, que indica el camino al sótano con las palabras REFUGIO NU-CLEAR. De repente, lo que hasta entonces había sido una anécdota cobraba un nuevo sentido que asustaba un poco. El sótano de nuestro edificio había sido durante décadas un refugio nuclear.

El día estaba nublado, la primavera se mostraba tímida y hacía frío. Llevábamos abrigos y gorros. Los cuatro caminamos juntos por la acera, cogidos de la mano. Uri y yo, en los bordes y los niños, en medio.

El museo, visto por detrás, parecía un castillo rosa, con sus pequeñas torres almenadas. Era increíble cómo había cambiado el entorno. De un abril a otro había transcurrido un año que había desangelado el paisaje. Ver el museo cerrado a cal y canto nos provocó una sensación de pérdida. Conocíamos el museo como la palma de nuestras manos, cada rincón, cada tesoro. ¿Dónde estarían ahora las mariposas monarca, los dinosaurios, los meteoritos, la gran ballena azul o el árbol de Navidad gigante hecho de origami...?

No había casi nadie en la calle, pero, inesperadamente, nos cruzamos con un compañero de clase de Unai, junto a su familia. Ellos también iban cogidos de la mano. El primer contacto resultó extraño por la manera en la que nos comportamos ambas familias, sin acercarnos, precavidos, temerosos, a pesar de que no nos habíamos visto en largo tiempo. Enseguida dimos por bueno el cordón sanitario que nos separaba, y charlamos con naturalidad sobre el confinamiento. Nos congratulamos por estar bien y nos despedimos de la misma manera que habíamos dialogado, separados por un par de metros. Al igual que nosotros, ellos también siguieron caminando cogidos de la mano.

Abril es el Mes del Planeta Tierra. El año pasado, antes de que todo esto comenzara, el Museo de Historia Natural organizó un evento llamado Earth-Fest, la Fiesta de la Tierra. Participaron músicos, artistas, empresarios, expertos, académicos, políticos y todo tipo de personas para concienciar sobre la gravedad del cambio climático y la necesidad de que la ciudad de Nueva York se vuelque en las energías renovables.

Entre otros, se encontraba por allí Michael Stipe, de R.E.M., y también Patti Smith, quien leyó un poema titulado «El sueño de Dodo».

—Voy a leeros un poema sobre un pájaro, el dodo. Una especie única que habitó en la isla Mauricio hasta el siglo XVII. Tenía aproximadamente un metro de altura. Sus alas eran pequeñas y no era lo suficientemente hábil para volar. Su pico era largo y amarillo, en forma de gancho. El dodo vivía más o menos feliz en su isla. Hasta que llegó el ser humano. Y así comenzó su extinción.

—Es verdad —me chivó Ane al oído—. Es un ave extinguida. Hay una escultura de un dodo en el museo, a la entrada de la gran sala de cristal donde viven las mariposas.

Patti Smith clausuró el evento con la popular canción *People Have the Power*. Y, por supuesto, la música me trajo de vuelta a ti, Maider, a una noche cálida en el bar Jai Braian, de Ondarroa:

Escucha, todo lo que soñamos
sucederá si nos unimos.
Podemos cambiar el mundo,
podemos hacer la Revolución de la Tierra.
Nosotras tenemos el poder.
La gente tiene el poder.
La gente tiene el poder.
La gente tiene el poder.
People have the power.

Debajo de cada silla habían colocado una lámpara solar para que pudiéramos alumbrar las letras de las canciones. Las cogíamos y las dejábamos debajo de nuestros asientos según nos hiciera falta. Cuando terminó el concierto, Unai quiso llevarse varias de esas lámparas para ponerlas en su restaurante de casa. Según nos explicó, le darían un toque elegante. Cogió cinco, ni una menos, y tal y como le advertimos, según salíamos de la sala, uno de los organizadores le informó de que no podía llevárselas.

—¿Ni una sola? —preguntó Unai.

—Bueno, llévate una. Pero no se lo cuentes a nadie.

Unai lee con esa luz todas las noches.

Aunque él aún mostraba ciertas reticencias, logré que Uri retomara el proyecto de la novela. Mientras los niños dormían, Uri y yo nos metimos en el laboratorio de Unai y revisamos juntos el material de la novela.

A Uri y a mí nos gustó la imagen de vernos trabajando juntos en ese habitáculo, dejándoles el resto de la casa a los niños. Nos habíamos acomodado de la mejor manera posible. Yo, sentada en una diminuta silla con mi ordenador portátil sobre las rodillas, y Uri, repantigado en el suelo, rodeado de documentos que había traído de la universidad.

—La vida es impredecible, Nora —me comentó Uri sin apartar la vista de los papeles—. El otro día me hiciste leer un fragmento de la vida de Rosika que tuvo que ser muy doloroso para ella. Cuatro largos años de litigios para restablecer su honor. Imagínate.

—Y sin saber cuál iba a ser el fallo del tribunal...

—Lo curioso, y por eso te decía que la vida es impredecible... Lo curioso es que en los años treinta el panorama cambió por completo. Se volvió a su favor. Las ideas progresistas en la sociedad ganaban fuerza y la figura de Rosika se convirtió en un referente para las nuevas generaciones idealistas.

—Una *influencer*.

—Ja, ja. Algo parecido, Nora. Pero fíjate hasta qué punto se revalorizó su trayectoria que incluso estuvo nominada al Premio Nobel de la Paz. ¿A que no sabes quién la apadrinó?

—Ni idea.

—Albert Einstein. Ni más ni menos que Albert Einstein. ¿No es alucinante las vueltas que da la vida?

—Y tanto. Ni siquiera sabía que se conocían.

—Bueno, no fue solo Einstein quien la apadrinó. Fueron dos premios Nobel los que apoyaron su candidatura. Einstein y Selma Lagerlöf, una escritora sueca, la primera mujer en ganar un Nobel. Y, por supuesto, hubo muchos más firmantes que se posicionaron a favor de Rosika. Seguro que ya te imaginas alguno...

—Ford.

—¡No! Rosika acabó fatal con Ford. Pero sí una que fue amiga de ambos.

—¡Lola!

—Eso es, Lola Maverick Lloyd.

—Estaba claro... Pero Uri, a mí lo que más me sorprende es lo de Einstein. No sé, un físico...

—Rosika tuvo una larga relación de amistad con Einstein. Trabajaron duro juntos en el campo del antimilitarismo. Einstein era una estrella de los medios y no dudaba en difundir sus ideas siempre que podía. Dio muchas conferencias. Mira: aquí tengo un recorte de periódico, de marzo de 1931, hablando sobre la paz mundial en Nueva York, justo en el mismo transatlántico que lo llevaría de vuelta a Europa.

—¿Cómo de vuelta? ¿Pero Einstein no residía en Estados Unidos?

—No, en 1931 no. No vino aquí hasta que en 1933 lo contrató la Universidad de Princeton.

—¿Y por qué has guardado ese recorte sobre esa conferencia en Nueva York?

—No te lo vas a creer. Lo he recortado porque habló de la insumisión. Dijo que los objetores de conciencia eran imprescindibles. En su opinión, negarse a hacer el servicio militar obligatorio era fundamental para la paz en el mundo.

—¡Qué maravilla! ¡Estaba hablando de ti sesenta años antes de que te hicieras insumiso!

—El hecho es que, según él, un insumiso que no tiene miedo de ir a la cárcel está también preparado para negarse a ser recluido en caso de guerra. Y sin soldados, pues no hay guerra, ¿no?

Uri se emocionaba hablando de la insumisión, de la desobediencia civil.

—Einstein y Rosika se escribieron bastante. Cruzaron un montón de correspondencia, en especial, una vez que Einstein se instaló en Estados Unidos. En las cajas de Edith hay muchas cartas enviadas por él.

—Supongo que para Einstein sería un alivio que los americanos le dieran asilo.

—Sí y no. Por un lado, no hay duda de que los estadounidenses le dieron la oportunidad de sobrevivir. Nadie sabe qué le hubiera pasado de haberse quedado en Alemania. Pero, por otro lado, echaba de menos su país natal. Princeton le parecía un pueblito, demasiado distante de Europa, donde había desarrollado toda su carrera académica. Eso era algo que a Einstein le inquietaba. En todas las cartas que escribe desde Estados Unidos se muestra preocupado.

—¿Pero preocupado por qué exactamente? ¿Por el estado del mundo?

—Sí, por eso también. Pero, sobre todo, porque quería centrarse en su campo, la ciencia, la física, y no podía. Durante los últimos años, debido al Nobel, viajaba de un lado a otro dando conferencias y tenía la sensación de que había abandonado su pasión. De alguna manera, había pasado de ser un científico a ser un divulgador. Y él amaba la ciencia y quería dedicarle un tiempo que no tenía. Lo llamaban constantemente de aquí y de allá para que participara en mil eventos. Llegó a ser tal su desesperación que lo invitaron a Harvard a dar una conferencia sobre la paz y se negó.

—No podía concentrarse en lo suyo.

—Eso es, Nora. Te suena, ¿verdad?

Nos reímos y nos miramos con complicidad. Uri siguió hablando.

—Una anécdota que te va a gustar. Einstein y el resto propusieron que se le diera el Nobel a Rosika el día de su cumpleaños, el 11 de septiembre de 1937, el mismo día que Rosika cumplía sesenta años. Además de los dos nobeles, el resto de los firmantes procedía de países muy diversos. Es bonito que el reconocimiento fuera internacional, ¿no te parece? Y también es muy chula la manera en que terminaba la defensa que presentaron.

—¿No la tienes por ahí? ¿Te la sabes?

—Sí, decía algo así como... «Aunque está claro que algún día la historia hará justicia a la señora Schwimmer, la historia es muy lenta».

—Demasiado lenta, casi tanto como tú. Menos hablar y más trabajar.

Según acabó el confinamiento, no sé muy bien el motivo, a Uri y a mí nos dio por andar. Casi a diario nos proponíamos dar un paseo por Central Park que, de hecho, se convertía en largas caminatas a buen ritmo y en las que no dejábamos de hablar de la novela.

Central Park es un mundo en sí mismo. Pasas de un paisaje a otro sin salir del parque. Por un lado, están las áreas de juego, lo mismo para jugar al béisbol que para patinar o nadar. También hay un zoológico, un teatro, quioscos de conciertos, un sendero para correr, muchos puentes y varios lagos. En Central Park uno puede perderse fácilmente. Los ambientes son diferentes entre sí y en algunas partes, si no las conoces, lo normal es extraviarse. Hay avenidas largas, con árboles altos, zonas boscosas, y una especie de selva llamada Ramble. Es nuestro lugar favorito. Parece que estés en plena montaña, caminando por la selva de Irati, por ejemplo, por estrechos senderos. En primavera es un buen lugar para observar pájaros, ya que allí descansan aves migratorias, en medio de sus largos viajes alrededor del mundo.

Hay mucha gente que visita el Ramble con la idea de ver de cerca pájaros. Se colocan en sitios específicos, observatorios estratégicamente situados, y, simplemente, esperan. Algunos son entendidos o expertos que saben distinguir las diferentes especies. Llevan prismáticos y anotan en sus cuadernos lo que consideran reseñable.

Te lo cuento, Maider, porque me he acordado de que, cuando éramos niñas, nos encargábamos del cuidado de los pájaros de tu padre, mientras él faenaba. Criaba pájaros cantores en su garaje. Nuestro cometido era alimentarlos y llevarlos a pasear por los montes cercanos, dentro de las jaulas. Tu padre nos contaba que a los pájaros les venían muy bien esos paseos, aunque fuera enjaulados, ya que no dejaban de ser criaturas salvajes. Sin embargo, debíamos ser precavidas y evitar que oyeran cánticos de otros pájaros de la naturaleza, ya que tendían a imitarlos y los cánticos de los pájaros salvajes podían ser muy pobres. «Algunos pájaros cantan fatal. Que no aprendan de ellos, por favor. Que no tengan la oportunidad de imitarlos», nos ordenaba. En el garaje, tu padre ponía a sus canarios casetes con cánticos virtuosos de otros pájaros para que aprendieran a cantar como él quería.

El caso es que en cierta ocasión subimos al monte con las jaulas y nos entretuvimos hablando de nuestras cosas, sin darnos cuenta de que nos habíamos detenido junto a unos árboles donde los pájaros libres cantaban a su manera, es decir, supuestamente fatal. Cuando caímos en la cuenta ya llevábamos un rato, así que cogimos las jaulas y bajamos de regreso al garaje.

La siguiente vez que entró tu padre en el garaje, enseguida notó algo raro.

—Maider, ¿dónde han estado estos pájaros? ¿Oyes cómo cantan?

En fin, recuerdos de nuestra infancia, Maider.

En los descansos de nuestras caminatas, Uri y yo no escuchábamos a los pájaros, sobre todo porque Uri no callaba. Enfrascado como estaba con las notas de su novela, su tema de conversación favorito siempre guardaba relación con sus descubrimientos y apuntes literarios. En aquellos momentos su monotema era Einstein.

¿Sabes, Maider, que cuando Albert Einstein dio una conferencia sobre educación en Albany, la capital del estado de Nueva York, Rosika estaba allí?

Me la imagino en la primera fila, con su vestido de flores, su sombrero y sus gafitas, escuchando atentamente.

Einstein habló sobre la educación en su infancia, y explicó que los profesores de aquella época eran violentos y autoritarios. En opinión de Einstein, las materias concretas impartidas en la educación de un niño son menos importantes que la propia educación de la persona. Al final, a los alumnos se les olvidan las materias, pero si les enseñas a ser independientes, creativos, si les contagias la pasión por aprender, eso perdurará toda la vida.

Y una cosa más, Maider, quizá la más importante. Einstein admitía el hecho de que a todos nos guste ser reconocidos. Todos queremos la atención de los demás. A veces, la necesitamos, especialmente cuando somos niños. Pero si el hecho de querer ser reconocido se confunde con el de querer ser el mejor, el más fuerte, el que más sabe, vamos en la dirección equivocada. La cuestión no es ser el mejor, sino ser lo mejor que cada uno pueda ser, considerando que eso nos convertirá en buenos. Y buscar siempre lo mejor para la comunidad. Einstein sostenía que una sociedad con buenos científicos, buenos escritores y buenos trabajadores prosperará por sí misma, porque sin comunidad, no hay libertad.

Tú siempre has pensado más en el bien común que en ti misma. Eras buena estudiante. Acabaste la carrera con buenas notas. Pero no te quedaste a vivir en Vitoria-Gasteiz. En vez de hacer tu propia vida, decidiste volver al pueblo para ayudar a tu madre y a tu hermana con la tienda. Tu fidelidad siempre me ha llamado la atención. Dejar lo tuyo para ayudar a los demás. No sé si Einstein se refería a esto cuando hablaba de buscar lo mejor para el colectivo.

Casi sin darnos cuenta, metidos en nuestras conversaciones, Uri y yo cruzamos todo el parque, de oeste a este. Al este, en la Quinta Avenida, se encuentra la enorme sede del Museo Metropolitano de Arte.

El MET es increíble, Maider, y también es fácil perderse entre sus paredes. Es como un laberinto. Te mueves de una sala a otra, y cada sala tiene su propia decoración. El color de la pared, la iluminación, todo cambia. Es como un viaje en el tiempo a través de todo el mundo: lo mismo te encuentras en una habitación diseñada por Frank Lloyd Wright en Estados Unidos que, instantes después, dentro de una ermita medieval en Europa y, al rato, en un templo japonés.

Recién llegados a Nueva York, visitar las salas donde se exponen las obras de los pintores europeos era una de las cosas que Uri y yo queríamos hacer. Nos encanta la pintura clásica, especialmente la italiana, la de Caravaggio. Hay dos pinturas suyas muy conocidas en el museo. La primera, la más popular, se llama *Los músicos*, y en ella aparece un joven sujetando un laúd en sus manos. Según nos contó la guía, el muchacho era un amante del pintor, porque detrás del músico aparece el propio autor, un adolescente aún. A cada lado, un chico. A uno se le ve el pecho y al otro, la espalda. Y a pesar de que su presunto amante está vestido, al mostrar desnudas ciertas partes del cuerpo de los otros dos muchachos, se diría que Caravaggio imaginaba también a su amante desnudo. La sutileza del arte.

El segundo lienzo es *La negación de san Pedro*. Caravaggio retrató al discípulo en primer plano, de una manera muy realista. Parece un mendigo de la calle. El anciano aparece en el tercio derecho, aterrorizado, porque tiene frente a él a un soldado romano que de manera amenazante le interroga por Jesús, si es su amigo, si lo ha visto en los últimos días..., en un momento en el que los legionarios quieren capturar al Nazareno. Sabemos que Pedro negará a Cristo, responderá que no lo ha visto, que ni siquiera es su amigo. En el cuadro, el soldado está de lado y no se distingue su identidad. La visión que se nos muestra es la del discípulo. San Pedro es retratado como una persona frágil, vulnerable. Y el soldado simboliza el poder, frío e infalible.

En aquella primera visita que hicimos al museo, Ane hizo una pregunta sobre el cuadro, una de esas maravillosas ocurrencias infantiles que no olvidaré.

—¿Os habéis dado cuenta de que no había luz eléctrica en aquella época? Solo había velas. Entonces, ¿cómo pintó este cuadro Caravaggio?

Me encantó. Ane tuvo conciencia de repente de la idea de progreso y, probablemente, pensó que su propia vida podría haber sido muy diferente de haber nacido en otra época.

—Seguramente hizo muchos bocetos —contestó la guía—. Y bueno, piensa que no solo había velas, también tenían lámparas. Y, sobre todo, podía pintar de día...

Caravaggio estaba obsesionado con la persecución que trae consigo el poder. Son muchos los poderosos que aparecen en sus cuadros, gente rica y autoritaria, siempre por encima de la gente común.

La búsqueda de la libertad es uno de sus grandes temas.

Al mirar este segundo lienzo, recordé, Maider, una discusión que tuve contigo.

Ambas salimos a cenar y, como de costumbre, dedicamos la sobremesa a charlar sobre lo divino y lo humano, y uno de los temas sobre el que debatimos en relación con la mujer, con el feminismo, con nuestras reivindicaciones y conquistas, nos enfrentó de una manera tan inusual como seria.

—Maider —te dije en un momento del debate—, me parece del todo revelador que, aunque las mujeres hayamos sufrido más que nadie, aunque hayamos sido objeto de las mayores tropelías, injusticias y crueldades imaginables, sin embargo, casi nunca hemos recurrido a la violencia como forma de lucha. ¿No te parece llamativo?

La expresión de tu cara cambió.

—No me gusta cuando vas de especial, Nora. En nuestro mismo pueblo, ¿cuántas familias conoces que hayan sufrido la violencia policial o de la extrema derecha? ¿Te has olvidado de que secuestraron, acribillaron a balazos y abandonaron en el monte a un joven del pueblo?

—Pero, Maider, ¿qué tiene que ver todo eso con lo que estamos hablando?

—Tiene que ver que todo eso crea mucho odio, Nora. Y ese odio puede estallar.

Siempre habías respetado mis ideas contrarias a la violencia. Rara vez nos habíamos enfadado por política, tampoco es que fuera uno de nuestros temas favoritos, pero en aquella ocasión te levantaste de tu silla y te marchaste del restaurante, sin decir nada, dejándome sola.

En aquel momento no entendí por qué.

Esa noche, en un sueño, se me apareció Rosika. En el sueño se encontraba con Lola en su casa. Yo estaba con ellas y me pedían que les tocara el piano. Entonces, Rosika se levantaba y tocábamos el piano juntas, a cuatro manos. De repente, en el sueño tenía la apariencia de una niña y comía cerezas en el suelo, junto al piano. Podía ver a Rosika y a Lola hasta la cintura. Pero al incorporarme, veía a Rosika de cuerpo entero y se había convertido en una gigante, como los de Pamplona, y su falda tenía una abertura por la que entré como quien atraviesa una puerta mágica.

Tú estabas dentro de la falda, Maider.

—¿Qué estás haciendo aquí? —te pregunté.

—¿No te parece un buen escondite o qué? —me dijiste sin más—. Vamos. Hagamos bailar a la gigante.

—¿Y cómo lo hacemos?

—Tenemos que ponernos estas correas. Cuando la música suene, nosotras bailamos y la gigante hará lo mismo.

Empezamos a dar vueltas y más vueltas hasta que me desperté, empapada en sudor.

En nuestros paseos diarios, por las tardes, hemos presenciado el paulatino resurgimiento de Central Park, la manera en que ha ido recuperando la vida anterior a la pandemia, aunque le quede un mundo todavía. Los músicos de jazz han comenzado a reunirse y a improvisar sus *jam sessions* bajo los árboles. Han abierto una peluquería, debajo de una vid, muy cerca de la orilla del lago. No sabes la de gente que hacía cola esperando su turno para que le cortaran el pelo. Como son pocos los que se atreven a meterse en locales cerrados, esta peluquería al aire libre es todo un éxito y un gran negocio, sin duda.

Ayer, una vez más, recorrimos los senderos boscosos, atravesamos cascadas y pequeños puentes hasta llegar al Ramble. De repente, en una rama de uno de los árboles que da sombra al camino, distinguimos un pájaro que no conocíamos con un plumaje de color rojo, muy vivo. Nos paramos para poder contemplarlo mejor y no asustarlo.

El pájaro era precioso, completamente rojo,

excepto la frente. Nunca había visto nada parecido en Europa.

—Parece un cardenal —le murmuré a Uri.

—Sí, puede ser.

Mientras observábamos al pájaro, un hombre con una cámara que nos había oído se acercó a nosotros.

—No es un cardenal. Es una tangara rojinegra. *Piranga olivacea* es su nombre científico. Se acerca a Nueva York en primavera. El macho es de color rojo, pero solo en primavera, cuando quiere llamar la atención de las hembras. El resto del año es verde oliva, como las hembras. Tienen ese color para pasar desapercibidas entre las hojas y mantener en secreto el lugar del nido.

—¿Es migratorio, entonces? —pregunté.

—Sí, y muy difícil de ver. Este momento es mágico. Pronto volarán al trópico.

—¿Cómo puede ser ese rojo tan brillante? Parece tintado.

—Sí. Es muy impresionante. A la tangara le gusta descansar en las copas de los árboles. Y cuando vuela a través de la hoja verde, es como si estuviera prendiendo fuego al árbol.

—Qué imagen más bonita.

—La frase no es mía. Es de Thoreau.

—Usted será por lo menos biólogo —le dije.

—No. Soy un conductor de autobús. Pero me gustan los pájaros.

Y seguimos mirando a la tangara.

A principios de los noventa habíamos terminado nuestra etapa de instituto y estábamos preparadas para ir a la universidad. Yo había elegido estudiar la carrera de Economía en Bilbao. Tú, Maider, te decantaste por las humanidades, la carrera de Historia, y esa elección conllevaba estudiar en Vitoria-Gasteiz, capital de otra provincia. Ambas ciudades se hallaban a una hora en coche de nuestro pueblo, pero en transporte público podías tardar el doble. Muchas familias no tenían coche propio, y el autobús era el único medio para desplazarnos a las ciudades. Solo había dos autobuses que fueran a Bilbao por la mañana. Uno era directo, y el viaje duraba aproximadamente hora y media. El otro paraba a recoger pasajeros en todos los pueblos intermedios, y tardaba una eternidad. De modo que era mejor acertar con el autobús para no pasarse todo el día en la carretera. A Vitoria-Gasteiz no había línea directa.

En esas circunstancias era normal que hasta llegar a la universidad apenas hubiéramos conocido las capitales. Cuando antes de los dieciocho viajábamos a Bilbao, lo hacíamos en familia y para visitar algún médico especialista, o para atender algún examen del conservatorio o de la escuela de idiomas. Por eso, el comienzo de los estudios universitarios era todo un acontecimiento. Salíamos de nuestra zona de confort para afrontar la vida en la urbe, lejos de nuestras familias, lejos de nuestros hogares. Era el inicio de la vida adulta.

En septiembre de ese año mis padres invitaron a comer a tu familia. Era algo así como una comida de despedida. Estuvo bien, buen ambiente, y hasta tu padre, con lo serio que era, se mostraba exultante. Yo, sin embargo, me sentía desbordada. Como las playas inundadas por las olas enormes que provocan las mareas vivas de septiembre, yo sentía dentro de mí oleadas de desconcierto, nostalgia y miedo. Y todo porque aquella iba a ser la primera vez que tú y yo nos separábamos, Maider.

La adaptación a la ciudad fue rápida, no te voy a engañar, ya lo sabes. Enseguida hice nuevas amigas en la universidad. Empiezan las clases y de un día para otro entablas relaciones sin que apenas importe tu pasado, que es algo que queda atrás, igual que quedan atrás tu procedencia, tu familia, tu educación, tus notas o los roles que hasta entonces te ha tocado desempeñar en anteriores aulas. El presente y la libertad emergen con una fuerza inusitada y te da la impresión de que tienes la oportunidad de volver a construirte a ti misma, pero según tus propios gustos y creencias. Es el momento de librarte de prejuicios y ataduras. En Bilbao me sentía yo misma, o la persona que quería y ansiaba ser.

El primer mes en la universidad aún regresábamos al pueblo todos los fines de semana. Nos gustaba encontrarnos los viernes al atardecer y contarnos todas las novedades acontecidas durante la semana.

—Me gusta un chico —me confesaste con tono de intriga.

—Vaya, qué novedad.

—Le llaman Gorri, es de Navarra.

—¿Y?

—Ni me mira. Creo que para él no existo.

—Eso no te lo crees ni tú, Maider.

Según fue avanzando el curso y se aproximaba el invierno, daba más pereza volver a casa. La ciudad resultaba mil veces más atractiva: cine, conciertos, bares y, todo ello, en buena compañía. Ese primer año descubrí las fiestas universitarias de las facultades de Medicina y de Ingenieros en Bilbao. Después de los exámenes de febrero, una amiga que estudiaba Informática en Bilbao nos invitó a su casa el fin de semana coincidiendo con la celebración de la fiesta de Ingenieros. Para todos los universitarios, era un día señalado en rojo en el calendario. Se celebraba en la feria de muestras, y se habilitaban varias barras donde se despachaba alcohol a mansalva y un escenario donde actuaban varios grupos en directo. Un fiestón con mayúsculas, donde nos mezclábamos los estudiantes de todas las carreras. Recuerdo que nos juntamos ocho chicas en la casa de nuestra amiga, que solo tenía dos habitaciones. Pero eso era lo de menos. Las risas estaban aseguradas. Cenamos algo en casa y nos preparamos para salir, dispuestas a comernos el mundo. Nada más salir del portal, al bajar de la acera, la anfitriona dio un mal paso y se torció el tobillo. Fue un momento de duda para el resto de nosotras, porque nos dimos cuenta de que, con ese tobillo inflamado como una bota, ella no podía ir a la fiesta y, a la vez, nada deseábamos más que llegar a la feria de muestras cuanto antes. La ayudamos a subir al piso y la tumbamos en el sofá con el pie en alto y una bolsa de hielo. Por un momento, hasta nos planteamos quedarnos allí junto a nuestra amiga. Fue ella quien nos empujó a marcharnos y a disfrutar de la noche como habíamos planeado. Un gran gesto de amistad por su parte que apreciamos de verdad.

Montamos en dos taxis que nos dejaron a las puertas de la feria de muestras. Fue una de esas inolvidables veladas locas de juventud, en las que no paras de bailar, de beber y de echar risas en toda la noche. Nos quedamos hasta que nos echaron del recinto, y luego continuamos deambulando por Bilbao, felices, borrachas, libres. Llegamos a casa al alba, con una bolsa de papel con bollos y cruasanes para nuestra amiga.

El invierno dio paso a la primavera y, a pesar de que todo me iba fenomenal en Bilbao, yo te echaba de menos, Maider. Pero ni tú ni yo volvíamos habitualmente al pueblo. Apenas hablábamos. En aquellos tiempos no teníamos teléfono móvil, y en el piso en el que yo vivía en Bilbao ni siquiera había teléfono fijo. Tenía que salir a la calle para llamarte desde una cabina. Procuraba llamarte todos los viernes, a eso de las siete, justo antes de salir de marcha. Al principio, charlábamos hasta que se me terminaban las monedas. Pero con el tiempo, nuestras conversaciones eran más cortas. Hasta que un día empezaste a no contestar a mis llamadas. Luego, cuando volvíamos a hablar, me contabas que habías ido a pasar el fin de semana en Navarra con Gorri y otros compañeros de clase.

Y así fue como, mes a mes, cada una empezó a hacer su vida y la distancia entre nosotras creció más allá de los kilómetros que nos separaban.

Aquel curso nos reencontramos durante las vacaciones de Semana Santa. Por un lado, fue como si no hubiera pasado el tiempo. Salimos de marcha y lo pasamos bien recordando aventuras de infancia y de adolescencia. Yo te seguía contando mis andanzas en Bilbao, te hablaba de mis nuevas amigas, de tal concierto, de tal fiesta universitaria, pero cuando te preguntaba por tus días en Gasteiz o me interesaba por tu relación con Gorri, me dabas evasivas y cambiabas de tema. Yo quería saber qué hacíais esos fines de semana que pasabais en Navarra, pero nunca me contestabas. Si insistía, porque no te imaginaba ni haciendo travesías de montaña ni durmiendo en refugios, salías con lugares comunes, que si pasabais el tiempo juntos, que si paseos, que lo normal... y vaguedades por el estilo.

Yo podía aceptar que por teléfono no hubieses querido contarme nada concreto, pero no entendía que aquellas noches en las que volvíamos a vernos cara a cara no quisieras hablarme con pelos y señales sobre tu relación con Gorri. Ni una palabra. Cuando nos despedíamos, me marchaba a casa con la sospecha de que algo raro sucedía. Por vez primera en nuestras vidas, sentía que me ocultabas algo, Maider, y que lo hacías por propia voluntad.

Así que, en nuestros reencuentros, a veces me quedaba dentro un sinsabor que me costaba quitarme. Trataba de no darle importancia, pero tu silencio me generaba malestar. Uno de aquellos fines de semana no dejé pasar la oportunidad de preguntarle a tu hermana por ti. Imaginaba que no podría contarme nada, pero, por si acaso, me acer-

qué en cuanto tuve ocasión y le pregunté directamente:

—Estoy un poco preocupada por Maider. No sé. Tengo la sensación de que le pasa algo. ¿No estará metida en alguna movida rara?

—A veces es mejor no saber.

Tal vez por miedo a lo que respondieras, o porque ya intuía que nuestros caminos se iban a separar, por un tiempo decidí no profundizar en el tema y no preguntarte. Después de lo que me dijo tu hermana me quedé callada, y seguí su consejo de no preguntarte nada. Quise creer que sería algo temporal, que ya se te pasaría, y que volverías tarde o temprano conmigo, como un planeta que se desvía de su órbita pero que luego vuelve al calor del sol.

Eso fue lo que pasó. Viajé mucho, prolongué mis estudios en Inglaterra y viví en otros lugares hasta que volví al pueblo y retomamos nuestra amistad. Aún éramos jóvenes, estábamos en lo mejor de la vida, salíamos «a quemar la noche». Y conocimos a Uri, estuvimos en Cuba y en Londres. Fueron buenos años, tal vez los mejores, Maider.

Una vez me atreví a preguntarte sobre tu etapa montañera.

—Eso quedó atrás —me dijiste.

Y yo creí tus palabras, o quise creerlas.

Maider, imagina por un momento que yo te hubiera escrito y pedido ayuda porque mi vida estuviera en verdadero peligro. Cada mensaje de socorro que le llegaba a Rosika proveniente de Hungría, Austria, Alemania, o más tarde de Francia, debía de suponer una puñalada en su corazón. Imagínate a Rosika leyendo los telegramas de colegas suyas, feministas, intelectuales, sufragistas, en los que le cuentan que sus solicitudes de asilo político se han retrasado un año, mientras los nazis las persiguen de casa en casa. Una mujer destrozada por los acontecimientos, atormentada por la desaparición de tantas y tantas personas queridas.

Las noticias que provenían de Europa eran de una gravedad extrema. Los nazis arrestaban a conocidos de Rosika y, en algunos casos, los asesinaban. Judíos, intelectuales, mujeres compañeras en la lucha por el sufragio, antimilitaristas..., un gran número de familiares, amigas y conocidas estaban en peligro. Ayudarles a salir de Europa antes de que los encerraran en campos de concentración o los exterminaran directamente se había vuelto un asunto de máxima urgencia. Rosika recibía innumerables mensajes solicitándole auxilio, rogándole que intercediera para que pudieran refugiarse en Estados Unidos.

Para desesperación de Rosika, no era una ayuda que estuviera en su mano, porque la Oficina de Inmigración de Washington apenas aceptaba a extranjeros. Entre los papeles que el gobierno exigía a los refugiados que querían recibir asilo en Estados Unidos, figuraba un documento llamado *affidavit* que resultaba imprescindible para tramitar cualquier permiso. Se trataba de un certificado, firmado por una persona ciudadana de Estados Unidos, en el que garantizaba bajo juramento que conocía a la persona que solicitaba asilo y prometía hacerse cargo de ella a su llegada al país.

El problema para Rosika Schwimmer, y no menor, era que ella no constaba de manera oficial como ciudadana estadounidense. El fallo de la Corte Suprema de 1929 había dejado claro que no se le otorgaba la carta de ciudadanía. Le permitían residir en el país, pero sin concederle los derechos propios de una ciudadana. Su pacifismo íntegro, que la había llevado a defender ante el tribunal su derecho a no empuñar un arma en defensa de Estados Unidos, le había privado de ese estatus que ahora tan necesario le resultaba.

Rosika no se rindió. Ella no era ciudadana de Estados Unidos y no podía firmar el *affidavit*, pero escribió cartas y cartas a amigos estadounidenses en las que pedía, por favor, que aceptaran en su nombre a personas inocentes que luchaban por salvarse del exterminio nazi. Escribió a la Oficina de Inmigración de Washington informándoles de las barbaridades que sucedían en Europa e instándoles a que se cambiara la política de asilo y se tomaran medidas humanitarias. Escribió a rectores de universidad, convenciéndoles de que excelentes intelectuales en Europa podían convertirse en buenos profesores si se les daba la oportunidad. Escribió a editores y los animó a que publicaran las obras de escritores refugiados con la esperanza de que así se les abriera una puerta de acceso a Estados Unidos. Escribió en nombre de sus amigos y familiares que estaban en Hungría, Austria, Alemania y Francia. Entre ellos, escritoras feministas exiliadas por la guerra civil española, como María Lejarraga.

Y lo que yo me pregunto, Maider, es si crees que, a la vista de los acontecimientos, Rosika se arrepintió de su defensa del pacifismo ante los tribunales que fallaron acerca de su ciudadanía. ¿Habría traicionado sus principios ante los jueces de haber sabido que ello le permitiría salvar vidas inocentes? Con cada telegrama que recibía, ¿maldecía la hora en que se plantó ante el tribunal en vez de quedarse callada? ¡Habría sido tan fácil asentir! Únicamente debía haber pronunciado una frase: «Sí defenderé a Estados Unidos con las armas si así se requiere». Una docena de palabras que le habrían valido para evitar ¿cuántas muertes? Pero no. Rosika no podía imaginarse la trascendencia que años más tarde tendría su decisión de defender los principios a los que había entregado su vida.

Entre los papeles fotocopiados por Uri, encontré un mapa. Rosika dibujó un mapa en el que marcó la ubicación de cada miembro de su familia, si estaban vivos o muertos, y si había alguna oportunidad de escapar o de ayudarlos. Rosika analizaba ese mapa todos los días, Maider, a todas horas, y marcaba cada cambio fatal, cada mala noticia.

Imagina que te escribe alguien de tu familia, un primo. Leí la carta con mis propios ojos, Maider. Estaba entre los papeles de Uri, en un sobre llamado «Refugiados de guerra». Su primo le contaba que vivía oculto, que había intentado salir de Hungría, pero que no lo había conseguido. Se había escondido porque sabía que los nazis estaban asesinando a judíos. Así que en Hungría le aguardaba una muerte segura. Y entonces, le hacía una súplica a su prima Rosika, pero no para él. Su vida ya no le importaba, pero sí la de su hija. Le rogaba a Rosika que hiciera lo posible por salvar la vida de su pequeña. Que si solo podía salvar una vida, que fuera la de su querida hija.

Era una carta conmovedora, Maider, terrible. Y comprendía perfectamente a ese hombre. Como madre, me imagino a mis hijos en esa situación, a

Ane y a Unai, y haría cualquier cosa por salvar sus vidas, cualquier cosa. ¿Quién que viviera esa angustia no lo haría?

Justo en esos momentos, entró Uri en el laboratorio. Me encontró llorando.

—Pero ¿qué te pasa?

—Estoy leyendo las cartas de Rosika y me he emocionado.

—¿Qué cartas?

—Las de los refugiados de la Segunda Guerra Mundial. Me ha conmovido leer esas cartas tan llenas de desesperanza e imaginarme la impotencia y desesperación de Rosika. Es terrible. No sé, Uri, creo que se me ha juntado todo a la vez: la pandemia, el miedo a que mis padres enfermen, los niños que no quieren salir de casa, la imposibilidad de encontrar trabajo, nuestra situación legal aquí... Algo bueno nos pasará algún día, ¿no, Uri?

Ayer por la tarde quedé con Isabelle para la clase de español por Zoom y le conté la historia de los refugiados de guerra. Llevo días sin poder quitarme de la cabeza aquellas cartas que enviaron a Rosika.

—La mayoría no pudieron salvarse —le dije.

—Me lo imagino. Tengo familia en Francia y sé lo que sufrieron. De todas maneras, siempre que hablo de esto, lo que me parece más terrible es que los nazis creyeran estar haciendo su trabajo.

—No sé si te entiendo. ¿A qué te refieres?

—Sí. La pensadora Hannah Arendt teorizó sobre ello.

—¿Quién es Hannah Arendt? —Isabelle me sorprende en cada clase, la verdad.

—Una filósofa, una de las mayores pensadoras del siglo xx. Nació en Alemania, cerca de Königsberg, la ciudad de Kant. Era marxista, de la misma generación de Theodor Adorno y Walter Benjamin, de la Escuela de Frankfurt. Por temor a los nazis, huyó primero a París y luego, a Estados Unidos.

—¿Y cuál es su teoría?

—Toma como referencia la figura de Adolf Eichmann, el oficial que diseñó lo que se conoce como la «Solución Final». Este hombre, tras la derrota nazi, se refugió en Argentina. Huyó allí después de la guerra. Llevaba una vida tranquila y trabajaba con otro nombre. Pero los servicios secretos israelíes andaban tras su pista. Lo encontraron, lo secuestraron y lo llevaron a Jerusalén para que fuera juzgado por sus delitos. Fue un momento histórico, porque el pueblo judío por fin tendría la oportunidad de que, al menos ante los tribunales, se hiciera justicia y se condenara al régimen nazi. Entre quienes pudieron asistir al juicio había supervivientes de los campos de exterminio. Un juicio muy emocionante.

—Se me pone la piel de gallina solo de imaginármelo.

—Hannah Arendt vivía aquí, en Nueva York, en aquel momento. Por su condición de judía, le pidió a *The New Yorker* cubrir aquel juicio histórico y escribir las crónicas para la revista.

—¿Escribió también sobre el personaje, sobre Eichmann?

—Lo terrible es que Arendt no retrató a Eichmann como un criminal loco. Le pareció un pobre hombre, una persona mediocre, que tan solo obedecía órdenes. «Hitler tenía un plan. Seguimos al hombre que tenía el plan.» Esa fue la justificación que dio Eichmann en el juicio.

—Sí, es terrible.

—Fue después de escuchar a Eichmann cuando

Arendt ideó su conocido concepto, el de «la banalidad del mal». Cualquiera puede convertirse en un monstruo y desentenderse de las consecuencias de sus actos bajo el paraguas de una organización burocrática. Recibió duras críticas por parte de sus compatriotas judíos. ¿Cómo podía excusar así a un nazi como Eichmann, el hombre que había diseñado la masacre más grande del mundo? Arendt fue acusada de actuar en contra de su pueblo. Ella argumentó que nunca había sentido lealtad hacia una comunidad, y que, en todo caso, ella era leal a sus amistades. Y añadió que, como filósofa que era, buscaba la verdad, y no contentar a la gente. Porque, a veces, la gente no quiere escuchar la verdad.

—Los políticos dicen lo que la gente quiere oír. El escritor no. Trata de ir por delante siempre, aunque lo pague con soledad e incomprensión.

—Para acabar con Hannah Arendt —dijo Isabelle, tras beber un sorbo de agua—, ¿sabes qué es lo más sorprendente?

—¿Qué?

—Hannah Arendt fue amante de Martin Heidegger toda su vida. Arendt era progresista y judía. Heidegger simpatizó en su juventud con el Partido Nazi. ¿Crees que rompieron? Nunca. Mantuvieron su relación antes y después de la Segunda Guerra Mundial. ¿Cómo es posible que Hannah Arendt amara a aquel hombre que en un momento dado de su vida había apoyado el movimiento que exterminó a seis millones de judíos, judíos como ella misma? ¿Cómo continuaron escribiéndose cartas hasta el mismo día que murió Arendt?

—Porque las personas no somos solo una cosa.

Nada más terminar la clase con Isabelle busqué en internet las palabras *Hannah Arendt* y las fui combinando con estas otras: *Nueva York* y *casa*. El buscador me dirigió a una entrada de Wikipedia en la que figuraba lo que parecía el nombre de una dirección: 370 Riverside Drive. Pinché y leí:

> 370 Riverside Drive es un edificio del Upper West Side de la ciudad de Nueva York, en la calle 109 Oeste. Varias celebridades han vivido aquí, entre ellas, Hannah Arendt, Grace Zia Chu (chef), Clarence J. Lebel (inventor del fluorescente) y Evelyn John Strachey (político británico)...

Hice clic en el mapa y me di cuenta de que Hannah Arendt había vivido en nuestro propio barrio, el Upper West Side, durante treinta años. Vivió aquí con su marido hasta su muerte.

Uri estaba trabajando con los niños en la mesa de la cocina.

—¿Sabes quién fue Hannah Arendt? —le pregunté.

—Sí, creo, una pensadora alemana, la que teorizó aquello de la banalidad del...

—Vale, vale, ya —lo interrumpí—. ¿Pero a que no sabes dónde vivía?

—No, eso no.

—Ven, vamos.

—¿Vamos? ¿Adónde vamos?

—A la casa de Hannah Arendt. Tengo una corazonada. Creo que puede pasar algo allí que nos venga bien para la novela.

Cogimos las bicicletas y nos dirigimos hacia Riverside Park. Desde allí, a lo largo de las orillas del río Hudson, pedaleamos hasta el norte. Al llegar a la calle 100, cruzamos el parque cuesta arriba de camino a la casa de Arendt.

—Espero que valga la pena —me dijo Uri, caminando cuesta arriba a duras penas mientras llevaba su bicicleta por el manillar.

Por fin llegamos a 370 Riverside Drive. Es un edificio alto de ladrillo rojo, elegante, como todas las viviendas de esa calle. Empecé a contar pisos con la mirada.

—Mira, vivían en el piso doce. Esas podrían ser las ventanas.

Nos acercamos al portal y nos llevamos una decepción al comprobar que no había ninguna referencia a Hannah Arendt. Ni placa ni grabado ni rastro alguno de la gran pensadora que había vivido durante tanto tiempo en aquel edificio.

—Isabelle me dijo que Arendt había sido feliz en Nueva York. Que ella misma contaba que nunca se había sentido tan libre como en Nueva York y que era la ciudad perfecta para ser libre.

—Pues ya ves: ni una mención. Esta ciudad se olvida rápidamente de la gente que vive en ella.

—No es así.

—¿Por qué dices eso? ¿No ves que no hay ni una mísera placa que recuerde que una de las más grandes filósofas del siglo xx vivió aquí? Se han olvidado por completo de ella.

—No es cierto. Nosotros estamos aquí.

Noté que buena parte de los vecinos de nuestro edificio regresaron a partir de mayo a sus apartamentos de alquiler. Se notaba más movimiento en los portales, más ruidos de puertas que se abren y se cierran. Una mañana, a la salida del ascensor, nos topamos en la cola para tomarlo a una mujer acompañada por un perro que Unai reconoció de inmediato.

—¡Luna! —gritó mi hijo sin poder disimular su alegría.

—¡Menuda bienvenida! —se sorprendió la mujer que lo sujetaba mientras el perro trataba de acercarse al niño moviendo el rabo.

—Es que mi hijo se alegra mucho de que Luna esté bien. Perdona, pero ¿y el dueño?

—Sí, soy su hija. Afortunadamente, estamos todos bien. Mi padre ha estado con nosotros durante su convalecencia. Lo llevamos corriendo al hospital, pero solo fue un susto. Hemos venido a recoger algunas cosas suyas, y tan pronto como se recupere, Luna y mi padre regresarán.

En aquellos días los niños se interesaron mucho por el viaje de la nueva nave espacial de la NASA a la Estación Espacial Internacional. Seguimos en familia la retransmisión del vuelo en la página de la agencia. A Unai le encanta el diseño de la *SpaceX Dragon* porque es de uno de sus ídolos, Elon Musk, el inventor de los coches eléctricos Tesla.

—Fijaos, el coche en el que van a la plataforma es un Tesla Model X. Las puertas traseras se le abren como alas.

Y mientras Unai nos señalaba la pantalla, la emoción por el momento le hacía incorporarse del borde de la cama donde estaba sentado y dar pequeños saltos de excitación. Hasta escribió mensajes en el chat de la NASA en los que apoyaba a la tripulación y mandaba a los astronautas ánimos desde el País Vasco.

—Pero si ya no estamos en Euskadi —le reprochó Ane.

—¡Qué más da!

Uno de los comentaristas del canal de vídeo dio detalles sobre la vida que llevan los astronautas en la Estación Espacial Internacional. La alimentación, el aseo personal, la manera en que se mantienen en forma. Entre los detalles que mencionó, uno nos llamó poderosamente la atención: la piel de las plantas de los pies se les cae convertida en escamas.

—¡Como a nuestros hijos! —le dije a Uri.

Los dos nos quedamos mirándonos a la cara.

—Esto va a la novela —dijimos al unísono.

Un terremoto sacudió Estados Unidos de arriba abajo el 25 de mayo de 2020: el asesinato de George Floyd. No era la primera vez que un policía mataba a un afroamericano, pero aquella muestra flagrante de brutalidad policial colmó el vaso de una ciudadanía harta de racismo.

En Nueva York se organizaban manifestaciones espontáneas en cualquier momento. Desde nuestro apartamento se oían los gritos de indignación. Las tiendas cubrieron con tablones los escaparates, por miedo a que las protestas derivaran en saqueos. En el momento en que comenzábamos a salir tímidamente de casa, el alcalde emitió una nueva orden de toque de queda.

Casualmente o no, unos días antes de lo de Floyd, un aficionado a los pájaros afroamericano se encontraba en el Ramble. Una mujer blanca se le acercó con un perro. No estaba atado, aunque la norma establece que las mascotas deben permanecer atadas en ese sitio, ya que las aves pueden huir si les molestan los perros. Así que el hombre le pidió que atase al perro. La mujer resopló y se negó a atar a su perro, porque, según ella, el animal necesitaba correr y moverse libremente. Su actitud resultaba agresiva, prepotente. El hombre, por si acaso, sacó su móvil y comenzó a grabarla, pidiéndole que se calmara. La mujer también cogió su teléfono, pero para llamar a la policía. Denunció que «un hombre afroamericano la estaba atacando». Finalmente, la mujer se calmó y ató al perro. A cambio, el hombre apagó su móvil. Eso es todo. Aunque la cosa no acabó ahí, porque el vídeo se volvió viral en Nueva York. El propio alcalde dijo que despreciaba actitudes racistas y la mujer fue despedida de su trabajo. Pero ¿qué habría pasado si hubiera aparecido la policía?

El racismo está muy cerca de la superficie en Estados Unidos y emerge en cualquier momento. Es un odio que se ha alimentado de generación en generación, desde la época de la esclavitud, y aún perdura.

Maider, uno de los objetivos del movimiento Me Too era que las mujeres nos atreviéramos a denunciar cualquier forma de abuso que hayamos padecido en silencio. Creo que el asesinato de Floyd ha provocado un efecto similar con los afroamericanos y, en general, con todas las minorías. Diría que existe una nueva consigna que nos une. Si han abusado de ti, dilo. Si te han agredido, dilo. Si han violado tus derechos, dilo. No guardes silencio. No más.

El siglo XXI es el tiempo de hablar.

Ane hizo un dibujo de una manifestación. Aparecían niños diversos, afroamericanos, blancos, asiáticos. También se pintó a sí misma vestida con una camiseta con el arcoíris. En su dibujo sostenía un cartel en el que se leía EL MUNDO ES PARA TODOS. Como repulsa al asesinato de Floyd, se organizó una protesta de mujeres y niñas por todo Riverside Park. Ane cogió su cartel y la acompañé a la manifestación junto a todas las madres e hijas del club de lectura. Tras la irrupción de la pandemia en marzo, aquella era la primera vez que las niñas volvían a verse. Estaban Pamela y Lyla, Caroline y Katie, Nicki y Riri, Debbie y Avery, Stacy y Ruby, Cerise y Cielo, Mari Paz y Maite y, por supuesto, Laura y Lilia. En el parque, bajo una luz dorada, comenzaban a verse las primeras libélulas.

Ane estaba recuperando poco a poco la relación con sus amigas, Unai no tanto.

Se me ocurrió comprar una cuerda larga de escalada con la idea de que los niños pudieran utilizarla para saltar en el patio. Había visto a compañeros de Unai saltando a la comba con cuerdas cortas, individuales, y me acordé de lo bien que nos lo pasábamos en nuestros tiempos saltando en grupo, entrando unas detrás de otras sin perder el ritmo. Atamos un extremo de la cuerda a un poste de metal y mientras yo le daba a la comba, Unai saltaba con agilidad. Durante un rato, seguimos él y yo solos, pero paulatinamente se fueron acercando otros compañeros, primero a observar y, más tarde, a saltar también. Antes de que nos diéramos cuenta, había una docena de niños jugando a la comba con nosotros. Incluso Ayala, la policía de la escuela, se quitó la gorra y comenzó a saltar.

Pocas veces he visto a Unai tan orgulloso. Una simple cuerda de escalar y un juego centenario habían logrado que hiciera nuevos amigos. Después de la pandemia Unai ha tenido que dar de nuevo los mismos pasos, salir, adquirir confianza en sí mismo, hacer amigos.

Aquellos días de manifestaciones volvieron a visibilizar el poder de la respuesta no violenta. Y aquello dio un nuevo impulso a la novela. Uri escribía todos los días, lo veía muy animado.

¿Sabes, Maider? Uri dice que las novelas son líquidas al principio, y que se pueden modificar con facilidad, como cuando pintas sobre un lienzo. Pero, en algún momento, las palabras, los personajes, los argumentos, etc., se van secando, se vuelven sólidos, a veces, incluso sin que el escritor se dé cuenta. Y que llega el momento en el que el propio libro te habla y te dice: se acabó. Y entonces observas como el libro se cierra, cicatriza igual que una herida que has mantenido abierta durante largo tiempo.

—Nora, me gustaría incorporar la historia de una maestra de la posguerra —me dijo haciéndome partícipe de esa sensación suya de obra incompleta—. Es la historia de una maestra de Ondarroa, represaliada por el franquismo. Creo que hay algo de Rosika en esa historia, al igual que hay algo de Rosika en ti, y lo había en Edith.

—¿De qué va la historia?

—Déjame que te la lea.

ULEZURI

Nadie en Ondarroa llamaba por su nombre a María Luisa Leibar, una mujer oriunda del pueblo guipuzcoano de Tolosa a quien los niños apodaban Ulezuri, por su cabellera canosa. Ulezuri era la maestra de una pequeña escuela de Gorozika, un barrio en el interior alejado del casco urbano y del puerto pesquero de la villa. Ulezuri había llegado a ese rincón perdido de un pueblo de la costa como castigo político impuesto por el franquismo, acusada de roja y republicana. Desterrada de su localidad natal, Ulezuri puso todo su empeño en ser una buena maestra para todos los niños del pueblo que acudieran a la escuela de Gorozika. Tales fueron su compromiso y su dedicación que pronto alcanzó reconocimiento entre las familias del pueblo, y, además de los niños de los caseríos cercanos, también se inscribieron en su escuela alumnos procedentes del mismo pueblo, y no solo los más humildes, sino también aquellos otros nacidos en familias pudientes, como los hijos de los dueños de la célebre conservera Ortiz.

Su fama de buena maestra, exigente y carismática crecía cada año, no solo por sus propios méritos, que eran muchos, sino también por contraste con los viejos profesores de las otras escuelas del pueblo, maestros rancios y amargados sin ningún amor por la docencia.

Además, bajo su dirección los niños no tenían la obligación de cantar el himno de la Falange cada mañana ni ninguna otra tonada franquista, y ni siquiera los obligaba a rezar. Pero lo que los padres de Ondarroa más apreciaban era que Ulezuri no pegaba ni castigaba a los niños que hablaran en euskera, a pesar de que ella siempre se dirigiera a ellos en español, ya que tenía estrictamente prohibido el uso de su lengua materna, y la de todos y cada uno de sus alumnos, en horario lectivo. Sin embargo, con las familias sí hablaba en euskera, para que la entendieran bien y así los padres pudieran ayudar mejor a los hijos con los deberes. Ulezuri tampoco españolizaba los nombres de sus alumnos, y a quien así lo prefería lo llamaba del mismo modo que en casa, de tal manera, por ejemplo, que a Miren Josune la llamaba Miren Josune, y no María Jesús.

De las normas que dictaba el régimen, había una con la que Ulezuri cumplía religiosamente todas las mañanas, y así, ella misma se encargaba de izar en el mástil a la entrada de la escuela la bandera española franquista.

Ulezuri había dividido la escuela en cuatro aulas, según las materias que impartía en ellas: Matemáticas, Lenguaje, Geografía, y otra estancia para el resto de las asignaturas. Si en las dos primeras había pizarras y en la tercera un gran mapamundi con seis continentes y siete mares, Ulezuri había acondicionado la pared exterior de la última aula y había abierto en ella un gran ventanal, para que los alumnos contemplaran los campos verdes y los árboles frondosos del barrio de Gorozika, con el mar Cantábrico al fondo.

Precisamente uno de sus alumnos, Josean, tenía la mala costumbre de perderse en Babia más de la cuenta mirando por el ventanal, y entre esas distracciones y las trastadas y payasadas a las que también era asiduo, Ulezuri solía castigarlo con más frecuencia de la que hubiera deseado. Pero sus castigos también eran peculiares, ya que los pupilos debían cumplir penitencia y mostrar arrepentimiento limpiando pescado en el fregadero de la escuela, algo que espantaba al pequeño Josean, a quien le daba arcadas el olor de los peces muertos. Como a Ulezuri le regalaban lubinas, chicharros y anchoas cada día, el pobre Josean se pasaba más tiempo en el fregadero que en el aula.

Para Ulezuri era crucial que los niños aprendieran también a comportarse de manera civilizada, y trataba de inculcarles la importancia del respeto como uno de los valores imprescindibles para la convivencia. Ella misma predicaba con el ejemplo, y enseñaba con amor el idioma español, afanándose para que los niños lo hablaran correctamente, y no aprovechaba su púlpito para adoctrinar a los niños ideológicamente, ni se metía con el dictador, ni alababa al Gobierno Vasco en el exilio. Nada de nada.

Una mañana se encontró el patio alborotado, con los niños exaltados y sin parar de reírse y de gritar, mientras señalaban al mástil de la escuela. En lugar de la bandera que izaban todas las mañanas, ondeaba en lo más alto un saco de patatas vacío. Cada vez que soplaba una ráfaga de viento, el saco se extendía como una bandera andrajosa y sucia, lo cual provocaba las carcajadas de los muchachos.

—¿Quién ha sido? —preguntó Ulezuri.

Los niños no respondieron.

Cuando entró en la escuela, encontró a Josean dentro, en el fregadero.

Sus manos pequeñas limpiaban el pescado.

—Bueno, sí, es una bonita historia la de Ulezuri. Pero no me convence. No la veo para la novela.

—Ya —me dijo Uri un poco contrariado.

—No te despistes, necesitamos algo relativo a Rosika, qué pasó en sus últimos años, si la presentaron de nuevo al Nobel, qué fue de Edith después de que ella muriera...

—Pues bien. Rosika murió en 1948, a los setenta años, apenas tres años después del fin de la Segunda Guerra Mundial. Ese mismo año de 1948 estuvo de nuevo nominada al Premio Nobel de la Paz, pero tampoco se lo concedieron.

—¿A quién se lo dieron?

—A nadie. Quedó desierto porque la persona galardonada había muerto de manera inesperada antes de la ceremonia de entrega.

—¿Se sabe si esa persona era Rosika? —le pregunté intrigada.

—No lo creo. Se cree que era Gandhi, que murió asesinado ese año y que había sido candidato ya cuatro veces más. La figura de Rosika se desvaneció como el humo poco tiempo después de su muerte. El mundo se dividió en dos bloques, y se inició un periodo, el de la Guerra Fría, muy poco propicio para que su legado encontrara respaldo. El temor a una Tercera Guerra Mundial, la consiguiente carrera armamentística, la necesidad de enemigos globales, terminaron por dar la puntilla a un pensamiento esencialmente pacifista y feminista como el de Rosika.

—No sé... ¿Hay algo más?

—Sí, un libro. Poco antes de su muerte, regaló a Edith Wynner y a Georgia Floyd un libro, o, mejor dicho, la idea de un libro. Les pidió a las dos jóvenes que escribieran un volumen que recogiera todos los procesos de paz que habían tenido lugar a lo largo de la historia.

—Ya está. Es lo que nos faltaba, Uri. Un libro. Un libro cierra la historia. ¿Ves que las palabras sirven, y mucho?

Uri sonrió. Le veía muy confiado y satisfecho. Había doblegado la novela, sabía cómo acabarla.

Me gusta mucho Uri, Maider, lo sabes bien. Siempre me ha atraído, especialmente cuando sonríe. Mientras miraba los papeles, le empecé a besar el cuello.

—Quítate la camiseta —le dije.

—¿Aquí? ¿Ahora?

—Sí, aquí y ahora.

—Tú mandas.

El libro escrito por Edith Wynner y Georgia Floyd está incompleto. Porque la historia la escribimos cada día, es una disciplina viva, y, también por ello, es una responsabilidad, una cuestión moral. Cada cual escribe su capítulo, su página, su párrafo, su línea, su palabra, su letra, su silencio. En aquel libro falta, al menos, un proceso de paz. Quizá no merezca figurar entre los más destacados. Tal vez solo deban escribirse sobre él unos pocos capítulos. Pero son líneas que tal vez debemos escribir personas como tú y como yo.

Tu mensaje llegó cuando la pandemia estaba en su punto más alto. En quince años no había tenido noticias tuyas. Y, de repente, un correo electrónico.

Maider, pensaba que te había olvidado. Me engañé a mí misma pensando que ya estabas fuera de mi vida. Se habla incluso de los muertos, pero sobre ti nadie decía nada, se estableció como una ley del silencio cruel, y poco a poco fuiste saliendo de nuestras conversaciones. Tuve hijos, nos vinimos a vivir a Nueva York, parecía que ya no existías, hasta que llegó tu mensaje.

Al principio, te soy sincera, me dio miedo abrirlo. Dudé por un instante, pero al final me atreví a leer tus palabras. Eras tú, Maider, me hablabas tú, estabas ahí, después de quince años.

Recuerdo muy bien el día en que desapareciste. Uri y yo habíamos decidido casarnos, era una idea más suya que mía. Aunque, por supuesto, estaba emocionada, quería contártelo, decirte que esa idea tuya de una boda con todo el espíritu circense se haría realidad.

Imprimimos invitaciones para compartir entre familiares y amigos. Pero cuando fui a la tienda a dártela, tú ya no estabas. De hecho, hacía semanas que no sabía nada de ti. Pero yo ni siquiera caí en la cuenta, estaba muy ocupada con los preparativos de la boda.

—Maider ya no está —es lo que me acertó a decir tu hermana. Me vino a la mente lo que unos años antes me dijo: «A veces es mejor no saber». Inmediatamente até cabos. Con cara de tonta, dejé la invitación en sus manos y corrí a casa llorando.

Estaba furiosa. Lloré mucho. Me venían muchas imágenes a la mente. Tantos muertos, cuánto dolor... ¿Qué tiene que ver todo esto con el sueño de un mundo mejor?

Más tarde, la rabia se convirtió en pena, una pena enorme, grandísima, porque no volvería a verte nunca más. Me sentí vacía por dentro, sentía un gran agujero en mi estómago.

Algunos decían que participaste en varias acciones, incluso la prensa habló de ello. Otros me decían que te alejaste de la banda y tomaste tu propio camino, sola. Que ya no tenías nada que ver con ese mundo. ¿A quién debía creer? Eras mi mejor amiga, mi hermana, más que mi hermana porque me conocías mejor. Yo lo compartía todo contigo.

Maider, ¿qué conversación fue la que no tuvimos?

Siento que en un momento tuve la posibilidad de cambiar el rumbo de nuestras vidas y fallé. Pero lo cierto es que somos producto de nuestras decisiones. De lo que hablamos y callamos.

Empecé a escribir este cuaderno para contestarte. Lo he escrito lentamente, unas frases, unas pocas reflexiones por día. Y escribirlo, Maider, me ha servido para aclarar mi propio pasado, mi relación contigo, con el lugar en el que nací, mi vida aquí. Es verdad que se fue la juventud. Se fueron aquellos años. No hemos vivido juntas muchas vivencias que debiéramos haber compartido. Pero la vida está ahí, Maider, esperándonos. Es necesario admitir nuestro pasado, cada una con sus responsabilidades. Y una vez hecho ese ejercicio, nos toca vivir, mirar hacia delante.

Es junio, ya salieron las luciérnagas. Tímidamente se están iluminando, haciendo señales una a otra, llamándose, deseando amar.

Tu mensaje ha sido la débil luz primeriza de una luciérnaga. Pero esa pequeña luz ha hecho que se iluminaran, una tras otra, miles de pequeñas luces en mi interior.

Hasta pronto, Maider.

Nora

Por: Lamina Goikoa, lamiadearriba@gmail.com
Cuándo: lunes, 30 de marzo de 2020, 12.59 p.m.
Para: Nora Arrillaga, norarrillaga@gmail.com
Asunto: Niri miri mau

Hola, Nora:

Creo que ya sabes quién soy.

Las noticias que vienen de Nueva York no son muy buenas. La pandemia está pegando fuerte ahí. Y por eso me he lanzado a escribirte. Espero que estéis bien de salud tú y toda tu familia.

En fin, Nora, querrás saber qué fue lo que hice, por qué desaparecí de repente del mapa. Escondí en casa a Gorri. Me pidió ayuda y se la di. Acoger a un fugitivo de la justicia es un delito, y yo lo cometí, Nora. Y después, tuve que huir yo también.

Yo estoy medio bien. Tengo pareja. La mejor que he tenido hasta ahora. Tenemos dos mellizos, un niño y una niña, muy traviesos los dos.

Hay momentos en los que me siento cerca de la felicidad, aunque no esté segura de tener ese derecho, después de todo lo que ha pasado.

Lo siento, de veras.

Si quieres, me puedes perdonar.

Si quieres, me puedes escribir.

Si no lo haces, te entenderé.

Pero tú vive, Nora, vive la vida profundamente, sé feliz. Sabes que siempre me tendrás a tu lado, incluso si no nos vemos.

Siempre.

Lamina Goikoa

PD: Mi hija se llama Nora, como tú.

LIBRO TERCERO

(2022)

*No tenemos dinero pero
las estrellas están de nuestro lado,
y la música de un piano.*

ITOIZ

VÍDEO DE PHOTO BOOTH
VERANO DE 2022

ANE: Noticias de última hora. Señoras y señores, nos vamos de vacaciones.

UNAI: Eso es, Ane. Después de tres largos años, por fin vacaciones. Aunque, ¿tú sabes adónde vamos?

ANE: Buena pregunta, Unai. Ama me ha dicho que vamos a visitar a una amiga suya, pero no me ha dicho adónde.

UNAI: ¿Ah, no?

ANE: No, solo que es una isla, con muchas playas...

UNAI: No está mal.

ANE: Dice que nos bañaremos con delfines. Que se te acercan y te acarician con el hocico.

UNAI: Uy, a mí eso me da un poco de miedo.

ANE: Tranquilo, Unai. Además, no estaremos solos. Habrá más niños.

UNAI: ¿Qué me dices?

ANE: Sí, la amiga de ama tiene dos hijos. El niño se llama Joseba y la niña, Nora, como ama.

UNAI: ¿Nora? No me lo puedo creer. Nora no es un nombre para una niña, es de mayores. Y luego, ¿volveremos a Euskadi? Creo que el plan era quedarnos aquí hasta que terminara el libro.

ANE: Sí, pero me temo que ha empezado otro.

UNAI: Y tú, ¿por qué sabes tanto?

ANE: Toma. Porque soy la mayor.

UNAI: Siempre igual. Y cuando regresemos, ¿el presidente volverá a arrestar a aita?

ANE: Bueno, el presidente no lo arrestó. Esperamos en la cola en la frontera y cada vez que aita presentaba su pasaporte lo llevaban a control, a esa pequeña comisaría del aeropuerto.

UNAI: ¿Sabes por qué?

ANE: Es porque estuvo en la cárcel.

UNAI: ¿Era un villano?

ANE: ¿Qué dices? Estuvo en la cárcel porque no quería ir a la guerra. Él dice que es mejor ser poeta que general.

UNAI: Los poetas hacen cosas raras. Como visitar casas de escritores muertos. Cada vez que vamos de vacaciones nos lleva a ver casas y tumbas de muertos.

ANE: Y que lo digas. El otro día nos llevó a Ferncliff a ver la tumba de Rosika.

UNAI: Tardamos un montón en encontrarla. Es normal, hay miles, qué digo, millones de tumbas allí, es como un Nueva York, pero de muertos.

ANE: Menos mal que nos echó una mano el sepulturero. Si no, nos hubieran dado las tantas. Yo le llevé un ramo de claveles rojos. Ama la besó con la mano. Y aita se emocionó. Bueno, esto no es ninguna novedad, porque a aita le saltan las lágrimas por cualquier cosa.

UNAI: Y luego, allí mismo, ama abrió una sandía enorme y nos la comimos. Dijo que era la fruta favorita de Rosika y de Edith.

ANE: Toma, y la mía también, no te fa. Estaba de-li-cio-sa.

UNAI: ¿Tú quieres ser poeta? Yo no.

ANE: No, yo quiero ser bióloga.

UNAI: Antes decías que querías ser futbolista.

ANE: Eso era antes.

UNAI: Ser poeta es difícil, ni siquiera puedes permitirte un dentista.

ANE: Sí, a ama se le rompió el diente desayunando cereales y no tenía dinero para ir al dentista.

UNAI: Es que es muy caro.

ANE: Por eso escribió a la empresa de cereales y le pagaron la visita.

UNAI: Ama es la bomba. ¿Y guardó el diente?

ANE: ¿Para qué?

UNAI: Para el ratoncito Pérez.

ANE: ¿Pero existe?

UNAI: No lo creo.

ANE: Yo tampoco lo creo.

UNAI: ¿Y sabemos que no existe?

ANE: No, oficialmente.

UNAI: No se lo digas a nuestros padres.

ANE: Santa tampoco existe, Unai. Lo siento.

UNAI: Bueno, pues yo le dejo mensajes en el móvil. Encontré su número en internet.

ANE: Pues no existe.

UNAI: ¿Y el Olentzero?

ANE: Sí, ese sí.

UNAI: Y Johnny también. El hijo del superintendente. Es un sol. Me regaló un patinete por Navidad. Llamó a la puerta y me lo dio. Johnny es muy bueno conmigo.

ANE: Y conmigo. A mí me dio un trineo para jugar en la nieve.

UNAI: Pero todavía me habla en inglés. ¿A ti te habla en español?

ANE: No.

UNAI: Ane.

ANE: ¿Qué?

UNAI: Aita me dijo que un porcentaje de nuestros genes es neandertal. Exactamente el cuatro por ciento.

ANE: Eso le salió en un análisis genético que hizo por internet.

UNAI: Y ese cuatro por ciento que tenemos dentro, ¿es lo que llaman alma?

ANE: Unai, apaga el vídeo.

UNAI: Vale. ¿Lo subimos a YouTube?

ANE: Nuestros padres no nos dejan, Unai.

UNAI: Pero no se enteran. También he subido los demás vídeos y nada...

AGRADECIMIENTOS

Este libro fue escrito gracias a una beca de escritura del Centro Dorothy y Lewis B. Cullman de la Biblioteca Pública de Nueva York. Estoy muy agradecido a su dirección y al personal por ser tan atentos y cariñosos conmigo (Salvatore Scibona, Lauren Goldenberg y Paul Delaverdac). A Jordi Puntí, porque fuiste la primera persona que me habló de la beca. A los archivistas Thomas Lannon y Melanie Yolles, por su infinita delicadeza. A Jean Strouse, Esther Allen, Elizabeth Macklin y Luis Martín-Estudillo, por su constante apoyo. El sostén que desde que llegamos a Nueva York nos han ofrecido Rafa Yuste y Stephanie Golob ha sido fundamental para llevar a cabo este trabajo. Sois nuestra familia. El grupo XUE de Xabi Uribe-Etxebarria ha financiado el proyecto. Gracias a la familia Lloyd, especialmente a Robin Lloyd. También a Helen Teitelbaum. A Mertxe Agúndez, por darme detalles sobre el juicio por aborto. A Cova-donga Urresti, por darme detalles del secuestro de la Virgen, y a Ibon Sutargi, por hablarme de las andanzas de los chicos de la casa azul. A Gorka Arrese, al fin. A Mikel Urdangarin, por compartir conmigo los delfines del título. A Lorea Bilbao, por creer en esta loca aventura. A Maria Cardona y Elena Ramírez, por su paciencia.

La familia Arrieta Gazagaetxebarria, siempre apoyándonos.

Ama, hermanos, amigos, sin vosotros no soy nada.

Aitzol y Eider, os quiero mucho.

Esta es una obra de ficción basada en hechos reales.

Biblioteca Avery de la Universidad de Columbia en Nueva York,

27 de octubre de 2021

EL LENGUAJE SECRETO DE LAS LAMIAS

El lenguaje secreto de las lamias
nombraba aquello que no existía.
Lugares, sensaciones, vivencias
que no habían ocurrido aún.
Eran inteligentes y los idiomas de la tierra
no eran lo suficientemente exactos
para captar su infinita curiosidad.

Hubo hombres y mujeres que amaron a las lamias.
Según cuentan, se convirtieron en delfines.
Se liberaron así de su propio pasado, de las
normas,
de los roles establecidos.

Y así, un migrante que huye de la guerra
lleva un delfín dentro.
Un niño que se viste de chica
lleva un delfín dentro.
Un desertor, una enfermera, una cooperante

llevan un delfín dentro.
La niña que cruza el pasillo por una pesadilla,
el músico que toca en la calle,
la señora que te da los buenos días en el ascensor
llevan un delfín dentro.

Ser amable, saber perdonar, alegrarte por los
demás
es llevar un delfín dentro.
Ser uno mismo,
aprender a ser libre y defender esa libertad,
con todas tus fuerzas.

Las lamias ya no están.
Las mataron las religiones, el progreso,
o nuestra desgana, qué se yo.
Pero nos queda su gesto:
cómo se inventaban nuevas palabras
para nuevas realidades.

Inventemos y nombremos esos nuevos mundos,
donde puedan convivir delfines, lamias renacidas
y seres humanos.
Diferentes y únicos.

ÍNDICE